35 —

Récits et actions.

Données de catalogage avant publication (Canada)

Gervais, Bertrand, 1957-
   Récits et actions
   (Collection L'Univers des discours).
   ISBN 2-89133-112-5

   1. Analyse du discours narratif. 2. Analyse du discours
littéraire. 3. Lecture — Compréhension. I. Titre. II. Collection.

   PC2435.G37 1990   401.4'1   C90-096164-3

Cet ouvrage a été publié grâce à une subvention de la Fédé-
ration canadienne des études humaines, dont les fonds proviennent du Conseil de recherches en sciences humaines du
Canada.

Bertrand Gervais

Récits et actions

Pour une théorie de la lecture

Collection L'Univers des discours

Le Préambule

Distribution:

Québec:
Diffusion PROLOGUE
2975, rue Sartelon,
Montréal H4R 1E6
Tél.: (514) 332-5860
Fax: (514) 336-6060

Belgique:
Diffusion VANDER
321, Avenue des Volontaires,
1150 Bruxelles
Tél.: (02) 7629804
Fax: (02) 7620662

France:
SEDES
88, Boulevard Saint-Germain
75005 Paris
Tél.: (1) 43 25 23 23
Fax: (1) 46 33 57 15

Suisse:
TRANSAT
2, route du Grand Lacy
C.P. 125
CH 1211 Genève 26
Tél.: (41.22) 42.77.40
Fax: (41.22) 43.46.46

À Nancy

Avant-propos

Cet essai porte sur l'acte de lecture. Pour certains, l'idée même d'un acte de lecture est une analogie, une façon de comprendre les choses. Pour moi, cet acte est une réalité, une habitude, une pratique quotidienne. Prendre un livre entre ses mains, l'ouvrir, parcourir des yeux les premières lignes, saisir les mots présents sur la page et comprendre ce qui est dit, ce sont tous des gestes de lecture bien réels. Italo Calvino l'avait bien compris, lui qui, par une nuit d'hiver, pensait bien faire accroire à son lecteur qu'un lecteur...

L'aventure d'un lecteur, cela aurait pu être aussi le titre de cet essai. Car celui ou celle qui lit entreprend à son tour une aventure. Celle du texte, de sa progression, de sa compréhension. Une aventure qui demande patience, discipline, un certain oubli de soi, pas trop de mauvaise foi, du temps, de la concentration. Je ne peux m'empêcher de penser en riant à ce lecteur de Calvino. Pas celui de l'hiver, l'autre, celui de l'été et des *Aventures*. Cela se passe sur le bord de la mer. Amédée Oliva lit son livre sur une dalle de pierre lisse, arrondie, la tête appuyée sur un oreiller pneumatique. Quelquefois il se baigne, quelquefois il remarque les enfants s'amuser sur la grève mais sa curiosité la plus forte est de connaître la suite de l'histoire. Rodolphe va-t-il enfin apprendre l'identité de Fleur-de-Marie? Phileas va-t-il rater son train? Jason connaître cette identité qui le fait tant souffrir? Amédée trouve dans ses livres une réalité infiniment plus riche et tangible que cet univers accessoire et décoratif qu'il rencontre au-delà de la page. Il adhère plus facilement à ce monde tissé de mots qu'à cette plage de galets. Mais voilà qu'une femme bronzée, seule elle aussi, dépose tout près son matelas pneumatique. Entre deux chapitres, est-ce dire par à-coup, une amourette se dessine. Cigarettes, baignade, dialogue. Et voilà le dilemme: de ses deux aventures, laquelle choisir? Celle de la lettre ou celle du corps... Amédée, parfait lecteur, ne choisit pas. Il cumule. Il roucoule, entre deux paragraphes. Il embrasse, mais c'est pour mieux lire, au détour d'une épaule. D'une main, il frôle le dos; de l'autre, il garde la page. Se déshabille-t-elle, qu'il se demande s'il vaut mieux la regarder en faisant mine de lire, ou lire en faisant mine de la regarder (p. 63). Mon lecteur, je l'imagine un peu comme cela, obsédé par sa lecture, par son désir de progresser plus avant dans l'aventure, au risque de laisser l'autre aller à la dérive.

L'aventure, finalement, c'est aussi un peu l'écriture de cet essai. Une entreprise qui n'a pas été menée seule. De nombreuses personnes ont participé au fil des ans à mon travail. La première et principale est Gilles Thérien, dont la collaboration, l'amitié et les opinions, toujours fortes, ont permis que ce texte soit ce qu'il est. D'autres ont aussi participé à cette recherche, comme lecteurs et comme interlocuteurs: Julia Bettinotti, François Latraverse, Jean-Guy Meunier, Paul Perron, Daniel Vaillancourt et G. Sunnyland. Je les en remercie vivement. Je remercie aussi Rachel Bouvet et Andrée De Rome, pour leur aide dans l'établissement du texte. Une première version de cet essai a été subventionnée par le Conseil de recherche en sciences humaines du Canada et les Fonds FCAR pour l'aide et le soutien à la recherche. Une version modifiée du chapitre 4 est parue sous le titre «L'aventure... la lecture», dans *Protée* (vol. 17, no 2, 1989).

*Le monde de la fiction est un laboratoire de formes
dans lequel nous essayons des configurations
possibles de l'action pour en éprouver
la consistance et la plausibilité.*

Paul Ricœur, *De l'interprétation*

Nous sommes dans le royaume des hommes-récits.

T. Todorov, *Poétique de la prose*

Introduction

Le récit est au cœur des théories littéraires contempo-
raines. On a étudié tour à tour ses modes de production, ses
structures narratives et discursives, ses procédés stylistiques,
ses déterminations sociales et historiques et même, depuis
quelque temps déjà, sa lecture. Cette dernière dimension a
donné lieu à des analyses de toutes sortes: sémiotique, rhétorique, phénoménologique, psychanalytique, socio-historique et
herméneutique ([1]). Des notions de lecteur actuel ou virtuel,
réel ou possible et, parmi les plus importantes, de narrataire,
de lecteur implicite comme chez Booth ([2]) ou Iser ([3]), de lecteur modèle chez Eco ([4]), d'archilecteur chez Riffaterre ([5]) et
Thérien ([6]), de communauté interprétative chez Fish ([7]) ont

([1]) Susan R. SULEIMAN, Inge CROSSMAN (éds.), *The Reader in the Text.
Essays on Audience and Interpretation*, Princeton, Princeton University Press,
1980.

([2]) Wayne C. BOOTH, *The Rhetoric of Fiction*, Chicago, The University of Chicago Press, 1961.

([3]) Wolfgang ISER, *The Implied Reader*, Baltimore, The Johns Hopkins University Press, 1974.

([4]) Umberto ECO, *Lector in fabula*, Paris, Grasset, 1985.

([5]) Michael RIFFATERRE, *Essais de stylistique structurale*, Paris, Flammarion, 1971.

([6]) Gilles THÉRIEN, *Sémiologies*, Montréal, UQAM (Les Cahiers du
département d'études littéraires, n° 4), 1985.

([7]) Stanley FISH, *Is there a Text in this Class?*, Cambridge (Mass.),
Harvard University Press, 1980.

été proposées en guise d'élaboration conceptuelle des modes de lecture et les résultats atteints ont montré le bien-fondé de ces diverses perspectives de description.

L'analyse du récit et de sa lecture ne s'est cependant pas cantonnée dans le domaine littéraire. Elle s'est aussi développée dans diverses disciplines: psychologie sociale et cognitive, sociologie, *textlinguistics*, logique pour l'analyse des mondes possibles, etc. Parmi celles-ci, les plus étonnantes pour la tradition littéraire sont les sciences cognitives et elles seront grandement mises à contribution dans cet essai. Dans les recherches en intelligence artificielle, le lecteur n'est plus un être humain mais une machine qu'il faut programmer. La question de la lecture d'un récit s'y pose donc de façon particulière car c'est la possibilité même de l'activité de lecture qu'il faut chercher à confirmer. Les enjeux peuvent paraître éloignés du domaine de la littérature, — et cela se comprend facilement: avant de décrire les jeux sur le sens il faut en assurer la saisie —, mais en fait ils ouvrent une voie nouvelle à la compréhension du récit et de sa lecture.

Cette diversité des approches favorise la pluridisciplinarité. Plus qu'une mode intellectuelle, celle-ci est un mécanisme fondamental du développement de nouvelles problématiques et, par suite, la source d'un savoir renouvelé. Un des exemples probants par la richesse de ses résultats d'une telle démarche pluridisciplinaire appliquée au récit et à la lecture est *Temps et récit* de Paul Ricœur ([8]). Dans sa quête du caractère temporel de l'expérience humaine, Ricœur convoque sciences sémio-linguistiques et philosophie de l'action, histoire et logique déontique, phénoménologie et herméneutique, etc. Sa quête passe par le récit qui est le dépositaire de cette expérience ([9]) et son essai est un vaste panorama, depuis les

---

([8]) Paul RICŒUR, *Temps et récit,* tome I, II, III, Paris, Seuil, 1983, 1984, 1985.

([9]) «Je vois dans les intrigues que nous inventons le moyen privilégié par lequel nous re-configurons notre expérience temporelle confuse, informe et, à la limite, muette» (*ibid*, tome I, p. 13) Le récit se présente chez Ricœur comme une mise en intrigue, elle-même définie comme la *mimésis* d'une action.

Confessions de Saint Augustin jusqu'aux dernières avancées
en sémiotique narrative et discursive, de l'expérience temporelle et de sa nécessaire narrativisation. Car, pour Ricœur,
temps et récit ne peuvent se penser l'un sans l'autre: «le temps
devient temps humain dans la mesure où il est articulé de
manière narrative; en retour le récit est significatif dans la
mesure où il dessine les traits de l'expérience temporelle» ([10]).
Son étude entière est consacrée à la démonstration de cette
complémentarité.

C'est un trajet similaire qui est proposé ici, un itinéraire
pluridisciplinaire. Sémiotique ou sciences sémio-linguistiques,
philosophie et logique de l'action, sciences cognitives sont
cette fois-ci regroupées et mises à contribution. Ce n'est pas
pure coïncidence si certaines disciplines apparaissent dans
l'une et l'autre étude. Notre travail se veut un prolongement
de certaines thèses de Ricœur, en particulier de celle qui porte
sur la compréhension de l'action. Dans sa définition de la triple *mimésis*, qui rend compte de l'extension totale du récit,
de ses possibilités de production aux modalités de sa réception, Ricœur pose que «la composition de l'intrigue est enra-
cinée dans une *pré-compréhension du monde de l'action*: de
ses structures intelligibles, de ses ressources symboliques et
de son caractère temporel» ([11]). Cette pré-compréhension est
issue de la connaissance pratique du domaine de l'action et
de la *praxis* humaine, de ses possibilités et résultats, ainsi que
du réseau conceptuel par lequel ses composantes sont identifiées. La pré-compréhension opère d'abord au plan de la
mimésis I, qui est celui de la production du récit, mais elle
est aussi présente au plan de la *mimésis* III, celui de la lecture.
Lire un récit, c'est comprendre les actions qui y sont représentées et cela requiert une compétence particulière qui est la

---

([10]) P. RICŒUR, *Temps et récit*, tome I, p. 17.

([11]) *Ibid.*, tome I, p. 87 (nous soulignons). Ricœur ajoute plus loin:
«[...] imiter ou représenter l'action, c'est d'abord pré-comprendre ce qu'il en
est de l'agir humain: de sa sémantique, de sa symbolique, de sa temporalité.
C'est sur cette pré-compréhension, commune au poète et à son lecteur, que
s'enlève la mise en intrigue et, avec elle, la mimétique textuelle et littéraire»
(p. 100)

pré-compréhension de l'action. Le passage de mimésis I à mimésis III, par le biais de *mimésis* II, qui est le récit comme mise en intrigue et représentation discursive d'action, n'est possible que parce que toutes ont en commun cette même pré-compréhension.

Plutôt que de refouler la pré-compréhension de l'action au simple rang de répertoire comme le fait Iser ([12]), plutôt que de la développer de façon informelle ou encore de la prendre pour acquise, nous allons tenter d'en rendre compte de façon exhaustive dans son rapport à la lecture. Si lire un récit, c'est bel et bien comprendre les actions qui y sont représentées, la description de cette activité passe d'abord par la définition de la compétence préalable qu'elle requiert.

Notre projet s'apparente aux travaux de Ricœur à bien des égards — une théorie de la lecture similaire, une même importance accordée à l'action et à la connaissance pratique de son réseau sémantique — mais il s'en distingue de trois façons. Il se différencie d'abord par l'importance portée à la lecture plutôt qu'à l'ensemble du cheminement mimétique. Nous nous intéressons uniquement à l'activité de lecture ou à ce que nous appelons le *contrat de lecture*. Toute la question de la poétique, des modes de production du récit ou encore du contrat d'écriture, pour répondre au premier terme, est ainsi délaissée au profit de la lecture.

Notre projet se distingue ensuite parce nous nous limitons à définir les traits structuraux du réseau conceptuel de l'action, laissant de côté à la fois ses ressources symboliques et son caractère temporel, qui était l'aspect déterminant de l'argumentation de Ricœur. Il ne s'agit donc pas de poser une relation entre temps et récit, en fonction d'une herméneutique, mais plutôt entre récit et action, dans la perspective d'une théorie de la compréhension; c'est-à-dire, nous ne voulons pas montrer quels sont les fondements de l'interprétation des actions d'un récit mais plutôt assurer les bases de la compréhension des actions représentées discursivement.

([12]) Wolfgang ISER, *The Act of Reading*, Baltimore, The Johns Hopkins University Press, 1978, IIᵉ partie, chap. 3.

En ce sens, notre travail ne porte pas sur le narratif mais sur l'*endo-narratif*. L'endo-narratif, c'est l'en deçà narratif, cette frange théorique étroite qui rend compte des processus de saisie et d'identification des actions représentées discursivement, avant leur intégration à une narration. Ce qui est visé par là n'est pas la compréhension des récits et de leurs structures modélisantes mais celle des actions et de leur déroulement. Ainsi, avant de comprendre que le combat gagné par un héros est une épreuve décisive ([13]), il faut au lecteur comprendre d'abord qu'il s'agit bien d'un combat, que les actions qui sont représentées et qu'il a identifiées sont bien celles d'un corps à corps ([14]). Comprendre la place du combat dans le récit est de l'ordre narratif, tandis qu'identifier le combat en tant que tel est de l'ordre de l'endo-narratif. C'est cet ordre que nous allons tenter de décrire ici en profondeur et cela parce qu'il permet de rendre compte de l'activité de lecture et de sa progression à travers un récit.

([13]) La notion d'épreuve est fondamentale à la définition du programme narratif dans la sémiotique de GREIMAS (*Du sens*, Paris, Seuil, 1970), qui s'occupe surtout des structures narratives génératrices de discours.

([14]) Ce que nous comprenons comme des actions ici sont des *fonctions* dans l'analyse structurale du récit. On se souvient que BARTHES avait proposé, dans son «Introduction à l'analyse structurale des récits» (*Communications*, n° 8, Paris, Seuil, 1966, pp. 1-27) trois niveaux de description du récit: le niveau des fonctions, celui des actions et celui de la narration, respectivement niveaux du faire, de l'être et du dire. Le niveau des fonctions, le plan des plus petites unités narratives, du faire en tant que ses composantes constituent la matière même de l'histoire, est subordonné au niveau des actions, plus globales et conçues comme ces sphères, peu nombreuses, typiques et classables, définissant l'agir des personnages. L'action est faite de ces grandes catégories par lesquelles on peut identifier des conduites ou reconnaître des personnages, des rôles narratifs, tandis que les fonctions sont des éléments qui participent au déploiement de sa présentation. La distinction permet de différencier les motivations ou les buts d'un personnage, des moyens mis en jeu dans la réalisation de ces buts. Mais en les distribuant en des niveaux différents, elle isole ces deux aspects de l'action comme des éléments participant d'une économie autonome, comme s'il existait véritablement deux plans distincts. Nous ne conservons pas ici cette distinction: l'action est à la fois les grandes catégories qui régissent la narration et celles qui sont prises en charge et qui constituent le détail de la progression narrative.

Le dernier élément qui différencie notre projet de celui de Ricœur consiste en l'utilisation de théories provenant des sciences cognitives et des recherches en intelligence artificielle. Ces théories nous sont utiles parce qu'elles visent d'abord à définir les conditions minimales de la lecture et de la compréhension de l'action. L'ordinateur n'est pas un lecteur modèle, au contraire, il est plutôt l'équivalent d'un degré zéro de la lecture. Un lecteur sans connaissance du monde et des actions qui y prennent place, un lecteur sans aucune compétence préalable. Pour permettre à cette machine de lire un récit, il faut la programmer; ce qui se fait non pas à partir des grandes articulations de la *praxis*, par lesquelles le narratif se constitue comme dépositaire de l'expérience humaine, mais à partir des menues actions qui participent au déroulement du récit et qui servent de base à sa progression. Même si leurs besoins en matière de programmation peuvent sembler excessifs, ces théories cognitives développent des conceptualisations aptes à nous aider à opérer une sémiotisation de l'endonarratif.

Une mise en situation

La lecture d'un récit est une activité complexe, qui a une durée et qui est régie par un ensemble de règles. Pour décrire ces règles nous proposons un ensemble de termes. Le premier est celui de *situation textuelle*. La situation textuelle est la relation établie par la lecture entre un texte et son lecteur. Notre théorie de la lecture prend ainsi la forme d'une description du développement de la situation textuelle. La perspective adoptée est telle qu'il ne s'agit pas de rendre compte des qualités et propriétés d'un texte ou encore d'un lecteur, mais plutôt de la relation établie entre les deux. La situation textuelle est ainsi irréductible aux éléments qui la composent et son analyse doit respecter cette contrainte; c'est-à-dire que sa description ne peut être fonction de ses composantes analysées de façon individuelle — soit une simple apposition d'une étude du texte et du lecteur — mais bien fonction des règles qui déterminent l'interaction du texte et du lecteur.

18

La description des règles de la situation textuelle prend la forme d'une analyse de son *contrat de lecture*. On nomme contrat de lecture d'une situation textuelle l'ensemble des conventions et des contraintes qui régissent et garantissent son développement. Le contrat de lecture se présente comme un ensemble de trois types d'éléments: des *modalités* de lecture, une *portée* et un *protocole* de lecture. Ces trois éléments correspondent aux différents mécanismes mis en jeu simultanément dans toute situation textuelle. Les modalités de lecture représentent, par exemple, les conditions minimales de la situation textuelle, à savoir une certaine familiarité avec le langage ou une disposition à utiliser le langage et à l'interpréter. La portée du contrat rend compte, pour sa part, du déroulement même de la situation textuelle et des éléments qui y participent; c'est l'élément central du contrat de lecture. Le protocole de lecture correspond finalement à la façon dont le texte se présente pour être lu et désigne l'ensemble des injonctions qui guident le lecteur dans sa saisie du texte. C'est à partir de ces trois aspects du contrat de lecture que notre recherche s'organise. Le description du déroulement de la situation textuelle va se faire en trois temps qui correspondent à chacun de ces aspects.

Cette conception de la lecture représente uniquement le troisième terme du cheminement mimétique de Ricœur, *mimésis* III. Pour Ricœur, le texte est le lieu d'une médiation, qui est la triple *mimésis* et qui représente «l'arc entier des opérations par lesquelles l'expérience pratique se donne des œuvres et des lecteurs» ([15]). Dans un schéma de la communication textuelle et narrative (cf figure 1), cette médiation requiert la définition non pas d'une seule mais de deux situations textuelles. Une situation textuelle de production du texte, qui se définirait comme un contrat d'écriture, et une situation textuelle de lecture, qui est le contrat de lecture.

([15]) P. RICŒUR, *Temps et récit*, tome I, p. 86.

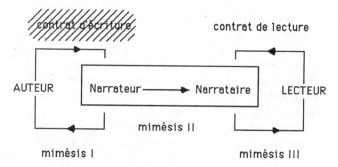

Figure 1. Schéma de la communication narrative

Dans la figure 1, le rectangle central correspond au texte, qui est défini comme la transmission d'un message entre un locuteur (le narrateur) et un allocutaire (le narrataire). Quant aux boucles que décrivent les doubles flèches et qui relient tant le lecteur que l'auteur au texte, elles indiquent que ces situations ne sont pas de simples transmissions de message mais un travail, une relation ou une interaction spécifique.

Par sa triple *mimésis*, Ricœur cherche à conceptualiser le passage, à travers le texte, d'une situation à l'autre. Pour notre part, comme le montre la figure 1, la seule situation textuelle qui nous occupe, et la seule par conséquent définie, est celle qui met aux prises un lecteur et le texte qu'il lit. C'est le contrat de lecture. Le contrat d'écriture, ombragé pour la circonstance, est réputé selon ce point de vue inaccessible; c'est-à-dire que l'analyse du contrat de lecture n'a ni le *but* ni les *moyens* de recomposer le cheminement complet de la communication narrative. Et cela correspond bien à la pratique même de la lecture d'un récit dont le but n'est pas d'abord de retrouver son contrat d'écriture mais simplement de suivre son intrigue.

Le récit est le lieu de la représentation discursive de l'action et, pour décrire sa lecture, nous développons le concept de *situation narrative*. La situation narrative est un ensemble textuel mettant en jeu, pour un cadre donné, un agent et son action. Dans cette perspective, la représentation discursive d'une action se présente sous la forme d'une situation

20

narrative. Le récit devient la concaténation d'un ensemble de situations narratives et sa lecture, la progression, *le passage d'une situation narrative à une autre.*

Nous allons chercher, tout au long de cet essai, à définir la situation narrative dans son rôle de médiation entre compréhension de l'action et lecture du récit. Dans la description des modalités de lecture, nous définissons, par exemple, les bases de sa compréhension. Dans un premier temps, afin d'identifier les principales composantes de son réseau conceptuel, nous examinons de quelle façon l'action a été conceptualisée par les diverses disciplines qui ont cherché à la définir. Philosophie de l'action, praxéologie et logique de l'action ainsi que les théories sur le récit ont offert des définitions de l'action et de son domaine et nous résumerons leurs positions. Nous élaborons, dans un second temps, un modèle fonctionnel de la pré-compréhension de l'action. Ce modèle prend la forme d'un *schème interactif.* Or, la description de son rôle va nous amener à poser que la situation narrative est l'*expression discursive* du schème interactif. C'est donc par le bais du schème interactif que pourra être explicité le rapport établi entre la situation narrative et la pré-compréhension du domaine de l'action.

La description de la portée du contrat de lecture permet pour sa part de définir les modes de développement et d'enchaînement des situations narratives d'un récit. La description des modes de développement prend la forme d'une analyse de deux grandes catégories de déroulement d'actions. Ces deux catégories sont les *scripts* et les *plans*, notions issues des travaux pionniers en science cognitive de Roger Schank et Robert Abelson ([16]). C'est en fonction de leur modèle des structures de connaissance que nous proposerons des concepts tels que l'*action générique* et le *plan-acte*, qui permettent de mieux articuler le rapport entre la compréhension de l'action et la lecture d'un récit.

([16]) Roger SCHANK, Robert ABELSON, *Scripts, Plans, Goals and Understanding. An Inquiry into Human Knowledge Structures*, Hillsdale, Lawrence Erlbaum Associates, 1977.

La description des modes d'enchaînement des situations narratives rend ensuite possible l'exposition des types d'itinéraires proposés au lecteur dans sa progression à travers le récit. Ces enchaînements changent selon la variation ou la permanence des composantes de la situation narrative et leur composition sert de trame au déroulement des actions. Cette dernière analyse nous amène à spécifier d'avantage les relations qu'entretiennent les scripts et les plans avec le développement et l'enchaînement des situations narratives.

Finalement, la description du protocole de lecture expose les principaux mécanismes de présentation des situations narratives. Le protocole concerne les directives fournies au lecteur sur ce qu'il lui faut connaître ou inférer pour progresser à travers le récit. À ce titre, nous décrirons les principales stratégies de dévoilement des composantes de la situation narrative, stratégies qui influencent le lecteur dans son adhésion à l'univers narratif. Cette dernière analyse complète le portrait des différents paramètres de la compréhension de l'action en jeu dans la lecture du récit.

Les modalités, la portée et le protocole forment les trois aspects du contrat de lecture. Ils structurent l'ensemble de notre recherche et donnent même au texte son cadre général. En effet, le corps de cet essai se divise en trois: les chapitres 1 et 2 sont consacrés aux modalités du contrat de lecture, les chapitres 3, 4 et 5, à la portée du contrat, et le chapitre 6, au protocole de lecture. Il ne s'agit pas tout à fait de parties séparées et distinctes mais simplement d'un découpage qui sert à différencier les problématiques liées à chacun de ces aspects.

L'aventure comme objet

Le corpus que nous utilisons pour rendre compte des situations textuelles et narratives en jeu à la lecture des récits est constitué uniquement de *romans d'aventures*. C'est un corpus avant tout d'exemples, un corpus par conséquent qui ne respecte ni les époques, ni les cultures, ni les sous-genres. Les récits vont du premier grand roman-feuilleton français au plus récent *bestseller* américain, du texte plus littéraire au fascicule anonyme traduit. Roman d'espionnage ou thriller, western ou roman de la frontière, fascicule d'aventures policières, roman social, récit interactif à saveur fantastique et jeu informatisé inspiré des *hard boiled* américains sont représentés et ensemble ils illustrent les divers sous-genres associés au roman d'aventures.

Les principaux romans d'aventures analysés sont: *Le dernier des Mohicans* ([17]) de James Fenimore Cooper, *Les mystères de Paris* ([18]) de Eugène Sue, *Le tour du monde en 80 jours* ([19]) et *Michel Strogoff* ([20]) de Jules Verne, une série de six fascicules en traduction des aventures de Harry Dickson regroupés sous le titre de *Le professeur Flax, monstre humain* ([21]), un fascicule en traduction des aventures de Buffalo Bill, *Sur la piste de la terreur du Texas* ([22]), *The Bourne Identity* ou *La mémoire dans la peau* ([23]) ainsi que *The Bourne Supremacy* ([24]) de Robert Ludlum. À ces romans d'aventures plus conventionnels s'ajoutent des fictions interactives: *Le labyrinthe de la mort* ([25]), un récit issu de la série «Un livre

(17) James Fenimore COOPER, *Le dernier des Mohicans*, Paris, Gallimard (coll. «folio junior»), 1974.

(18) Eugène SUE, *Les mystères de Paris*, Paris, 1977, tome 1: Hallier; tome 2, 3 et 4: Albin Michel & Hallier.

(19) Jules VERNE, *Le tour du monde en 80 jours*, Paris, Le livre de poche, 1986.

(20) Jules VERNE, *Michel Strogoff*, Paris, Le livre de poche, 1978.

(21) Anonyme, *Harry Dickson. Le professeur Flax, monstre humain*, Troesnes, Corps 9, 1983.

(22) Anonyme, *Buffalo Bill: Sur la piste de la terreur du Texas*, fascicule n° 40, Bruxelles, Sobeli, *circa* 1907.

(23) Robert LUDLUM, *The Bourne Identity*, Toronto, Bantam Books, 1980. Nous utiliserons surtout la traduction française de ce roman *La mémoire dans la peau*, Paris, Laffont, 1981.

(24) Robert LUDLUM, *The Bourne Supremacy*, Toronto, Bantam Books, 1986.

(25) Ian LIVINGSTONE, *Le labyrinthe de la mort*, Paris, Gallimard, 1984.

dont *vous* êtes le héros», et *Déjà vu* ([26]), un logiciel. Ces divers textes forment un ensemble hétérogène mais ils ont tous en commun d'être, sous une forme ou une autre, un récit.

Mais pourquoi le roman d'aventures? Peut-être parce que l'aventure est l'essence de la fiction... Cette assertion en fait n'est pas de nous, elle provient de l'essai de Jean-Yves Tadié sur le roman d'aventures ([27]); mais, elle résume bien le rapport entre l'action et ce genre littéraire. Le roman d'aventures est le type même du roman d'action et l'aventure est l'action par excellence.

Tadié n'est pas le seul à proclamer la relation intrinsèque, fondamentale entre aventure et fiction. Nombreux sont ceux qui, étudiant le roman d'aventures ou le thème de l'aventure dans la littérature, ont réitéré ce caractère fondamental et cette omniprésence de l'aventure dans le récit. Les plus vieux récits du monde et les plus populaires, dit Paul Zweig, sont les récits d'aventures:

> Les plus vieux récits et les plus connus du monde sont des récits d'aventures, qui traitent de héros humains s'aventurant dans des contrées mythiques au risque de leur vie et ramenant des histoires de mondes merveilleux, au delà des hommes ([28]).

Pour Zweig, l'art narratif lui-même provient de la nécessité de raconter une aventure et l'un des grands textes fondateurs de l'occident, l'*Odyssée* d'Homère, est un des plus beaux récits d'aventures.

Les voyages, la quête, la périphérie forment la base de ces récits où l'aventure se calcule au nombre de lieues parcourues. Mais l'aventure ne se réduit pas à un genre, elle participe de toutes les littératures. Roger Mathé est explicite à ce sujet: «comme l'aventure, c'est l'attente de ce qui va ad-

---

([26]) ICOM simulations, Inc., *Déjà vu. A Nightmare comes True*, Northbrook (Ill.), Mindscape, 1985.

([27]) Jean-Yves TADIÉ, *Le roman d'aventures*, Paris, PUF, 1982.

([28]) Paul ZWEIG, *The Adventurer*, New York, Basic Books, 1974, p. vii. Notre traduction.

venir, comme toute création littéraire ou filmée s'insère dans la durée, quel livre, quel film, même pauvre en événements, même lentement rythmé, peut tout à fait l'ignorer» [29]. L'aventure est donc à la base même du narratif. Plus qu'un thème, l'objet d'un récit, un dépaysement, elle est l'expression la plus juste de cette inéluctable attente qu'impose la progression au lecteur. C'est la lecture comme jeu, la progression comme aventure [30].

L'aventure est l'attente de ce qui va advenir, c'est alors une attente constamment déjouée. Car l'aventure n'existe vraiment que s'il y a de l'imprévu, de l'extraordinaire, du nouveau. L'aventure est multiforme, elle peut être maritime exploratrice, guerrière, policière, préhistorique, historique ou anticipée, exotique, spirituelle [31], mais il lui faut avant tout être imprévisible. Aussi la mort est-elle une composante essentielle. Sans elle, sans son spectre, ténu comme un danger, il n'y a pas de suspense. Elle est une fin en soi et elle vient marquer souvent la fin du récit. On la retrouvera, comme il se doit, à la toute fin de notre texte.

Existe-il une aventure infinitésimale qui serait comme le seuil de l'aventure? [32]. Le but de notre travail n'est pas de le montrer. Ce que l'on veut comprendre, c'est l'action que cette aventure postule et la représentation de son déroulement.

---

[29] Roger MATHÉ, *L'aventure*, Paris, Bordas, 1972, p. 9.

[30] Comme on le verra, les plus récentes collections de littérature pour la jeunesse ont pris au sérieux et littéralement cette adéquation entre lecture et aventure; ce sont les séries de livres où le lecteur lui-même est le héros de l'aventure. Lire n'y est plus simplement suivre les tribulations d'un personnage, c'est agir pour lui et à sa place.

[31] Ce sont en fait les épithètes que l'on retrouve dans l'article de l'*Encyclopédia Universalis* sur le roman d'aventures (tome 2, p. 933, signé P. Versins).

[32] Vladimir JANKÉLÉVITCH, *L'aventure, l'ennui, le sérieux*, Paris, Aubier Montaigne, 1963, p. 10.

I

LES MODALITÉS
DU CONTRAT DE LECTURE

Chapitre I

La triple perspective de l'action

> Le concept d'acte contient en effet de nombreuses
> notions subordonnées que nous aurons à organiser et
> à hiérarchiser: agir, c'est modifier la *figure* du
> monde, c'est disposer des moyens en vue d'une fin,
> c'est produire un complexe instrumental et organisé
> tel que, par une série d'enchaînements et de liaisons,
> la modification apportée à l'un des chaînons amène
> des modifications dans toute la série et, pour finir,
> produise un résultat prévu.
>
> Jean-Paul Sartre, *L'être et le néant*

L'objectif que nous poursuivons est l'élaboration d'une théorie de la compréhension de l'action. Cette théorie doit s'appliquer à la représentation discursive de l'action et être intégrée à une théorie de la lecture. Mais comme de nombreuses disciplines se sont déjà intéressées à l'action et en ont proposé des définitions, il est important, dans un premier temps, de voir de quelle façon l'action a été conceptualisée dans ces différentes disciplines.

On identifie avec Alfred Schutz, un socio-phénoménologue, trois points de vue principaux à partir desquels une action peut être décrite: du point de vue de l'agent lui-même, du point de vue des *partenaires* engagés dans une interaction avec l'agent et finalement du point de vue d'un observateur non impliqué ([1]). Ces points de vue sont définis par Schutz dans une perspective sociologique et servent à rendre compte des possibilités pour un individu de comprendre l'action chez ses semblables. À chaque point de vue correspond un savoir particulier sur l'action et son déroulement. L'agent détient le point de vue privilégié. Lui seul sait où commence et où se termine son action; c'est son projet et il connaît les différentes étapes qui participent à son accomplissement. Schutz donne l'exemple d'un individu qui veut trouver de l'encre pour sa plume parce qu'il en a besoin pour remplir le formulaire d'une demande de bourse. Atteindre ce but, c'est-à-dire recevoir une bourse, requiert que certaines étapes soient réalisées: il faut remplir le formulaire, l'envoyer afin d'être évalué par un comité, etc. Chaque étape demande qu'un ensemble d'actions ou de sous-actions soient réalisées, parmi lesquelles il faut compter cette recherche d'encre. Chaque sous-action est une unité autonome («*selfcontained unit action*» dira Schutz ([2])), qui peut se suffire à elle-même: l'individu peut rechercher de l'encre simplement parce qu'il sait qu'il ne lui en reste plus; mais, dans ce cas-ci, cette sous-action participe comme moyen au projet de l'individu. Il a un motif pour agir et celui-ci est défini par le but qu'il cherche à atteindre. Si l'individu n'a pas expliqué son projet à celui à qui il demande de l'encre (le partenaire de l'action), il demeure le seul qui peut comprendre son action, c'est-à-dire voir la relation entre la recherche d'encre et la demande de bourse.

En d'autres mots, seul l'agent sait vraiment «où commence et où s'arrête son action», c'est-à-dire pourquoi elle a été produite. C'est l'amplitude de son projet qui détermine l'unité de l'action. Le partenaire dans l'action ne connaît ni la planification de l'agent la précédant ni le contexte général dans lequel elle s'intègre. Il ne connaît que ce fragment de l'action dont

---

([1]) Alfred SCHUTZ, *The Problem of Social Reality*, La Haye, Nijhoff, 1967, p. 24.

([2]) *Ibid.*, p. 24.

il a été témoin, à savoir l'acte performé qu'il a pu observer ou encore les étapes passées de cette action en cours (^{3}).

Pour ce partenaire de l'individu en quête d'une bourse, la seule action performée a été celle de rechercher de l'encre. Si, maintenant, ce partenaire veut comprendre un peu plus l'action de l'individu, il va lui falloir reconstruire, à partir de cette action observée, l'ensemble des motifs qui auraient pu inciter l'individu à agir de la sorte. Sa connaisance de l'action projetée n'est donc pas immédiate, elle est le résultat d'une interprétation, guidée par sa connaissance de l'individu, de sa situation au moment de l'action, du contexte, etc. La situation est à peu près identique pour l'observateur, sauf que, d'une part, sa reconstruction de l'action ne dépendra pas uniquement des actions de l'individu mais comprendra aussi celles du partenaire et que, d'autre part, elle ne se fondera pas, comme pour le partenaire, sur la connaissance de l'agent mais plutôt sur sa connaissance des actions en général. L'observateur est, par définition, non impliqué; il ne participe pas au jeu des actions et des relations entre les agents et leurs partenaires:

> Ainsi, son cadre de référence est différent de ceux participant à l'action, ce qui lui permet d'apercevoir d'autres aspects de ce qui se passe. Mais, quelles que soient les circonstances, ce ne sont jamais que des fragments des actions des deux partenaires qui sont accessibles à son observation. Or, pour comprendre ces fragments, l'observateur doit se servir de son savoir sur des types d'interaction similaires, pouvant survenir dans des cadres similaires, et il doit reconstruire les motifs de ces partenaires en fonction du segment de déroulement d'action relevant de son observation (^{4}).

C'est de loin et indirectement que l'observateur accède à la compréhension de l'action en jeu. Il ne peut questionner

---

(^{3}) A. SCHUTZ, *The Problem of Social Reality*, p. 24. Notre traduction.

(^{4}) *Ibid.*, p. 26.

31

l'agent sur ses motifs et ses projets et il ne partage pas, comme le partenaire, un certain nombre de conventions et de buts qui permettraient de saisir plus facilement ce qui se passe; il lui faut inférer ces motifs grâce à son savoir sur les actions. La compréhension d'une action varie ainsi selon le point de vue adopté. L'agent n'a pas besoin de reconstruire ses actions de la façon dont un de ses partenaires ou un observateur non impliqué doivent le faire. Et ces deux derniers le font différemment parce que leur participation et les enjeux diffèrent du tout au tout.

De façon générale, le point de vue de l'observateur est celui adopté par les différentes disciplines qui cherchent à définir l'action. Dans leur cas cependant, il faudrait parler non pas d'observateur mais d'un «super observateur». En effet, le but de ces disciplines n'est pas de reconstruire des déroulements d'actions à partir d'observations mais d'assurer un savoir sur l'action afin de rendre possible ces reconstructions. En tant que super observateur, les théories de l'action ne dépendent d'aucun point de vue; bien au contraire, puisqu'elles cherchent à définir les possibilités et les limites de chaque point de vue, elles les surplombent. Les théories intéressées à l'action ne cherchent donc pas uniquement à comprendre l'action du point de vue de l'observateur, mais se gardent le droit d'utiliser la perspective qui leur convient. Il existe ainsi des théories de la relation de l'agent à son action, des théories sur le rapport entre une action et le monde dans lequel elle se produit et des théories sur les possibilités de description et de représentation de l'action. Ces trois positions forment la *triple perspective de l'action.*

Selon que la perspective adoptée est celle de l'agent (A), de ses partenaires (B) ou d'un observateur (C), l'action est l'objet d'une problématique distincte et autonome. Ainsi, au point de vue de l'agent correspond, par exemple, la question de l'intentionnalité de l'action, de la volonté, des motifs, des mobiles et de la capacité d'agir. Au second point de vue, celui des partenaires de l'action, sont associées les questions portant sur les effets et les conséquences des actions produites par un agent, leurs rapports au monde. Au dernier, c'est tout

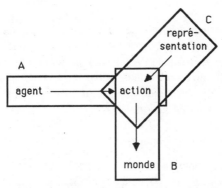

Figure 2. Schéma de la triple perspective de l'action

le problème de la représentation et de l'identification de l'action qui est cette fois mis en jeu. Le passage d'une perspective à l'autre modifie les problématiques, la valeur et la portée de certains concepts. Le geste, par exemple, passe d'unité de base de l'action (A), à une cause dont on subit les effets (B) et finalement à un simple élément d'identification (C). L'intention dans l'action, de la même façon, passe de cause productrice (A) à un élément de compréhension (B et C). Ces transformations témoignent de l'autonomie des problématiques mises en jeu par chaque perspective.

Dans les trois prochaines sections, nous allons donner des exemples de théories qui ont fait leur une de ces trois problématiques. Pour chaque perspective, par conséquent, nous donnerons un exemple de discipline qui a proposé des définitions de l'action. Nous nous attacherons d'abord à la philosophie de l'action et au débat qui a eu lieu sur les problèmes de l'individuation de l'action ([5]). Nous examinerons ensuite les propositions de Abraham Moles et Elisabeth Rohmer, dans

---

([5]) On trouve là aussi le champ d'une psychosociologie de l'action, participant d'une psychologie de la connaissance et d'une psychologie du comportement (Pierre VAYER et Pierre TOULOUSE, *Psychosociologie de l'action: le motif et l'action*, Paris, Doin, 1982). Dans ce champ de recherche, ce n'est pas l'action qui est problématisée mais l'apport de l'action au développement du sujet. L'action est alors comprise comme source de connaissance.

le cadre de leur écologie des actions ([6]), ainsi que la logique de l'action de Georg H. von Wright ([7]). Enfin, nous rendrons compte des théories de l'action qui ont vu le jour avec l'analyse structurale du récit. Cette perspective est celle privilégiée ici puisqu'elle permet de poser le problème de la représentation discursive de l'action.

L'action et la philosophie

Joel Feinberg a déjà désigné par le terme fort approprié «d'effet accordéon» ([8]) cette caractéristique particulière du langage par laquelle l'action d'une personne peut être décrite aussi succinctement ou largement que désiré; un *effet accordéon*, puisque, comme l'instrument, une action peut être réduite à une amplitude minimale ou encore étirée à son amplitude maximale ([9]). L'on comprend que l'existence d'un tel effet rende problématique l'identification des différentes com-

---

([6]) Abraham MOLES, Élisabeth ROHMER, *Théorie des actes. Vers une écologie des actions*, Paris, Casterman, 1977.

([7]) Georg H. von WRIGHT, *An Essay in Deontic Logic and the General Theory of Action*, Amsterdam, North-Holland Publishing, 1968.

([8]) Joel FEINBERG, «Action and responsability», in Max BLACK (éd.), *Philosophy of America*, Ithaca, Cornell University Press, 1965, p. 146.

([9]) L'action de prendre le train, par exemple, peut être représentée à l'aide d'une seule phrase (amplitude minimale), telle que «Jean a pris le train», mais elle peut être l'objet d'un roman (amplitude maximale), comme *la Modification* de Michel BUTOR. En philosophie de l'action, Donald Davidson a donné un exemple intéressant de l'effet accordéon. L'exemple choisi, issu de *Hamlet*, est l'empoisonnement du roi par la reine. «L'accordéon, qui demeure le même à travers toutes les compressions et extensions, c'est l'action; les transformations portent sur les aspects décrits, sur les descriptions de l'événement. Un répertoire complet peut être joué sur cet accordéon. On peut commencer avec "la reine a bougé sa main"; et tirer vers la droite, en ajoutant: "causant ainsi la fiole à se vider dans l'oreille du roi"; on peut aller un peu plus vers la droite avec: "causant ainsi le poison à pénétrer dans le corps du roi"; et finalement (cela, bien entendu, si on en a assez, car les possibilités d'extension sont presque sans limite): "causant ainsi le roi à mourir". La proposition complète peut être raccourcie de nombreuses façons, à partir des segments centraux, de gauche, de droite ou de n'importe quelle variation de ces segments. Par exemple: "la reine a bougé sa main causant ainsi la mort du

posantes de l'action. Et de fait, la question de l'identification de l'action et sa description a donné lieu, au début des années 70, à un débat sur l'individuation de l'action, débat marqué par la question de savoir où commence et où s'arrête une action ([10]). Les deux principales solutions apportées à ce problème ont suivi la métaphore de l'accordéon, l'une multipliant au maximum les actions, l'autre les réduisant à leur plus petite expression. Irving Thalberg ([11]) a nommé les tenants de ces deux positions, d'une part, les *Pluralists*, dont le représentant principal est Alvin Goldman et, d'autre part, les *Reductive Unifiers*, principalement représentés par Donald Davidson ([12]). Le débat a porté sur la segmentation de l'action en fonction de ses effets intentionnels et non-intentionnels, et sur la définition d'une action de base, que l'on retrouve chez Danto ([13]). Thalberg résume le débat de façon précise:

roi" (les deux bouts sont conservés); "la reine tua le roi" (compression vers la droite); "la reine vida la fiole dans l'oreille du roi" (compression au centre). Il y a une autre façon d'étirer l'instrument. On peut avoir comme proposition: "la reine tua le roi"; et ajouter à sa gauche "en versant du poison dans son oreille", et ainsi de suite. De nombreuses expressions sont équivalentes; ainsi "la reine tua le roi en versant du poison dans son oreille" et "la reine versa du poison dans l'oreille du roi causant ainsi sa mort". Les descriptions plus longues impliquent certaines descriptions plus courtes» (Donald DAVIDSON, «Agency», in R. BLINKEY, R. BRONAUGH, A. MARRAS (éds.), *Agent, Action and Reason*, Toronto, University of Toronto Press, 1971, pp. 22-23). Notre traduction.

([10]) Le problème de l'individuation de l'action a d'abord été posé par G.E.M. ANSCOMBE (*Intention*, Oxford, Basil Blackwell, 1957). Pour ne citer que cette première question qui fait maintenant force de programme: «Devonsnous dire qu'un homme qui bouge intentionnellement son bras, actionne une pompe, remplit le réservoir d'eau et qui empoisonne les personnes utilisant cette eau, accomplit quatre actions ou une seule?» (p. 45).

([11]) I. THALBERG, *Perception, Emotion and Action*, Oxford, Blackwell, 1977.

([12]) On trouve reproduit dans Steven DAVIS (éd.), *Causal Theories of Mind*, (Berlin, New York, Walter de Gruyter, 1983) des textes importants de ces deux philosophes de l'action, soit «Intentional Action» et «Wanting and Acting» de Alvin I. GOLDMAN (pp. 73-113) et «Action, Reasons, and Causes» de Donald DAVIDSON (pp. 58-72). «Agency» de Donald Davidson apparaît dans *Agent, Action and Reason*, pp. 3-26.

([13]) A. C. DANTO, «Basic Actions», in *American Philosophical Quaterly*, n° 2 (1965), pp. 141-148.

Quand nous exécutons une action de base et par le fait-même inaugurons une série d'événements complexes, combien d'actions distinctes performons-nous? Les pluralistes («Pluralists») discernent, en plus de l'action de base qui les engendre, tout un ensemble de performances complexes et distinctes. D'une façon plus précise, à chaque nouvelle et non-équivalente spécification de ce qu'on a pu faire grâce à une action de base, correspond une action individuelle, complexe et distincte. Les unificateurs réducteurs («reductive Unifiers») ne discernent quant à eux qu'une seule performance. Ils assimilent toutes nos entreprises à ces mouvements de base que nous faisons avec notre corps, mouvements qui sont la source de nos diverses réalisations. Les réducteurs unifiants acceptent facilement de distinguer descriptions d'actions de base et descriptions d'actions complexes, mais ils soutiennent que ce sont toutes des descriptions d'une seule entité — ce geste qu'est le mouvement que nous faisons avec notre corps ([14]).

Comme le signale Thalberg, la dispute entre les deux clans ne remet pas en question la participation du mouvement corporel ou du geste comme unité nécessaire à l'action et finit par ressembler à une querelle de clocher. Ou bien l'agent qui performe une action de base assortie d'actions plus complexes est un individu fort occupé (pluraliste), ou bien il ne fait rien d'autre que bouger son corps (unificateur)!

Pour expliquer un peu mieux les positions de chacun, prenons comme exemple l'ensemble des propositions suivantes (exemple inspiré de ceux proposés par Thalberg, Davidson et les autres philosophes de l'action):

1- Un individu fait bouger son doigt.
2- Il presse avec son doigt le bouton de la sonnette.
3- Il actionne la sonnette.
4- Un coup de sonnette retentit dans la maison.
5- Il réveille le chat de la maison.
6- Il avertit le Majordome qu'il devra se rendre dans le vestibule pour aller répondre.

([14]) I. THALBERG, *Perception, Emotion and Action*, p. 87.

7- Il apaise la maîtresse de maison, qui attendait impatiemment l'arrivée de cet individu.

8- Il contrecarre les plans d'un malfaiteur qui était dans la maison et voulait enlever la maîtresse de maison et qui ne peut maintenant que rebrousser chemin.

En regard du problème de l'individuation de l'action, ce qu'il importe de savoir c'est combien d'actions ces phrases décrivent. Les réponses varient selon les positions prises dans le débat: pour les pluralistes, il y a autant d'actions que de propositions, à savoir huit; tandis que pour les unificateurs, il n'y a qu'une seule action.

Pour Goldman, ce sont huit actions, mais d'un niveau différent. Il y a une action génératrice, c'est l'action de base, et un certain nombre d'autres actions générées, situées à un niveau ou un autre d'un arbre de génération ([15]). Les analyses de Goldman se présentent comme des structures en arborescence, ce qui donne pour l'exemple choisi la figure 3 où chaque chiffre correspond à la proposition équivalente.

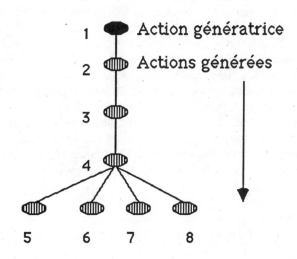

Figure 3. Arbre de génération

([15]) A. I. GOLDMAN, «Intentional Action», pp. 89-98.

Dans le modèle de Goldman, une action de base, l'action génératrice, n'est que le mouvement corporel d'un agent causé par ses intentions et sa volonté — par exemple, bouger son doigt; mouvement intentionnel qui peut servir à générer d'autres actes, mais qui ne peut en aucune façon être généré par autre chose. L'action génératrice est l'action de base qui se situe à la fin de la chaîne logique: «Je fais x en faisant y, y en faisant z, z en faisant a». L'action de base est le dernier maillon de la chaîne logique, il se retrouve tout en haut de l'arbre de génération.

Chez Goldman, l'arbre de génération fait partie intégrante de la conceptualisation de l'action intentionnelle. Il définit ainsi un *action-plan* comme: ««la combinaison de la volition de l'agent (*action-wants*) et de l'arbre de génération d'action projeté (*projected act-tree*)» ([16]). Le *action-plan* est ainsi cette entité complexe formée de l'action désirée, c'est-à-dire le but de l'action, ainsi que de l'ensemble des étapes qui représentent son accomplissement, c'est-à-dire les moyens utilisés ([17]). Ce sont ces étapes qui sont représentées sur l'arbre de génération. La définition du *action-plan* parle d'un arbre projeté, puisqu'il s'agit uniquement de définir les actions intentionnelles. Or, l'arbre de génération de notre exemple représentait non seulement les actions intentionnelles, mais celles-là qui n'étaient pas intentionnelles. L'action décrite par la proposition 5, réveiller le chat de la maison, peut difficilement être jugée intentionnelle. Il y a donc deux types d'arbres de génération: celui composé des actions voulues, l'arbre projeté; et l'autre composé de toutes les actions subséquentes à l'action de base, l'arbre réalisé (cf la figure 3). L'arbre projeté de notre exemple est représenté par la figure 4.

([16]) *Ibid.*, p. 81. Le passage souligné est de l'auteur.

([17]) On développera par la suite, au chapitre 3, un concept tout à fait similaire du nom de plan-acte, défini lui aussi comme l'ensemble des moyens mis en œuvre pour l'obtention d'un but.

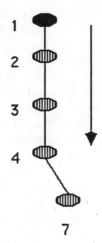

Figure 4. Arbre de génération projeté

L'arbre projeté ne contient plus que les actions 1-2-3-4-7. Les actions décrites par les propositions 5 «réveiller le chat» et 8 «contrecarrer les plans du malfaiteur» ne sont pas voulues; l'action 6 «avertir le majordome» peut être considérée intentionnelle si on présuppose que l'agent, l'individu X, connaît l'existence du majordome ainsi que son rôle et comprend que son action va, de fait, l'avertir.

La distinction entre action génératrice et action générée qu'illustrent ces arbres permet d'expliquer les relations établies entre certaines actions et de classer selon un ordre de présupposition logique les différents aboutissements d'une action. Tel effet est relié à telle cause, tel autre se situe à un même niveau de génération. Cela permet d'affirmer que toute action intentionnelle dépend d'une action de base, une sorte de noyau de l'action, qu'il est possible d'isoler et de représenter au même titre que le reste. L'action de base est cette action dont on doit logiquement poser l'existence et qui empêche toute régression à l'infini.

Pour Davidson, au contraire, ces huit actions n'en constituent qu'une seule. Il n'y a qu'une seule action, une action primitive (*primitive action*), qui fait figure d'invariant, et huit descriptions de cet invariant, huit représentations de cette même action. L'action primitive, pour Davidson, n'est rien d'autre que le mouvement corporel produit par un agent. C'est le doigt de l'individu X qui bouge et qui le fait parce que cet agent le veut; et c'est ce mouvement qui est soumis à des descriptions de toutes sortes: les huit propositions de notre exemple, qui s'étendent de la description du geste lui-même à celle de ces effets et conséquences intentionnelles et non-intentionnelles. Pour Davidson, l'agent ne fait jamais rien d'autre que de bouger son corps:

> Nous devons conclure [...] que nos actions primitives, celles qui ne demandent rien d'autre que ce qui a été fait pour les faire, à savoir de simples mouvements corporels — ce sont là les seules actions qui existent. Nous ne faisons jamais rien de plus que de bouger nos corps: le reste est du domaine de la nature ([18]).

De ce point de vue, toute action entreprise doit être assimilée à des mouvements de base que l'on fait avec son corps et qui sont la source de nos multiples faits et gestes. L'action primitive est un invariant qui ne se réduit à aucune des descriptions qui permettent de le faire connaître. Si un événement est une action, alors pour certaines descriptions, elle est une action primitive et pour d'autres, une action complexe et intentionnelle. En fait, comme l'intention, qui sert aussi à identifier une action, le concept d'action primitive est intensionnel; il ne décrit pas une classe d'actions ([19]), à l'opposé de Goldman, entre autres, qui distingue des classes. Toute action est donc primitive par définition; dès qu'il y a une action, peu importe sa nature, il y a une possibilité de description de celle-ci comme action primitive.

> L'écrasement de toutes les actions sur l'action primitive, marqué au niveau de la syntaxe par l'effet accordéon, nous amène

---

([18]) D. DAVIDSON, «Agent, action, and reason», p. 23.
([19]) *Ibid.*, p. 25.

à une grande simplification du problème de la responsabilité de l'agent, car il montre que la relation existant entre un individu et un événement, qui se présente comme son action, est indépendante de la façon dont les termes de cette relation sont décrits [20].

L'action primitive devient la preuve que la dimension première de l'action est extra-langagière, qu'il existe des actions en dehors du langage. Et le mouvement corporel est l'élément principal de cette preuve. Il y a des actions et, quelle que soit la façon dont on les décrit, elles sont avant tout des mouvements corporels.

Du geste à l'action

Ce survol du débat sur l'individuation de l'action a permis de faire remarquer que, malgré les divergences sur le calcul du nombre d'actions en jeu pour une même suite de propositions, ces deux modèles de description de l'action fondent leurs critères d'identification sur l'existence et la nécessaire participation d'une action de base inaugurante, qui ne serait autre que le mouvement corporel. Dans la description de la relation établie entre un agent et son action intentionnelle, l'élaboration d'un modèle part, tant pour les pluralistes que pour les unificateurs, du principe que l'action doit exister d'une façon autonome, qu'elle n'est pas simplement un effet de description mais participe d'une certaine réalité extralinguistique.

Un tel fondement de l'action à même les mouvements corporels et leur matérialité est problématique pour certains autres philosophes de l'action tels que A. I. Melden et Annette Baier. Pour ceux-ci, un simple mouvement corporel ne peut être classé comme une action. Melden identifie, par exemple, une zone d'indétermination (*a gap*) entre le geste, le mouvement corporel et l'action [21], tandis que Baier est explicite:

---

[20] D. DAVIDSON, «Agent, action and reason», p. 25.

[21] A. I. MELDEN, «Motive and Explanation», in *Causal Theories of Mind*, p. 43.

«Il y a plus dans l'action qu'un simple mouvement corporel» ([22]). Elle explique ainsi:

> Est-ce qu'un sourire ou un frisson est un mouvement corporel? Tous deux apparaissent différents d'un mouvement corporel car s'ils nécessitent plus qu'un simple mouvement, en même temps ils ne demandent aucun mouvement précis, au niveau anatomique ou physique. Un sourire est différent d'un mouvement du visage. Étirer ses lèvres entrouvertes pour montrer ses dents au dentiste n'est pas sourire... [Des frissons] et des sourires, des votes, des assertions, l'exercice de nos droits, etc. ne sont pas et ne doivent pas être pris pour de simples mouvements corporels... ([23]).

Pour Baier, le mouvement corporel ne fait pas l'action et le passage de l'un à l'autre n'est pas immédiat, comme le laissait supposer Davidson. Lever bien haut l'avant-bras droit en présentant la paume de la main est une façon de saluer. Mais il y a d'autres façons de saluer et encore le même geste peut servir à réaliser d'autres actions. Il peut servir, au policier dirigeant la circulation en pleine intersection, à indiquer à un automobiliste qui survient qu'il faut s'arrêter; il peut servir, à l'étudiant dans une salle de classe, à signaler qu'il veut poser une question; ou encore à voter, dans une réunion où le vote se fait à main levée. La relation entre l'action de saluer et le geste qui permet de l'accomplir est complexe en ce qu'elle ne découle pas simplement des propriétés de ce geste.

Une telle position ouvre la voie à une définition sémiotique de l'action, perspective en effet qui définit l'action non pas à partir d'un donné irréductible à la description, le mouvement corporel, mais en fonction de l'ensemble des conventions et catégories qui rendent possible sa description. Comprendre l'action comme unité d'un système sémiotique implique que ce n'est pas en soi qu'un geste est une action,

---

([22]) Annette BAIER, «The search for basic actions», in *The Americain Philosophical Quarterly*, vol. 8 (1971), p. 161.

([23]) Annette BAIER citée dans I. THALBERG, *Perception, Emotion and Action*, pp. 62-63.

c'est par le système sémiotique auquel il participe et dont les catégories permettent de l'identifier et d'en organiser les éléments. Le geste est alors une action non pas en fonction d'une certaine invariance qui défierait toute description mais par sa participation à un système comme porteur caractérisé ([24]). Ce n'est pas en soi que le geste du policier de lever l'avant-bras droit indique à l'automobiliste qu'il faut s'arrêter, c'est par sa participation à un code de la route qui lui attribue une fonction et une signification. Selon le système dans lequel il s'intègre — code de la route, code des comportements dans une classe, modalités de vote dans une réunion —, le même geste, le même porteur, va recevoir des significations différentes.

Une telle perspective permet de régler le problème de la zone d'indétermination repérée par des philosophes comme Melden et Baier. Il y a effectivement plus dans l'action qu'un simple mouvement corporel, il y a une construction sociale, un système sémiotique. Il n'y a véritablement d'indétermination que si l'on se place du point de vue du geste, du mouvement corporel en soi, et que de là on cherche à retrouver les caractères de l'action, ce qui équivaut à se placer du côté de l'objet pour retrouver les catégories du système sémiotique qui en font un porteur, tel que défini par Meunier. À moins d'être un Sherlock Holmes ou un Harry Dickson versés dans l'art de l'abduction, une telle entreprise est vouée à un cheminement incertain. Par contre, si on se situe du côté de l'action, définie comme unité d'un système sémiotique, l'indétermination disparaît: tel geste, tel mouvement, tel événement sont des actions car ils possèdent telle ou telle caractéristique qui fait partie des catégories en jeu.

Il faut dire qu'avec une telle définition sémiotique, on complète le changement de perspective de description qui

---

([24]) Jean-Guy MEUNIER définit le porteur d'un signe comme l'objet physique qui sert de support à un investissement signifiant: «[...] quel que soit le système sémiotique, il est toujours construit à partir d'un matériau physique. Aucun signe n'existe sans un support matériel. Il y a toujours un objet, une marque, une trace, c'est-à-dire une matière quelconque qui sert de lieu d'ancrage ou de support à un signe» (*Structure générique d'un système sémiotique*, Montréal, Université du Québec à Montréal, 1987, p. 12).

avait été entamé par les prises de position de Baier. De la relation de l'agent à son action (A, dans la figure 2), on est ainsi passé à la relation d'observation et de représentation de l'action (C). Ce déplacement correspond à une transformation de la problématique. L'identification sans problème d'une action par un agent (caractéristique de A) est remise en question par Baier et Melden. Il y a une zone d'indétermination, une certaine opacité parce que l'identification de l'action n'est pas garantie. Mais mettre en doute l'action, c'est quitter le point de vue de l'agent qui, lui, n'est pas censé avoir de problème à identifier les actions performées intentionnellement grâce aux gestes produits. Dans sa perspective, il ne s'agit pas d'identifier l'action mais bien de savoir quel geste il faut faire pour la réaliser. Ce n'est donc pas du tout le même état de chose qui est problématisé.

À l'opposé de la philosophie de l'action, une perspective sémiotique ne cherche pas à identifier l'action du point de vue de la relation de l'agent à l'action. Le mouvement corporel n'y joue plus le rôle de cause, il n'est plus qu'une composante parmi d'autres; il permet l'identification de l'action, à titre de moyen mis en œuvre pour l'obtention d'un but ([25]).

([25]) Les mouvements corporels sont des moyens mais tous les moyens ne sont pas des mouvements. Tout événement, toute occurrence peut servir de moyen à une action. Il faut dire de plus que, dans les récits, les mouvements corporels sont rarement représentés. La tendance est à l'économie dans la représentation discursive de l'action où on retrouvera plutôt des fragments d'arbres de génération, c'est-à-dire des actions appartenant à des niveaux de génération élevés pour reprendre la terminologie de Goldman. Si les niveaux de génération élevés sont préférés, il y a deux raisons à cela. Ce peut être pour une question de rapidité; en effet, pourquoi débuter une action à son degré zéro, à l'action de base, sinon pour retarder le dévoilement de ses conséquences, de ses effets? Mais ce peut être aussi pour une question d'intérêt et de compréhension, puisque ce qui importe est le but visé par le geste, ses résultats. Ainsi, le mouvement corporel qui est à la base de l'arbre de génération des *action-plan* est plus souvent qu'autrement oublié dans un récit parce que inutile à l'identification et à la représentation discursive de l'action. Ce qui importe plutôt, ce sont les buts visés, les motifs et mobiles, les modalités de l'accomplissement de l'action, et non les gestes mobilisés à cet effet.

Nous donnerons, au chapitre 2, une définition des principales composantes qui permettent d'identifier l'action et qui participent à son réseau conceptuel.

Ce qu'il faut retenir du débat sur l'individuation de l'action, c'est d'abord et avant tout l'existence de l'effet accordéon, la possibilité d'augmenter ou de réduire à sa guise la portée d'une action. C'est que l'effet accordéon n'agit pas simplement au niveau de la représentation conceptuelle de l'action, il agit aussi au niveau de sa représentation discursive. Dans un récit, comme dans la philosophie de l'action, le jeu de l'accordéon peut être une métaphore féconde...

L'action et le monde

La seconde perspective de description privilégie le rapport entre l'action et le monde. L'action n'y est plus définie en fonction du geste qui la rend possible ou des catégories qui permettent son identification mais de ses effets sur le monde de l'agent. Les analyses de cet aspect de l'action peuvent prendre plusieurs formes, nous n'en présentons brièvement que deux types, représentatifs des limites de ce champ. Il s'agit d'un côté d'une écologie et de l'autre d'une logique de l'action.

Une écologie de l'action

Moles et Rohmer ont cherché dans leur *Théorie des actes* [26] à fonder une véritable science de l'action. Cette science en devenir est primordiale pour ces deux auteurs car elle participe à une restructuration complète des sciences sociales et à une recodification de la pensée scientifique. Dans cette restructuration, les sciences sociales se posent avant tout comme l'étude de l'interaction entre l'homme et le monde dans lequel il se situe. Cette interaction peut être décrite selon trois pôles: le pôle de la description de l'environnement, le pôle de la théorie des communications et enfin celui des

---

[26] A. MOLES et E. ROHMER, *Théorie des actes, passim.*

45

actions, qui définit la façon dont un individu situé dans un environnement peut agir sur ce monde pour le changer ([27]).

Les sciences sociales deviennent ainsi le lieu de trois grandes théories: une théorie de l'environnement, une théorie des communications et une théorie des actes. C'est cette dernière que Moles et Rohmer tentent de définir. L'action y est présentée comme un phénomène social et considérée indépendamment de celui qui la fait et des buts qu'il cherche à atteindre.

> Qu'est-ce qu'une action? C'est essentiellement un *déplacement visible de l'être dans l'espace créant une modification dans son environnement*. L'action, c'est l'action sur l'environnement, à partir d'un point de repère qui est celui de l'individu agissant lui-même, situé en un «point ici», soit que cette action change pour lui l'environnement quand il se déplace (voyager), soit que, restant en place, il modifie les positions ou la nature des éléments qui structurent son environnement: creuser un trou, construire une maison, arranger des objets sur une table, autant d'actions produites sans changer de place, sans que la perspective lointaine du monde en soit modifiée ([28]).

Ce qui se développe à partir de cette définition, c'est à tout le moins une praxéologie, une science de l'efficacité de l'action. Agir, c'est agir sur le monde, c'est «y laisser une trace» ([29]). Cela implique que l'action est quelque chose de visible, d'objectivable; cela demande aussi qu'une certaine énergie soit dépensée. Il y a donc des actions à grande énergie et des actions à faible énergie. À travers leur essai, Moles et Rohmer vont proposer une taxonomie complexe de l'action en fonction des différentes variables repérées: énergie, grandeur, portée, coût, degré de complexité, etc. Cinq types d'action, par exemple, vont être définis à partir de la grandeur: microaction, miniaction, action, maxiaction et macroaction,

---

([27]) A. MOLES et E. ROHMER, *Théorie des actes*, p. 11.

([28]) *Ibid.*, p. 15. Le passage souligné est dans le texte.

([29]) *Ibid.*, p. 16.

selon un ordre croissant. Au plan de la vie personnelle, une microaction serait «déglutir»; une miniaction: «manger une banane»; une action: «déjeuner»; une maxiaction: «recevoir des amis à dîner»; et une macroaction: «recevoir le Président de l'État à dîner» ([30]). À travers tout ceci, il faut aussi rendre compte des actes élémentaires dont l'enchaînement permet à ces actions de différentes grandeurs de se réaliser. Aller manger au restaurant, par exemple, consiste en une séquence plus ou moins complexe d'actes élémentaires tels que: entrer dans le restaurant, s'asseoir, lire le menu, choisir, commander, attendre le repas, manger, boire..., payer l'addition et partir. Ces actes élémentaires qui sont les fragments d'une action complexe sont des actomes ([31]).

Mais la taxonomie ne s'arrête pas là. Aux actomes s'ajoutent les superactomes, qui désignent les séquences elles-mêmes. Et puis, il y a les praxèmes et les gestèmes. Le praxème est le plus petit atome d'action concevable, tandis que le gestème est l'élément visible de la représentation de l'acte: «le praxème, c'est ce qu'on fait, le gestème, c'est ce qu'on voit» ([32]). Le rapport entre actome et praxème est par ailleurs lui aussi simple: le praxème est un actome défini non pas du point de vue de sa relation à une séquence mais de sa relation à l'agent. On se retrouve soudainement avec trois concepts d'action élémentaire ou minimale: le praxème, le gestème et l'actome. Ce qui semble être de l'inflation consiste en fait en une distinction du même type que la triple perspective de l'action que nous proposons. Le premier correspond ainsi à une unité de la relation de l'agent à sa propre action (A), le second à une unité de la relation de l'action au monde, le geste qu'un partenaire de l'agent peut voir et observer (B); et le dernier à une unité de l'identification et de la représen-

---

([30]) A. MOLES et E. ROHMER, *Théorie des actes*, pp. 72-73.

([31]) *Ibid.*, p. 95. L'idée de séquences d'actions élémentaires constitutives d'actions complexes est loin d'être exclusive à ces deux auteurs; nous allons la retrouver sous une autre forme dans la seconde partie, au cours de l'analyse des déroulements d'actions de Schank et Abelson (1977).

([32]) *Ibid.*, p. 112.

tation de l'action (C). Le praxème est ce qui est fait par un agent, le gestème est ce qui est vu et l'actome, ce qui s'intègre comme unité à un ensemble plus vaste. L'actome représente ces actes élémentaires «quand ils sont observés comme des fragments d'un processus extérieur à l'observateur» ([33]). Moles et Rohmer se servent de ce dernier concept, par exemple, pour analyser des récits: l'actome est l'unité de la séquence narrative ([34]).

De la plus simple à la plus complexe, l'action humaine est ainsi segmentée en unités de toutes sortes censées rendre compte de ses multiples manifestations. La théorie des actes de Moles et Rohmer s'applique en effet au récit et au cinéma, au gestuel et à la gestion de l'entreprise, à la vie quotidienne et au langage. Modèles cybernétiques, théorie de la catastrophe, ergonomie, psychologie et structuralisme sont mis à contribution dans son élaboration. Le résultat n'est pas tout à fait une théorie, puisque celle-ci est encore en devenir, mais le défrichage des principales avenues théoriques d'une compréhension globale de l'action.

Une logique de l'action

À l'autre extrême, Georg Henrik von Wright, le philosophe et logicien finlandais, n'entend pas développer, dans son *Essay in Deontic Logic and the General Theory of Action*, une théorie complète de l'action mais simplement expliciter une logique de l'action, et cela comme support à une logique déontique. Il ne s'agit donc pas de caractériser l'action, de décrire ses niveaux, ses coûts energétiques ou son rayon d'action, mais de rendre compte de ses modalités et de ses formes possibles. La définition de l'action de von Wright est simple:

([33]) A. MOLES et E. ROHMER, *Théorie des actes*, p. 95.

([34]) Un autre aspect intéressant de cette distinction entre praxème et gestème, en regard de la philosophie de l'action et du débat sur l'individuation de l'action, est que le geste ou le gestème n'est pas ce que l'agent fait mais seulement ce que l'on voit l'agent faire. L'action primitive est désignée différemment selon la perspective de sa description.

Qu'est-ce que c'est que d'agir? Une réponse qui rende compte de toutes les possibilités n'existe peut-être pas. Mais une réponse qui prenne en considération un type important d'action est la suivante: *agir, c'est provoquer ou empêcher intentionnellement un changement dans le monde* (dans la nature) ([35]).

Agir, c'est donc intentionnellement provoquer ou empêcher un changement dans le monde. Cette relation entre l'agent et le monde peut s'actualiser de multiples façons et c'est le but d'une logique de les manifester et d'expliciter leurs relations et combinaisons.

La définition de l'action de von Wright repose sur deux éléments principaux: le concept de changement d'état et celui d'intervention de l'agent. L'action d'un agent est définie à partir de trois variables, ce qui donne huit types d'intervention. En premier lieu, l'action peut être une intervention ou une non-intervention: ce sont les deux modalités de base. L'agent peut tout aussi bien agir que s'abstenir d'agir, et ces deux types d'action s'équivalent: ne pas empêcher un homme de tuer son prochain est une action de la même façon que tuer soi-même quelqu'un (toutes considérations juridiques exclues).

En second lieu, l'intervention de l'agent peut être une action productrice ou une action préventive. Un agent peut produire comme il peut empêcher un événement de se produire. Il peut tuer quelqu'un, c'est une action productrice, et il peut bel et bien empêcher un autre individu de tuer quelqu'un, c'est une intervention préventive. L'abstention de l'agent peut aussi avoir des effets productifs ou préventifs: par sa non-intervention, un agent peut laisser un événement survenir, c'est l'agent qui laisse un meurtre se produire quand il avait la possibilité d'intervenir, comme il peut laisser un événement se continuer. C'est le cas d'un médecin qui assiste à la mort d'un patient et qui décide de ne pas intervenir pour ne pas prolonger indûment ses souffrances.

La dernière variable concerne, pour sa part, la situation

([35]) G. H. VON WRIGHT, *An Essay in Deontic Logic and the General Theory of Action*, p. 38. C'est nous qui soulignons.

du monde avant l'action de l'agent. Si l'on décrit le monde comme un ensemble d'états de faits (chaque état est noté «p»), ces états peuvent être avant l'action de l'agent, soit virtuels (-p), soit actuels (p). L'intervention de l'agent consiste alors soit à rendre actuel un état virtuel ou laisser virtuel un état virtuel, soit à rendre virtuel un état actuel ou à le laisser actuel. Produire un événement, par exemple, équivaut à rendre actuel un état virtuel, tandis qu'interrompre un événement est, à l'opposé, rendre virtuel un état actuel.

Définir l'action comme un changement dans le monde implique donc, on vient de le voir, que le monde peut être décrit comme un ensemble d'états, et que ces états peuvent être transformés à la suite d'une intervention quelconque. La notion d'état de faits est fondamentale pour la notion de changement. Il y a un changement dans le monde quand un état de faits cesse d'être ou quand il survient. De la même façon, quand un état persiste à être ou ne pas être, le monde demeure inchangé par rapport à cet état. La description d'une action en termes de changement, de transformation d'états demande, pour von Wright, la présence d'au moins trois éléments: premièrement, l'état dans lequel le monde se trouve avant que l'action soit produite, c'est l'état initial; deuxièment, l'état du monde à la suite de l'action, une fois que celle-ci a été complétée, c'est l'état final; et dernièrement, l'état dans lequel le monde se serait trouvé si l'agent n'était pas intervenu de quelque façon que ce soit ou, pour mieux dire, l'état du monde indépendamment de l'agent. Il ne suffit pas de dire que l'agent, par son action ou son abstention, a amené tel changement, il faut aussi dire quel changement survient dans le monde indépendamment de son action.

Pour représenter dans un langage formel ces types d'interventions d'un agent ainsi que les possibilités de variation des états du monde, von Wright va proposer deux opérateurs, deux foncteurs dyadiques ([36]). Le premier (noté T)

---

(36) Nous utilisons, pour la traduction française des foncteurs de von Wright, les définitions fournies par Jean-Louis GARDIÈS dans son essai *La logique du temps* (Paris, Presses Universitaires de France, 1975, pp. 112 et suivantes).

signifie «et puis» ou «à l'instant immédiatement suivant». L'expression (p T q) signifie ainsi: l'état de faits «p» maintenant et l'état de faits «q» à l'instant immédiatement suivant; ou encore, p autrefois et puis q. La logique de l'action de von Wright est donc d'abord une logique temporelle, une logique basée sur un opérateur temporel. Le second foncteur proposé (noté I) signifie «au lieu de». L'expression (p I q) signifie: l'état de faits «p» au lieu de l'état de faits «q». C'est grâce à ce nouveau foncteur que von Wright parvient à délimiter de façon précise la portée de l'intervention de l'agent, car il permet de rendre compte non seulement des états précédant et suivant l'action mais encore de ceux qui surviennent indépendamment de son intervention.

La logique de l'action de von Wright combine ces foncteurs avec les deux types d'états possibles du monde; et les jeux entre ces composantes permet de décrire les huit formes d'action d'un agent sur le monde. Une expression bien faite telle que [-p T (p I-p)], et qui se lit littéralement «l'état virtuel -p maintenant et l'état actuel p, au lieu de l'état virtuel -p, à l'instant immédiatement suivant», désigne cette situation où un agent produit un événement quelconque ([37]). La liste des huit possibilités d'action d'un agent se présente comme suit (le terme d'événement désigne simplement un changement dans le monde):

([37]) L'action d'acheter une bicyclette, par exemple, se présente comme le changement d'un état initial, où l'agent n'est pas en possession de la bicyclette (-p) à un état final, où l'agent est en possession de la bicyclette (p). L'agent, de plus, entre en possession de la bicyclette à la suite et uniquement à la suite de son action, car — et c'est ce que dit l'expression (p I -p) — il lui faut l'acheter lui-même pour l'avoir en sa possession. Si, par contre, l'agent n'a pas à l'acheter lui-même pour l'avoir en sa possession, si on la lui donne en cadeau, par exemple, il s'agit d'un cas où [-p T (p I p)] survient, c'est-à-dire où l'agent laisse l'événement se produire. Recevoir un cadeau, c'est ne pas empêcher quelqu'un de donner quelque chose. Si l'agent refuse le cadeau cependant, s'il refuse d'avoir en sa possession la bicyclette (-p), une nouvelle situation survient, soit [-p T (-p I p)]: il empêche l'événement de se produire. Et on pourrait continuer comme cela pour toutes les formes de l'action.

Quatre types d'intervention:
1- [-p T (p I -p)] l'agent produit l'événement
2- [p T (-p I p)] l'agent interrompt l'événement
3- [p T (p I -p)] l'agent maintient l'événement
4- [-p T (-p I p)] l'agent empêche l'événement

Quatre types de non-intervention:
5- [-p T (p I p)] l'agent laisse l'événement se produire
6- [p T (-p I -p)] l'agent laisse l'événement s'interrompre
7- [p T (p I p)] l'agent laisse l'événement se continuer
8- [-p T (-p I -p)] l'agent se garde de susciter l'événement

Agir, c'est donc logiquement une possibilité de huit types d'intervention, de huit relations de l'agent au monde et à ses transformations. Cette logique de l'action s'applique au rapport effectif entre une action et le monde de l'agent. Nombreux sont ceux, cependant, qui ont vu la possibilité d'appliquer cette logique à d'autres domaines et surtout à l'analyse des structures narratives. Le langage formel de von Wright s'apparente, par exemple, à la syntaxe élémentaire utilisée pour définir le programme narratif dans la sémiotique narrative et discursive de Greimas ([38]). Comme pour la logique de l'action, cette sémiotique est basée sur le concept d'état et de transformation entre des états. La dimension pragmatique du programme narratif, qui est le modèle des structures sémio-narratives, se présente en effet sous la forme d'un *faire-être*, défini comme la transformation d'un état initial à un état final, à l'instar de la définition de von Wright ([39]). Aussi n'est-il pas surprenant de voir qu'un sémioticien comme Peter Stockinger, dans ses *Prolégomènes à une théorie de l'action* ([40]),

---

([38]) A. J. GREIMAS, *Du sens*, Paris, Seuil, 1970; *Du sens II*, Paris, Seuil, 1983.

([39]) Nous reviendrons plus longuement sur la définition du programme narratif de la sémiotique narrative et discursive, dans la troisième partie de ce livre.

([40]) Peter STOCKINGER, *Prolégomènes à une théorie de l'action*, Paris, E.H.E.S.S. - C.N.R.S., VII, 1985.

incorpore à sa théorie générale des formes sémio-narratives de l'action les huit formes de l'action du logicien finlandais.

Il ne se contente pas des deux programmes habituellement distingués par les greimassiens (la réalisation d'un état et le processus inverse), il en suggère huit ([41]):

Soit:
F= un faire
-F= un ne pas faire
p= (S n O), un état réalisé
-p= (S u O), un état actualisé

Alors:
i) PNa: $F(p \rightarrow p)$; c'est le maintien de l'état réalisé, qui correspond à la forme 3 de von Wright: l'agent maintient l'événement

ii) PNb: $F(-p \rightarrow p)$; c'est la création de l'état réalisé, qui correspond à la forme 1: l'agent produit l'événement

iii) PNc: $F(p \rightarrow -p)$; c'est la création de l'état actualisé, qui correspond à la forme 2: l'agent interrompt l'événement

iv)PNd: $F(-p \rightarrow -p)$; c'est le maintien de l'état actualisé, qui correspond à la forme 4: l'agent empêche l'événement

v) PN-a: $-F(p \rightarrow p)$; c'est l'apparition de l'état actualisé, qui correspond à la forme 6: l'agent laisse l'événement s'interrompre

vi) PN-b: $-F(-p \rightarrow p)$; c'est la conservation de l'état actualisé, qui correspond à la forme 8: l'agent se garde de susciter l'événement

vii) PN-c: $-F(p \rightarrow -p)$; c'est la conservation de l'état réalisé, qui correspond à la forme 7: l'agent laisse l'événement se continuer

viii) PN-d: $-F(-p \rightarrow -p)$ c'est l'apparition de l'état réalisé, qui correspond à la forme 5: l'agent laisse l'événement se produire

---

([41]) P. STOCKINGER, *Prolégomènes...*, p. 9.

Stockinger traduit donc dans la syntaxe de la sémiotique narrative et discursive les formes de l'action définies dans la logique de von Wright. Il le fait, d'une part, en éliminant la dimension temporelle de cette logique, en laissant de côté le caractère linéaire de la chronologie des événements au profit d'une relogification de l'action. Et, d'autre part, en définissant l'état de faits (c'est une disjonction ou une conjonction établie entre un sujet d'état et un objet de désir), ce que n'avait pas fait de façon explicite von Wright ([42]).

*
* *

Cette seconde perspective de la description de l'action peut ainsi donner lieu à la fois à une praxéologie, une théorie de l'efficacité de l'action, et à une logique des formes de l'action. Ces modèles sont heuristiques et certains de leurs résultats peuvent facilement être utilisés dans d'autres disciplines, d'autres perspectives de description. De façon générale, ces deux analyses nous apprennent que l'action a des *formes* et qu'elle a des *grandeurs,* deux caractéristiques à retenir dans l'investigation des modalités de sa représentation discursive.

L'action et le récit

La troisième perspective de description concerne la relation établie entre l'action et sa représentation, ainsi que son identification et description. Philosophie et logique de l'action, praxéologie et théorie sémiotique cherchent toutes à développer un modèle, une représentation conceptuelle adéquate de l'action. Elles sont, comme on s'est plu à le dire, en position de super-observateur. Ce qui diffère maintenant, c'est que l'objet même de l'analyse est une représentation, à savoir la représentation discursive de l'action.

([42]) G. H. VON WRIGHT, *An Essay in Deontic Logic,* p. 39.

Nous allons décrire ici ce que différentes théories du récit ont pensé de la représentation discursive de l'action. Notre objectif n'est pas de faire un exposé exhaustif de toutes les sciences du discours, ainsi nommées par Gardin ([43]), mais de «prendre en filature» un type particulier d'analyse textuelle, celle qui persiste depuis les formalistes russes jusqu'aux théories structuralistes françaises du récit. C'est dans ce paradigme que notre propre conceptualisation de l'action et de sa compréhension prend place et il est important d'en décrire les principaux développements. Une des caractéristiques de ce paradigme va se révéler être la difficulté et même l'impossibilité de penser l'action dans le discours indépendamment du récit. Si, dans la première perspective, la conceptualisation était fondée sur l'adéquation de l'action au geste et si, dans la seconde, elle était fondée sur l'adéquation de l'action à un comportement ou une intervention sur le monde, elle repose, dans cette dernière perspective, sur l'adéquation entre *action* et *récit*.

Paul Ricœur est celui qui a le mieux présenté cette mise en équivalence de l'action et du récit. Dans le premier tome de *Temps et récit*, et surtout dans le second chapitre consacré à une lecture de la *Poétique* d'Aristote, Ricœur propose «la quasi-identification entre les deux expressions: imitation ou représentation d'action, et agencement des faits» ([44]). La représentation d'action, c'est la *mimésis*, que Ricœur définit de façon dynamique, c'est-à-dire non pas comme un état de ressemblance mais comme une activité, le fait de représenter ([45]). L'agencement des faits, qu'il nomme aussi mise en intrigue, c'est le *muthos*, lui aussi compris comme une opération, un processus actif. Or, l'agencement des faits, la mise

---

([43]) Jean-Claude GARDIN, *Les analyses du discours*, Paris, Delachaux et Niestlé, 1974.

([44]) P. RICŒUR, *Temps et récit*, tome I, p. 59.

([45]) Ricœur explique ainsi: «La même marque (qui a prévalu pour le *muthos*) doit être conservée dans la traduction de *mimésis*: qu'on dise imitation ou représentation, ce qu'il faut entendre, c'est l'activité mimétique, le processus actif d'imiter ou de représenter. Il faut donc entendre imitation ou représentation dans son sens dynamique de mise en représentation, de transposition dans des œuvres représentatives» (*ibid.*, pp. 57-58).

en intrigue, est le mode de représentation de l'action. Et pour Ricœur, cette quasi-identification de la représentation et de la mise en intrigue est inscrite dans le texte d'Aristote et est confirmée par la formule, tirée du chapitre VI de la *Poétique*: «C'est l'intrigue qui est la représentation de l'action». Et Ricœur de poursuivre:

> C'est ce texte (le chapitre VI) qui sera désormais notre guide. Il nous impose de penser ensemble et de définir l'une par l'autre l'imitation ou la représentation de l'action et l'agencement des faits. Est d'abord exclue par cette équivalence toute interprétation de la *mimésis* d'Aristote en termes de copie, de réplique à l'identique. L'imitation ou la représentation est une activité mimétique en tant qu'elle produit quelque chose, à savoir précisément l'agencement des faits par la mise en intrigue. D'un seul coup nous sortons de l'usage platonicien de la *mimésis*, aussi bien en son emploi métaphysique qu'en son sens technique dans *République III* qui oppose le récit «par mimésis» au récit «simple» ([46]).

L'action n'est pas simplement représentée par un récit, celui-ci est son seul mode de représentation discursive. Cette quasi-équivalence entre action et récit, formulée de façon définitive, est un des principaux postulats des théories du récit. Sans être toujours explicité, ce postulat opère dans l'ensemble des analyses qui définissent l'action à partir des modes de développement des structures narratives. La quasi-équivalence y est actualisée par *la subordination complète de la représentation de l'action aux structures narratives du récit.*

Cette mise en équivalence est à ce point concluante qu'un théoricien du récit comme Tzvetan Todorov va même jusqu'à poser que le récit est le seul mode de compréhension possible de l'action. Il explique ainsi au début de sa *Grammaire du Décaméron*:

> Une mise en garde est également nécessaire, dès le départ. On pourrait en effet facilement se méprendre sur notre intention et croire qu'elle est d'ordre anthropologique plus que linguis-

---

([46]) P. RICŒUR, *Temps et récit*, tome I, p. 59.

tique; que nous cherchons à décrire les ACTIONS et non le
RÉCIT DES ACTIONS. Mais les actions «en elles-mêmes»
ne peuvent pas constituer notre objet; *il serait vain de chercher leur structure au delà de celle que leur donne l'articulation discursive.* Notre objet est constitué par les actions telles
que les organise un certain discours, appelé le récit. C'est en
cela que cette analyse reste proche des analyses littéraires, et
n'aura rien d'une théorie des actions, *à supposer qu'une telle
théorie puisse exister à un niveau autre que celui du récit des
actions* ([47]).

Tzvetan Todorov va jusqu'à nier la possibilité même
d'une théorie de l'action autonome qui ne serait pas d'abord
analyse textuelle et discursive. Si Ricœur affirme que l'action
est récit, Todorov fait un pas de plus en ajoutant: l'action est
récit ou elle n'est rien. L'analyse de l'action en dehors du
récit est renvoyée au domaine de l'anthropologie et jugée un
champ d'investigation impraticable.

La quasi-équivalence entre action et récit est affirmée
de façon exclusive: l'action ne peut être conceptualisée qu'à
partir de sa représentation discursive. Une telle prise de position semble nier que la philosophie de l'action, la logique et
la praxéologie, où la conceptualisation est indépendante, pour
ne pas dire indifférente, au récit, aient quelque chose à dire
sur l'action et sa compréhension. Il est vrai que ces disciplines,
dès qu'elles se donnent des exemples, ne peuvent le faire
qu'avec du langage et par conséquent conceptualisent les
actions à partir de représentations discursives ([48]). Mais leur

---

([47]) Tzvetan TODOROV, *Grammaire du Décaméron*, La Haye, Mouton, 1969, p. 10. C'est nous qui soulignons.

([48]) C'est bien là un des problèmes de la philosophie de l'action et
des autres disciplines: celui de ne pas reconnaître le caractère narratif et discursif des représentations d'actions qui constituent leurs exemples. Il y a des
récits — ne serait-ce que des micro-récits — dans ces disciplines; ils ne sont
pourtant jamais considérés comme tels. Il est intéressant de remarquer que,
dans la philosophie de l'action, ces récits-exemples tournent souvent autour
de la mort — l'exemple le plus probant étant cet article de Jonathan Bennet
qui s'intitule tout simplement: «Shooting, Killing and Dying» (*Canadian Journal of Philosophy*, vol II, nº 3 (1973)). La mort est efficace parce qu'avec

perspective de description ainsi que l'adéquation qui oriente leurs définitions (action = geste, pour la philosophie de l'action; action = intervention, pour la logique) procurent un savoir sur l'action tout aussi important. Il est possible, quoi qu'en dise Todorov, de donner une définition de l'action qui ne soit pas subordonnée à des considérations narratives, et ce sans pour autant faire de l'anthropologie.

Pour Ricœur, la quasi-équivalence entre action et récit n'est pas exclusive et le domaine de la conceptualisation de l'action ne se limite pas à l'analyse de sa représentation discursive. Ses recherches dans *Temps et récit* mais aussi dans *La sémantique de l'action* ([49]) et *Du texte à l'action* ([50]) en sont la preuve. Cherchant à regrouper en quelque sorte la triple perspective de l'action, il puise, dans les différentes définitions de l'action, les éléments qui permettent d'en compléter le réseau conceptuel. Il ne met pas simplement en pratique le postulat de la quasi-équivalence, il le problématise à partir d'Aristote et montre à la fois ses contraintes et ses limites.

À la suite de Ricœur, nous allons décrire de quelle façon les théories du récit qui nous intéressent ont disposé de cette quasi-équivalence. Si le couple mise en intrigue et représentation d'action forme une «cellule mélodique» ([51]), c'est l'agencement des faits qui va s'imposer rapidement comme sa composante principale. Dans les analyses du récit, en effet, l'attention se porte d'abord sur les structures narratives, auxquelles est subordonné tout le problème de l'action et de sa représentation. On verra, à la fin du chapitre, que cette préférence pour la relation de l'action à l'ensemble dans lequel elle s'insère, plutôt que pour la définition des composantes de sa représentation, est fonction du type d'analyse opéré sur le

---

elle on sait exactement où s'arrête l'action. Au prochain chapitre, nous ferons l'analyse d'un de ces micro-récits utilisés pour représenter une action et qui ne sont jamais considérés comme des représentations discursives.

([49]) P. RICŒUR, «Le discours de l'action», in *La sémantique de l'action*, Paris, Éditions du CNRS, 1977, pp. 3-137.

([50]) P. RICŒUR, *Du texte à l'action. Essais d'herméneutique II*, Paris, Seuil, 1986.

([51]) P. RICŒUR, *Temps et récit*, tome I, p. 56.

récit. La subordination de l'action par la narration survient dans des analyses orientées d'abord vers la *production* du récit et non vers sa *lecture* et sa réception.

Motif et fonction

Le concept de motif, d'abord utilisé par les formalistes russes, sert à désigner l'unité thématique minimale d'un texte. Le motif a été un des premiers concepts permettant d'isoler le récit comme objet d'analyse autonome et son extension n'a jamais fait l'unanimité, coïncidant tantôt avec un mot présent dans un texte ou une partie du sens de ce mot, tantôt avec une proposition ou un syntagme. Pour le formaliste Tomachevski ([52]), qui a cherché à spécifier le concept en fonction de la littérature et du récit plutôt que du folklore et des contes, toute œuvre peut être décomposée en unités thématiques et celles-ci à leur tour en parties indécomposables; les motifs sont cette plus petite particule du matériau thématique ([53]). Or, comme le dira Tomachevski, «il faut classer les motifs suivant l'action objective qu'ils décrivent» ([54]). Les motifs sont

---

([52]) B. TOMACHEVSKI, «Thématique», in Tzvetan TODOROV (éd.), *Théorie de la littérature*, Paris, Seuil, 1965.

([53]) Les formalistes tirent le concept de motif des travaux de leur précurseur, l'historien de la littérature, Aleksandr Veselovsky (1838-1906). Résolument moderne dans ses conceptions de la littérature, Veselovsky envisageait celle-ci comme la somme de produits ou de procédés littéraires, définition qui dégageait l'analyse de la spécificité littéraire des considérations sur l'auteur et sa psychologie, de mise à ce moment-là. Les formalistes, s'ils ont refusé la dimension historique du travail de Veselovsky, qui voulait définir un schéma de l'évolution de la littérature universelle, ont conservé par contre, après quelques réaménagements, ses notions qui permettaient d'établir la structure objective de l'œuvre littéraire, parmi lesquelles on retrouve le motif (Victor ERLICH, *Russian Formalism: History, Doctrine*, La Haye, Mouton, 1969). Ce concept a par ailleurs connu une double carrière: en fonction du récit, où c'est sa *singularité* qui a attiré avant tout l'attention, l'invention illimitée des motifs en littérature; et en fonction des contes et du folklore, où c'est sa *réitération*, son apparition dans plus d'un texte qu'il a fallu prendre en considération. Une double carrière, par conséquent, l'une sous le signe du changement, et l'autre sous celui de la permanence.

([54]) B. TOMACHEVSKI, «Thématique»..., p. 271.

ainsi associés d'emblée aux actions; ils sont en fait les unités sémantiques qui permettent de les identifier et de les organiser. De cette façon, une intrigue sera définie comme l'ensemble des motifs caractérisant le développement de l'action. Si une action peut être un motif, les actions n'épuisent pas la classe des motifs. Un contraste ou un parallélisme inusité établi entre des éléments, un procédé stylistique particulier générateur de texte — une métaphore par exemple comme chez Chklovski ([55]) —, un accessoire tel qu'un chapeau ou une marque, de même que les particularités d'un personnage peuvent être des motifs au même titre que des actions. En fait, on réservera les actions des personnages aux motifs dynamiques, tandis qu'on classera les descriptions du paysage, de la situation, des personnages et de leur caractère dans la catégorie des motifs statiques. Les motifs d'une œuvre sont hétérogènes, dit-on; par cela il faut comprendre qu'un motif tient non pas en ce qu'il représente mais dépend de tout ce qui fait une impression sur le lecteur, tout ce qui semble être un foyer de l'activité sémantique. En fait si le motif est défini comme unité minimale du matériau thématique, il apparaît rapidement que son rôle principal est de s'associer à d'autres unités thématiques.

Les unités thématiques s'enchaînent les unes aux autres dans un récit et le premier maillon d'une chaîne, le premier élément d'une séquence, est défini comme un motif. L'aveuglement de Michel Strogoff par une lame chauffée à blanc est un motif, dans le roman de Jules Verne ([56]), parce qu'il inaugure un ensemble d'événements: les tribulations d'un aveugle à travers les steppes de la Russie. Pour le lecteur, ces événements sont caractérisés et se comprennent dans le sillage du motif de l'aveuglement qui, de ce fait, en régit la distribution et l'enchaînement. La relation entre le motif et les unités thématiques qu'il subordonne ne se présente pas comme une chaîne logique dont le premier terme serait l'élément généra-

---

([55]) V. CHKLOVSKI, «La construction de la nouvelle et du roman», in T. TODOROV (éd.), *Théorie de la littérature*, pp. 172 et ss.

([56]) Jules VERNE, *Michel Strogoff*, Paris, Le Livre de Poche, 1978.

teur, mais plutôt comme un principe d'organisation. Pour le lecteur, deux motifs importants permettent, par exemple, de comprendre la suite de *Michel Strogoff.* D'une part, il s'agit d'un officier acharné, qui ne recule devant aucun obstacle pour se rendre à destination, comme il avait été dit au tout début du récit, et, d'autre part, il s'agit en plus d'un officier aveugle, ce qui décuple les obstacles. Ce sont ces deux motifs qui permettent au lecteur de comprendre ce qui se passe dans le récit, puisqu'ils en organisent la suite.

Mais, en tant qu'il dénote le caractère informatif, inattendu, des événements relatés, en tant qu'il est la marque dans le texte de l'*ostranenie* ([57]) par laquelle la littérature est dite opérer, le motif est défini moins par ce qu'il fait dans le récit que par ce qu'il fait dans la situation textuelle. Il est une unité de la relation engagée à la lecture entre le texte et son lecteur. Lire, dans cette perspective, c'est s'attacher à des unités à partir desquelles subordonner une des suites du texte. Le motif apparaît ainsi comme une unité sémantique dans sa relation à l'ensemble complet du matériau thématique qui constitue le récit. Il ne permet donc pas de rendre compte de la représentation de l'action dans le récit (au contraire, un motif peut aussi bien être une action représentée qu'une coutume, un trait ou un parallélisme quelconque), mais plutôt de définir sa place ou son importance dans une structure narrative.

On connaît la carrière du concept de motif et de ses sous-catégories, dans son rapport à l'action et sa narration. Barthes, Greimas ont repris certaines distinctions développées dans son sillage. Les concepts de motifs libres et associés sont devenus chez Barthes ceux d'indices et de fonctions ([58]). Ceux de motifs statiques et dynamiques sont à la base de la distinction entre énoncé d'état et énoncé de faire fondamentale dans

---

([57]) V. CHKLOVSKI, «L'art comme procédé», in T. TODOROV (éd.), *Théorie de la littérature*, pp. 82 et ss. Todorov traduit l'*ostranenie* par le terme de «singularisation» mais on le retrouve aussi traduit comme «défamiliarisation». Comme F. JAMESON l'a montré, une théorie complète de la littérature est proposée à partir de ce concept de la défamiliarisation (*The Prison-House of Language*, Princeton, Princeton University Press, 1972, pp. 43-100).

([58]) R. BARTHES, «Introduction à l'analyse structurale des récits».

l'élaboration théorique de Greimas ([59]). On comprend facilement que ces analyses vont reproduire la subordination de l'action par la narration, mise en place par la définition formaliste du motif.

Chez Vladimir Propp, autre formaliste russe, le concept de motif est devenu, après avoir été remanié, celui de fonction ([60]). Une fonction est l'action d'un personnage, définie du point de vue de sa signification dans le déroulement de l'intrigue. La fonction est l'élément constant, permanent du conte, sa partie constitutive fondamentale. Encore une fois, ce n'est pas l'action représentée qui est l'unité de base, mais une certaine définition de son rôle. Un motif, c'est l'action en tant qu'elle régit une série d'unités thématiques, et une fonction, l'action comme élément d'un déroulement fixe.

Telle que présentée, la structure narrative du conte, l'agencement des faits qui y est opéré, est le caractère principal de l'identification d'une fonction. Une action est telle fonction car elle se situe à telle place dans le déroulement du conte. Une action a bien une signification, seulement, pour Propp, cette signification ne dépend pas des moyens pris pour la réaliser ni même des personnages qui sont ses agents mais uniquement de sa position dans le déroulement de l'intrigue ([61]). On remplace donc l'agent, ses mobiles et motifs, comme déterminations principales, et on les remplace par la position qu'ils occupent dans une série ordonnée stable.

Chez Propp, les moyens représentés ne permettent pas de déterminer la signification d'une fonction, celle-ci dépend plutôt d'un ensemble de catégories telles que position, ordre et conséquence. C'est-à-dire que le geste représenté comme posé par l'agent n'est pas un critère déterminant de la signification d'une action. Une même action, par exemple la réception d'un objet, correspond à des fonctions différentes selon le contexte dans lequel elle survient, selon sa position dans le conte. Ce n'est pas en soi que l'action est définie, ce

---

([59]) A. J. GREIMAS, *Du sens*, Paris, Seuil, 1970.

([60]) V. PROPP, *Morphologie du conte*, Paris, Seuil, 1965.

([61]) *Ibid.*, pp. 31-32.

n'est pas en fonction des modalités de son accomplissement, mais en fonction d'une structure narrative générique, qui est la forme canonique des contes merveilleux du corpus étudié. La fonction se compose d'une constante et d'une variable. La variable est le moyen mis en œuvre pour l'accomplissement de l'action, ce qui est représenté dans le conte; la constante, c'est le rôle joué par cette action dans le déroulement du récit. Chaque fonction est ainsi présentée par Propp comme une catégorie générale, qu'il complète par une liste d'exemples trouvés dans le corpus restreint des contes russes d'Afanassiev et qui représentent l'ensemble des variantes de cette fonction pour ce corpus. Propp voit là le rapport entre les espèces et le genre mais il est aussi possible, en délaissant le vocabulaire de la morphologie, de lire dans ces listes de variantes les différents moyens par lesquels peut être représentée cette fonction, identifiée d'abord par son rôle, sa position dans le conte. Être secouru, soit la fonction XXII, peut être représenté de dix façons et à l'aide de moyens tout aussi différents les uns que les autres: sauter dans un arbre, se transformer, se cacher, fuir, etc.

Ce qui intéresse Propp cependant, c'est le genre plutôt que les espèces, c'est le rôle. L'énumération des 31 fonctions du conte sert donc, non pas à élaborer un répertoire des moyens et des actions représentées, mais à isoler les constantes permettant de construire le modèle idéal de la structure narrative des contes d'un corpus. Le résultat de son travail est ainsi l'établissement d'une forme canonique construite à partir d'une concaténation ordonnée de fonctions.

Les travaux de Propp ont été utilisés dans les théories structuralistes françaises du récit. Les adaptations ont été surtout à la fois une généralisation, un élargissement de la portée des concepts, et une complexification et elles ont eu lieu dans deux directions opposées. D'une part, des théoriciens comme Greimas ([62]) et Larivaille ([63]) ont cherché à systéma-

---

([62]) A. J. GREIMAS, *Du sens, passim.*

([63]) Paul LARIVAILLE, «L'analyse (morpho)logique du récit», in *Poétique*, n° 14 (1974), pp. 369-388.

tiser les composantes de la forme canonique de Propp, élaborée de façon empirique à partir d'un nombre limité de données. Leur travail a surtout porté sur la distribution des fonctions, qu'ils ont regroupées en séquences complètes et justifiées. Ce type d'analyse a surtout permis de confirmer la subordination complète de l'action par la narration. D'autre part, un chercheur comme Claude Bremond (⁶⁴) a réussi à renverser la tendance et à se concentrer d'abord et avant tout sur les modes d'accomplissement de l'action. Sa redéfinition de la fonction comme processus indépendant de toute structure narrative permet de penser enfin l'action comme une entité autonome, dotée de sa propre dynamique et de ses mécanismes de développement. Regardons d'abord la direction prise par Greimas; nous reviendrons ensuite aux travaux de Bremond, plus proches de nos intérêts.

Programme et superstructure narratifs

Greimas, dans l'élaboration de sa sémiotique narrative et discursive, a continué à privilégier la dimension narrative. Il est bien évident que si, pour Greimas, le but de la sémiotique est de construire des modèles capables de générer des discours, son intérêt de chercheur réside d'abord dans l'établissement de leurs structures globales. L'action a son importance et il s'agit de lui donner une représentation adéquate, mais elle est d'abord subordonnée à une structure sémionarrative, premier niveau du parcours génératif de discours. Pour élaborer une telle structure, Greimas va modifier sensiblement la composition de la forme canonique de Propp: les 31 fonctions vont être réduites à trois épreuves seulement, auxquelles viendra s'en greffer une quatrième pour former l'ensemble: manipulation-compétence-performance-sanction; défini comme programme narratif. Un tel programme est une superstructure narrative, comme le montre Van Dijk (⁶⁵), et il

---

(⁶⁴) Claude BREMOND, *Logique du récit*, Paris, Seuil, 1973.

(⁶⁵) Teun A. VAN DIJK, «Le texte: structures et fonctions. Introduction élémentaire à la science du texte», in A. KIBEDI-VARGA (éd.), *Théories de la littérature*, Paris, Picard, 1981, pp. 65-93.

régit la composition des récits. S'il a ceci de particulier, c'est de ne comporter que quatre éléments. La plupart des super-structures proposées dans les sémiologies du discours fonctionnent à partir de modèles quinaires. Que ce soit le modèle de la superstructure de Jean-Michel Adam ([66]), celui de William Labov ([67]) ou même celui de Paul Larivaille ([68]), tous privilégient une structure à cinq éléments. Dans un tel modèle, l'action est complètement intégrée à une superstructure. La fonction proppienne à la base de l'épreuve est disparue. Il n'y a en effet plus de place dans le programme narratif pour ces actions ponctuelles qui pavaient le faire de l'agent. Les épreuves composées de sommes de

---

([66]) J.-M. ADAM, *Le texte narratif, précis d'analyse textuelle*, pp. 57-69.

([67]) William LABOV, «La transformation du vécu à travers la syntaxe narrative», in *Le parler ordinaire*, Paris, Minuit, 1978, pp. 289-331. La proposition de Labov comprend en tout huit élements. Mais il est facile de les distribuer sur deux niveaux: l'un, cognitif, comprenant le résumé initial et la chute finale, ainsi qu'une composante évaluative qui se retrouve dans chaque élément; l'autre, pragmatique, composé des cinq éléments essentiels que sont l'orientation, la complication, l'action, la résolution et le résultat.

([68]) P. LARIVAILLE, «L'analyse (morpho)logique du récit». L'exemple de Larivaille est intéressant car, tout comme Greimas, il emprunte ses données initiales à Propp. En fait, il est un des premiers à avoir mis en doute la validité des couplages et des assimilations effectuées par Greimas dans l'élaboration de ses unités épisodiques du récit. Larivaille propose sa propre organisation des fonctions proppiennes: le conte canonique devient la succession de cinq séquences de cinq fonctions chacune, fonctions réparties différemment que selon le modèle greimassien. La composition de la séquence suit plus étroitement les principes dégagés par Bremond: une séquence est un processus enchâssé entre deux états (initial et final). En fait, la séquence est à comprendre comme une double triade: celle, logique, du processus composé d'un déclencheur, d'une action et d'une conséquence; et celle, chronologique, de son déroulement composé d'un avant, d'un pendant et d'un après. Avec Larivaille, l'intégration de l'action à la narration suit un nouveau parcours. Cela ne se fait pas par l'enchâssement de deux dimensions, comme avec Greimas, mais par la mise en place de deux paliers distincts. Un premier plus orienté vers l'action et son actualisation, c'est la séquence comportant cinq fonctions; un second plus narratif, c'est le récit, lui-même composé de cinq séquences. Dans son amplitude maximale, un récit est ainsi une proposition de tâche suivie d'une qualification, d'une affirmation, d'une confirmation ainsi que d'une glorification, qui sont les cinq séquences possibles du récit.

fonctions sont remplacées, dans le programme narratif, par des étapes posées comme des totalités. Il ne s'agit plus d'ensembles organisés (contrat + accomplissement + conséquence) mais d'entités complexes dotées d'économies distinctes.

Le modèle de Greimas; ne propose pas une subordination simple entre la narration et l'action. Une interaction complexe est mise en jeu. L'entreprise de traduction conceptuelle de Greimas — transformant les épreuves proppiennes en phases d'un programme narratif — est en fait l'occasion d'un mouvement paradoxal. Au moment où l'on s'éloigne le plus de l'action, pour rendre compte de la narration et de sa structure, elle réapparaît comme constituante fondamentale de la structure de cette narration. La superstructure narrative de Greimas est fondée sur une théorie de l'action et de ses modalités d'accomplissement. Cette action correspond à la dimension pragmatique du programme narratif. L'action est un faire qui porte sur des états; elle est une transformation, ce qui fait passer d'un état initial à un état final. Ce faire prend place dans un monde donné, qui vient à la fois le motiver et sanctionner les actions performées. Ce monde représente la dimension cognitive du programme. À ce niveau, l'action n'est plus un faire. Il faut l'évaluer, l'infléchir, la dire. Elle n'est plus cette transformation qui travaille sur des états, elle est un événement à venir, dont on cherche à assurer la venue, ou un événement déjà fini qu'on cherche à qualifier et à décrire. C'est l'enchâssement de la dimension pragmatique par la dimension cognitive qui assure l'interaction entre l'action et la narration.

La conception de l'action proposée est centrée sur le sujet agissant. Manipulation, compétence et performance sont des concepts qui ont affaire d'abord et avant tout avec des sujets engagés dans une action. Or, si le couple compétence/performance permet de positionner clairement le sujet et son action dans la superstructure, il faut par ailleurs déplorer cette conception linguistique de l'action qu'il naturalise. Le sujet agissant est défini tel un sujet parlant. Comme le locuteur chomskyen, il est conçu en termes de compétence et de performance, couple qui correspond à la dichotomie saussurienne langue/parole. Agir devient la mise en œuvre, la réalisation d'une compétence. Si, comme le veut la pragmatique, dire c'est faire ([69]), en sémiotique, au contraire, faire équivaut à dire.

La performance selon Greimas prend la forme d'une transformation entre deux états. Une telle définition permet d'identifier les nombreux sujets et objets d'un programme; elle équivaut cependant à réduire l'action à une simple conséquence. L'action est définie par sa fin. C'est une vision statique qui est proposée; une vision qui, si elle permet d'intégrer une théorie de l'action dans la définition de la narration, la réduit pour ce faire aux buts recherchés ou atteints par l'agent. Le propre de l'action est disséminé à travers les dimensions pragmatique et cognitive de la structure narrative: les motifs et les mobiles, par exemple, ne sont plus éléments de l'action, réduite à la performance, mais manipulation inaugurant le programme narratif; l'intention, de même, ne fait pas partie de la performance mais de la compétence. Ces traits ne sont plus dimensions de l'action, ils sont étapes d'une narration. Par cet éclatement, résultat de l'intégration de l'action à la narration, l'action se trouve réduite à sa plus simple expression, celle du but recherché. Elle devient ainsi une pure entité cognitive. Agir, c'est dans le programme narratif rechercher des états, c'est vouloir se joindre avec un objet de valeur. La mise en œuvre des moyens qui permet son accomplissement est complètement évacuée, renvoyée à des niveaux d'analyse jugés impraticables, comme s'il s'agissait là d'une composante non-sémiotique de l'action. Ces moyens, pourtant, sont ce qui permet aux actions de se réaliser et d'être représentées discursivement. En fait, ce n'est pas qu'ils ne sont pas sémiotiques, c'est que leur sémiotisation appelle des notions qui n'ont pas leur place dans le modèle de Greimas. Nous verrons dans les prochains chapitres comment une telle sémiotisation peut être opérée.

([69]) J.-L. AUSTIN, *Quand dire, c'est faire*, Paris, Seuil, 1962.

L'action comme processus

À l'opposé, Claude Bremond a tenté, dans sa *Logique du récit* ([70]), d'établir une conceptualisation de l'action indépendamment de l'analyse des structures narratives. Son but est d'établir un modèle descriptif de l'action valable pour tous les récits.

Travaillant à partir de Propp, il conserve la fonction comme concept de base mais la redéfinit afin de la sortir des contraintes d'une forme canonique. Si, pour Propp, la fonction ne pouvait avoir qu'une seule conséquence, ne pouvait survenir qu'à une seule position dans le déroulement du conte, Bremond va refuser cette rigidité et poser la multiplicité possible des conséquences d'une action. Cela va enlever toute pertinence à l'idée d'une forme canonique, car si une fonction a plus d'une conséquence possible, elle peut survenir à plus d'un endroit dans un déroulement. De plus, pour Bremond, la signification d'une action ne sera plus l'affaire d'un positionnement mais dépendra aussi des personnages impliqués. Bremond va maintenir la fonction, mais en tant que fonction-pivot, une action ouverte à plus d'une conséquence afin de permettre un aiguillage du récit; et l'unité de base du récit ne sera plus la fonction seule, mais la fonction regroupée en séquences, afin de tenir compte justement de toutes les conséquences possibles. Une séquence élémentaire sera définie comme une triade de trois fonctions: une fonction qui ouvre la possibilité d'une action, soit une virtualité; une fonction qui réalise ou non cette virtualité, soit un passage à l'acte; et une fonction qui clôt le processus, soit un résultat. Une telle séquence est un *processus*.

Le récit est défini non plus comme une superstructure narrative imposant ses lois aux unités narratives, mais comme un ensemble de processus liés entre eux par des opérations d'enchaînement: «bout-à-bout» pour la progression linéaire, «enclave» pour rendre compte des mécanismes de spécification des séquences, «accolement» pour exprimer la complé-

---

([70]) Claude BREMOND, *Logique du récit*.

mentarité des processus en fonction des acteurs ([71]). L'action devient ainsi une unité complexe qui n'est plus définie de façon strictement fonctionnelle, à savoir ce qui survient à un moment donné du récit; cette définition permet de saisir le rôle de l'action dans la narration mais laisse ouverte toute la question de sa constitution. En effet, avec Bremond, on accède à une conceptualisation autonome de l'action: celle-ci est *l'actualisation d'une virtualité dans la réalisation d'un but*. Processus logique que recouvre habituellement une chronologie simple du type avant-pendant-après. La thèse de Bremond est que le processus définit les contraintes, les bornes en deçà desquelles toute narration prend place. Ainsi, toute narration est initialement informée par ce processus qui de fait délimite l'ensemble fini des possibles narratifs.

L'explication téléologique est ici privilégiée: l'action est comprise comme un ensemble de buts à atteindre plutôt que l'élément d'une structure simple. Le processus est de cette façon désigné par les buts recherchés par l'action: réfutation, intimidation, dissimulation, obstruction, séduction, etc. Ces buts sont regroupés en deux grandes catégories, amélioration et dégradation, qui définissent les axes fondamentaux de tout récit. Si l'action est la mise en œuvre d'un certain nombre de moyens, le but qu'elle cherche de cette façon à atteindre est l'élément qui sert à la désigner. Dans *La logique du récit*, Bremond va jusqu'à établir un index de ces actions définies par leur but. La liste comprend cinquante processus; ils représentent les ressources à la disposition d'un auteur dans son choix de personnages et d'actions pour le développement de situations narratives. Parmi les processus importants proposés dans l'index, on retrouve: amélioration, excitation de crainte ou d'espoir, information, insatisfaction, interdiction, mise en œuvre de moyen, obtention, récompense, satisfaction, etc. ([72]).

Mais le développement du processus n'est que la première étape du travail de Bremond. Il semble que le concept de processus ne soit pas suffisant ou suffisamment autonome

---

([71]) C. BREMOND, *Logique du récit*, p. 132.

([72]) *Ibid.*, pp. 335-344.

pour décrire la logique du récit et l'ensemble des possibilités qu'elle est censé générer. L'action est ancrée, elle est toujours le fait de quelqu'un. Elle n'existe pas en soi, mais dans sa relation à un agent. Si, avec Propp, qui avait évacué le personnage comme donnée pertinente à son analyse, on avait pu remplacer cet ancrage par un autre, soit l'ordre et la position des fonctions, le désordre introduit par la fonction-pivot crée à ce niveau un vide important. Bremond s'empresse de le combler en réintroduisant simplement le personnage comme principale donnée. Le héros n'est pas un simple instrument, une variable comme le voulait Propp, il est l'objet d'une évolution psychologique qui influence le récit. En fait, avec Bremond, le personnage ne fait pas qu'influencer le récit, il permet avant tout de le penser et de définir ses possibilités. Il vient justifier par son intentionnalité le processus fondé sur les buts et compris comme rôle narratif il devient le nouveau pôle de l'élaboration théorique.

> Contrairement aux affirmations de principe de Propp (mais non à sa pratique), nous refusons d'éliminer de la structure du récit la référence aux personnages. La fonction n'est pas simplement l'énoncé d'une action (Méfait, Lutte, Victoire) sans agent ni patient déterminé, comme s'il n'importait pas de savoir que l'auteur du méfait deviendra ensuite un des combattants, puis le vainqueur ou le vaincu de cette lutte. Au contraire, la fonction d'une action ne peut être définie que dans la perspective des intérêts ou des initiatives d'un personnage, qui en est le patient ou l'agent. [...] Nous définirons donc la fonction, non seulement par une action (que nous nommerons *processus*), mais par la mise en relation d'un personnage-sujet et d'un processus-prédicat; ou encore, pour adopter une terminologie plus claire, nous dirons que la structure du récit repose, non sur une séquence d'actions, mais sur un agencement de *rôles* ([73]).

La structure d'un récit, explique ainsi Bremond, repose sur un agencement de rôles. Établir la logique du récit signifie alors faire l'inventaire des principaux rôles narratifs. Cela requiert une typologie des rôles (agent vs patient; influenceur

---

([73]) C. BREMOND, *Logique du récit*, pp. 132-133.

vs influencé; bénéficiaire vs victime, etc.), ainsi que des types de situations amenées par ces rôles. Par type de situation, il faut entendre non pas les processus en jeu et leurs résultats possibles, car cela serait réorienter l'analyse vers l'action et ses déterminations, mais plutôt les conditions d'actualisation d'un processus dans une situation narrative quelconque. Ce qui est problématisé ce n'est pas le processus en soi, le but précis recherché (intimider, améliorer, etc.), mais les modalités du passage à l'acte de tout processus. Qu'est-ce qui per- met à un agent d'entreprendre une action? quelles sont les conditions de son action? ses déterminations? ses contraintes?

Si la conceptualisation de l'action ne dépend plus avec Bremond des composantes de la structure narrative, elle est reliée maintenant au personnage et à son rôle dans le récit. L'importance accordée au rôle se comprend facilement. Si Bremond veut rendre compte non pas des conventions de l'univers raconté mais des contraintes logiques permettant sa narration, il lui faut décrire des virtualités, des possibilités, et non des actions déjà réalisées. Plutôt que de décrire le sens particulier de chaque récit, il lui faut rendre compte des pos- sibilités du récit. Or ces possibilités existent non pas dans l'ac- tion en soi mais dans le personnage qui agit. C'est au niveau des rôles que sont définis les buts; le processus n'est que le moyen de les atteindre.

De l'action d'un agent, le logicien du récit ne conserve plus que l'agent dans la perspective de cette action. L'analyse aussi tente de suivre l'agent (et le patient) dans l'accomplis- sement de processus; et, comme dans les paradoxes de Zénon d'Élée, cet accomplissement est fragmenté en autant de moments qu'il y a de possibilités de pivots. Une liste de situations est établie et l'analyse tente de retracer pas à pas les déroulements d'action auxquels les personnages peuvent prendre part. Les rôles sont déterminés à partir de moments précis d'un processus laissé indéfini et dont on prévoit les pos- sibilités de développement. On comprend vite cependant que ce qui est proposé comme une analyse des rôles narratifs prin- cipaux se présente plutôt comme une description des princi- pales *situations narratives* ou encore des modes principaux de développement des situations narratives. Les rôles sont en effet présentés dans un contexte qui définit le champ de ces possibilités qu'ils sont en mesure de réaliser. Quand les possibilités offertes à un agent éventuel d'une tâche sont décrites, celles-ci sont toujours prédéterminées par un ensemble de circonstances générales (l'occasion pourrait ne pas être offerte à l'agent, ou lui être refusée, l'agent pourrait ne pas avoir suffisamment d'information pour entreprendre l'action, etc.), qui lui servent de contexte-type.

Pour notre part, nous allons développer, dans la foulée de la perspective de Bremond, le concept de *situation narrative*. On définira la situation narrative comme cette composante qui met en jeu, dans un cadre donné, un agent ou un sujet et son action. Loin de refuser au rôle narratif cette importance redécouverte par Bremond, la situation narrative permet au contraire de réintroduire ce rôle dans le contexte qui le détermine et qu'il rend dynamique. Bremond avait isolé le personnage afin de mieux définir son rôle, celui-ci maintenant circonscrit doit être réintégré à sa situation. Pour reprendre les termes de la définition de Bremond, la structure du récit ne doit reposer ni sur une séquence d'actions, ni sur un agencement de rôles, mais bien sur l'interaction de ces deux aspects qu'articule la situation narrative. De cette façon, si le rôle est le point d'ancrage du processus, et si ce dernier lui sert par le fait-même d'appoint, la situation narrative est le terme qui régit cette interdépendance.

Notre conceptualisation de l'action se présentera comme un prolongement des thèses de Bremond. Le processus est une triade composée d'une virtualité, d'un passage à l'acte et d'un résultat. Notre intérêt va surtout porter sur l'élément central de la triade, le passage à l'acte. Plutôt que de rendre compte, comme l'a fait Bremond, des possibilités narratives accessibles pour chaque processus, nous allons chercher à définir quels sont les modes d'accomplissement du passage à l'acte. Ce ne sont pas les relations entre les processus mais bien le déroulement même de leur composante principale qui sera étudié. Le concept de *plan-acte*, mis de l'avant dans le chapitre 3, est simplement une façon de représenter les modalités d'accomplissement du processus. La notion de séquence est bien sûr maintenue. Le plan-acte a ainsi des résultats qui, tout

comme ceux du processus, peuvent être adéquats ou insatis-
faisants. Et il dépend d'un terme antérieur. Le premier terme
du processus est la virtualité; elle correspond à l'inscription
d'une possibilité, d'une action à venir: un manque à combler,
un déséquilibre à résoudre. Or cette virtualité est pour nous
le lieu de la situation narrative. Puisqu'elle est le cadre dans
lequel des actions peuvent survenir, la situation narrative se
présente comme le contexte nécessaire à l'émergence d'une
telle virtualité.

    1- situation narrative
    2- plan-acte
    3- résultat atteint

Les concepts de situation narrative et de plan-acte vont
servir de base à la compréhension de la portée du contrat de
lecture. Une extension et une recontextualisation du processus, ils permettent de décrire le déroulement de l'action, non
plus en fonction d'une logique des possibles narratifs, mais
dans la perspective de sa représentation et de sa compréhension dans une situation textuelle.

Narration et représentation

Ce survol a montré que rares étaient les analyses qui
cherchaient à définir la représentation discursive de l'action
indépendamment des structures narratives dans lesquelles elle
prend place et que la tendance était plutôt à la subordination
de l'action par la narration. Définir l'action, dans les théories
du récit, c'est décrire la superstructure qui régit la distribution
de ses éléments à travers le texte. La quasi-équivalence entre
mimésis et *muthos*, exposée par Ricœur, s'y présente donc
comme la subordination du premier terme par le second.

Les travaux de Bremond vont à l'encontre de cette subordination et ils permettent de conceptualiser l'action sans
passer en premier lieu par la dimension narrative. C'est la voie
que nous suivons et la raison, bien que différente de celle de
Bremond, en est simple. L'objet de notre travail n'est pas une
poétique, une théorie de la production des récits, mais bien

une théorie de la lecture. Les deux pôles de la production et de la réception d'un texte définissent de façon générale le type de subordination entre *mimésis* et *muthos*. Une théorie orientée vers la production privilégie la narration et les structures de récit, tandis qu'une théorie de la réception ou de la lecture favorise la représentation. Cela reproduit les opérations principales en jeu à chaque pôle: un auteur a besoin d'une structure narrative globale pour engager la représentation; un lecteur a besoin de la représentation pour retrouver la narration. L'un est ainsi le lieu d'une activité de construction, c'est la mise en intrigue qui requiert l'élaboration d'un plan, celui de l'agencement des faits, d'une structure générale d'organisation des éléments hétérogènes du récit. L'autre est celui d'une activité de reconstruction, la découverte progressive de ces éléments hétérogènes distribués et représentés à travers le texte et par lesquels une refiguration du récit peut être opérée ([74]). On représente par la figure suivante les deux pôles de cette activité.

L'activité de production est présentée comme un processus de type descendant (*top-down*). Un processus descendant est une activité dirigée avant tout par un modèle, un

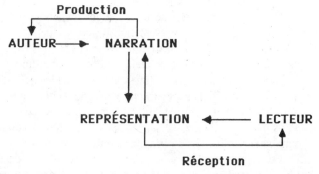

Figure 5. Interaction entre narration et représentation d'action

---

([74]) La refiguration permet de décrire, pour RICŒUR, la troisième mimésis (*Temps et récit*, tome I, pp. 108 et ss.).

plan, une théorie, une entité cognitive quelconque; et cela s'applique bien à la production d'un récit qui distribue et organise des actions à partir d'une structure narrative. L'activité de lecture est, quant à elle, présentée comme un processus de type ascendant (*bottom-up*) ([75]). Il s'agit d'une activité dirigée par des données, une activité par conséquent qui cherche à reconstruire un ordre à partir des informations accessibles. Dans le récit, ces données sont avant tout des actions représentées et l'ordre est l'histoire telle qu'elle apparaît une fois complétée.

Les théories du récit qui définissent tout d'abord les structures narratives adoptent donc le point de vue de la production du texte; tandis que les théories qui conceptualisent en premier lieu la représentation de l'action adoptent celui de la lecture. Et elles le font car, en plaçant à l'avant-plan les données, elles respectent la direction prise par la lecture.

Parce que nous voulons développer une théorie de la lecture, nous cherchons à conceptualiser l'action sans l'inscrire dans la narration. Il ne s'agit pas là d'une façon de récuser l'équivalence entre *mimésis* et *muthos*, ni même d'accéder à un «au-delà» narratif, comme le fait Bremond qui veut rendre compte des possibilités logiques de la narration. Il s'agit plutôt d'une façon de se situer dans un «en deçà» narratif. L'endo-narratif est en effet cette aire théorique qui permet de rendre compte, dans un premier temps, des mécanismes de reconnaissance et de compréhension d'une action et d'expliquer, dans un second, les modes d'intégration au narratif de cette action identifiée.

La quasi-équivalence entre représentation d'action et mise en intrigue n'est pas abandonnée; au contraire elle permet de conjoindre deux types de problème. Le premier porte sur la définition du récit, et plus particulièrement du récit minimal. Une phrase seule suffit-elle à produire un récit? Pour

---

([75]) Les concepts de processus de type ascendant et descendant sont en usage surtout en psychologie cognitive. Nous utilisons la traduction française de ces termes qui a été proposée par Michel FAYOL (*Le récit et sa construction*, Paris, Delachaux et Niestlé, 1985).

certains, une phrase telle que «Il pleut» suffit pour qu'il y ait récit, comme chez Thérien ([76]); pour d'autres, il faut minimalement deux propositions narratives reliées par une jonction temporelle ([77]). De même, si l'on s'entend habituellement pour définir le récit comme «la représentation d'(au moins) un événement» ([78]), et c'est là l'occasion du second problème, quelles sont les conditions minimales de la représentation de cet événement ou de cette action? Il faut au moins la présence d'un verbe d'action; mais un tel verbe suffit-il à la représentation de l'action?

Comme on va le voir au prochain chapitre, la thèse de la quasi-équivalence fait en sorte d'associer ces deux problèmes et permet de répondre à l'un par l'autre. Un récit minimal est un récit qui met en jeu au moins une *situation narrative* et le *schème interactif*, dont la situation narrative est le mode d'expression dans un récit, est la condition minimale de la représentation de l'action.

([76]) Gilles THÉRIEN, *Sémiologies*. Le récit est produit non pas par ce qui est manifesté mais par ce qui est inféré: «La forme la plus simple en français (de récit minimal), c'est la phrase du type Il pleut. L'espace est créé, le temps de lecture et le temps référentiel du discours concordent. Le sujet cosmologique est implicite et la transformation s'opère entre un état antérieur sans pluie et la constatation actuelle, il pleut. Le récit peut devenir plus complexe et exiger une succession de phrases simples, il n'en reste pas moins qu'un premier état de choses est donné et que d'autres états sont déployés à partir de celui-là» (p. 71).

([77]) William LABOV, dans *Le parler ordinaire*, propose: «Nous nommerons «récit minimal» toute suite de deux propositions temporellement ordonnées, si bien que l'inversion de cet ordre entraîne une modification de l'enchaînement des faits reconstitué au plan de l'interprétation sémantique. Autrement dit, les deux propositions sont unies (et séparées) par une jonction temporelle, et le récit minimal est celui qui ne contient qu'une seule jonction» (pp. 295-6). Un exemple de récit minimal serait: «j'ai insulté le professeur et le professeur m'a giflé». Une jonction temporelle réunit ces deux propositions de telle sorte que changer leur ordre («le professeur m'a giflé et j'ai insulté le professeur») revient à changer la signification du récit. Dans le premier cas, le professeur gifle l'étudiant parce que celui-ci l'a insulté; dans le second, l'étudiant insulte le professeur parce qu'il l'a giflé.

([78]) J.-M. ADAM, *Le texte narratif*, p. 10.

Chapitre II

Le schème interactif

Les modalités du contrat de lecture concernent la compétence nécessaire à un lecteur pour s'engager dans la situation textuelle. Cette compétence est constituée d'éléments tels que la connaissance de la langue mais aussi des savoirs pratiques, culturels et symboliques. Parmi ces savoirs, il y en a un qui est essentiel aux situations textuelles mettant en jeu des récits, c'est la pré-compréhension pratique du monde de l'action. Dans le premier chapitre, nous avons examiné différentes théories de l'action; la triple perspective de l'action a ainsi permis de préciser le domaine du monde de l'action. Dans ce second chapitre, nous voulons proposer une conceptualisation pour rendre compte de cette pré-compréhension par le lecteur du monde de l'action.

La pré-compréhension se présente, par ses caractères structurels, comme la capacité d'utiliser de manière significative le réseau conceptuel de l'action. La notion d'un réseau confirme que l'action n'est pas une unité simple mais une entité conceptuelle complexe qui dépend des relations établies entre un ensemble de traits. Ces traits sont définis par les catégories générales par lesquelles on pense habituellement l'action. Ce sont des catégories que l'on retrouve dans le langage ordinaire, telles que rôle et statut, intention et buts, mobiles et motifs, moyens et plans, modes d'accomplissement et déroulements d'action. Ricœur s'explique ainsi, dans *Temps et récit*, où il décrit cette notion d'une pré-compréhension:

> Les actions impliquent des *buts* dont l'anticipation ne se confond pas avec quelque résultat prévu ou prédit, mais engage celui dont l'action dépend. Les actions, en outre, renvoient à des *motifs* qui expliquent pourquoi quelqu'un fait ou a fait quelque chose, d'une manière que nous distinguons clairement de celle dont un événement physique conduit à un autre événement physique. Les actions ont encore des *agents* qui font et peuvent faire des choses qui sont tenues pour *leur* œuvre, ou, comme on dit en français, pour *leur* fait: en conséquence, ces agents peuvent être tenus pour responsables de certaines conséquences de leurs actions ([1]).

Comprendre une action, ce n'est pas simplement répondre à la question «qui fait quoi?», c'est aussi répondre aux «comment a-t-on fait cela?» «pourquoi l'a-t-on fait?», «quelles en sont les raisons ou les buts?», «les circonstances? le cadre?», interrogations par lesquelles on parvient à compléter la configuration de cette action. Motifs, buts, raisons, agent, ce ne sont là que quelques-uns des termes par lesquels on comprend une action. L'action n'est en soi aucun de ces termes, elle est plutôt la résultante des interactions qui les lient. Comme le dit Ricœur, l'action tire sa signification de sa capacité à être utilisée en conjonction avec l'un des termes du réseau entier:

> Mais le fait décisif est que, employer de façon signifiante l'un ou l'autre de ces termes [...], c'est être capable de le relier à n'importe quel autre membre du même ensemble. En ce sens, tous les membres de l'ensemble sont dans une relation d'inter-signification. Maîtriser le réseau conceptuel dans son ensemble, et chaque terme à titre de membre de l'ensemble, c'est avoir la compétence qu'on peut appeler *compréhension pratique* ([2]).

([1]) P. RICŒUR, *Temps et récit*, tome I, p. 88. C'est l'auteur qui souligne.

([2]) *Ibid.*, p. 89. C'est l'auteur qui souligne.

Décrire cette compréhension pratique de l'action, c'est définir par conséquent le réseau conceptuel qui permet de lui attribuer une signification. Cela implique, d'une part, faire la liste des principales catégories qui permettent de comprendre et de représenter l'action et, d'autre part, les organiser en fonction de leurs liens interdéfinitionnels. On va réaliser ce double objectif par la définition du *schème interactif*. Le schème interactif est en effet cette structure qui organise les catégories du réseau conceptuel de l'action.

Deux points doivent être élucidés avant d'aller plus avant dans la définition du schème interactif. D'une part, la pré-compréhension de l'action se situe avec Ricœur à la *mimésis* I (³) et elle est mise en pratique ici en fonction du lecteur et de sa capacité à s'engager dans une situation textuelle, qui est de l'ordre de la *mimésis* III. C'est un faux problème. Le même raisonnement vaut tant pour la langue utilisée que pour le réseau conceptuel de l'action. Si le lecteur ne partage ces modalités préfigurées au moment de la production, il ne peut y avoir de situation textuelle. Cette compétence pratique est donc la même pour les lecteurs et pour les auteurs. Ricœur le résume admirablement: «C'est sur cette pré-compréhension, commune au poète et à son lecteur, que s'enlève la mise en intrigue et, avec elle, la mimétique textuelle et littéraire» (⁴).

D'autre part, la notion d'une pré-compréhension du monde de l'action, puisque celle-ci est ancrée à même l'expérience pratique du lecteur, implique que la compréhension de l'action dans le récit et dans le monde est une activité équivalente. C'est-à-dire que toutes deux, même si elles opèrent sur un matériau différent et qu'elles répondent à des économies distinctes, mettent en jeu les *mêmes* catégories. Le matériau, par exemple, est tout à fait différent: ici des gestes que l'on doit identifier, là des mots qu'il s'agit de lire; de même que le rapport à l'action: ici une relation immédiate, là une relation médiate, le résultat d'une perception préalable. Mais ces activités se rejoignent en ce que, dans les deux cas, ce

---

(³) P. RICŒUR, *Temps et récit*, tome I, p. 87
(⁴) *Ibid.*, p. 100.

sont les mêmes catégories servant à identifier l'action qui sont mises en jeu. L'observateur aperçoit des gestes, des mouvements, la mise en œuvre de moyens et il doit inférer un but, des motifs, une intention; le lecteur suit un récit et il doit, à partir des phrases qu'il lit et de leur signification, à partir de cette narration que fait le narrateur, reconnaître buts, motifs et intentions. Ces catégories servent à identifier l'action, quels que soient le contexte et le type d'activité requis pour mener à bien cette identification.

Cinq contraintes de représentation

On va définir toute représentation discursive d'action comme l'actualisation d'un schème interactif. Le schème interactif est cette structure, cet ensemble de catégories organisées entre elles permettant l'identification de l'action, quel que soit son type de manifestation: dans un récit ou dans le monde ([5]). Le schème interactif pré-existe à la lecture et il trouve ses racines dans la connaissance pratique du domaine de l'action et de sa conceptualisation par le langage ordinaire; il vaut donc comme modèle de la configuration générale de la pré-compréhension pratique de l'action, pré-compréhension posée comme garantie de la capacité du lecteur à comprendre adéquatement la représentation d'une action. La figure 6 présente les différentes catégories du schéma ainsi que les relations qui les unissent:

([5]) Le schème interactif correspond en quelque sorte à ce qui a été proposé en psychologie cognitive sous le terme de schéma de l'action (Gail S. GOODMAN, «Picture memory: how the action schema affects retention», in *Cognitive Psychology*, n° 12 (1980), pp. 473-495). Comme le veut la théorie des schémas, la structure du schéma de l'action est censée fournir une structure interne pour la perception et la mémorisation efficace d'actions, générer un horizon d'attente relatif à une action donnée, permettre de retenir et de modifier des représentations d'actions précédemment identifiées, et enfin être construite à partir d'une expérience du monde et pouvoir se développer. Mais ici, plutôt qu'un modèle explicatif d'une perception, le schème interactif est une représentation des règles de construction de ces schémas de l'action expliquant une perception.

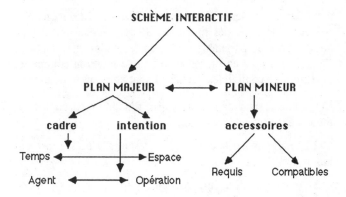

Figure 6. Structure du schème interactif

Le schème interactif (⁶) est ainsi composé minimalement d'une série de trois éléments reliés entre eux et répartis en deux plans: un plan majeur et un plan mineur. Le plan majeur est composé d'un cadre et d'une intention. Ce sont les deux premiers éléments. L'*intention* est l'élément essentiel de l'action et elle est comprise comme la relation cognitive établie entre un agent et une opération. Le *cadre*, qui fournit l'environnement nécessaire à la représentation, est défini comme la relation complémentaire entre un espace et un temps. Le plan mineur, c'est le troisième élément, est constitué des *accessoires* requis et compatibles à la réalisation d'une action. Ce sont à ces composantes de base que viennent se greffer les autres concepts qui permettent d'identifier des actions et de leur donner une signification.

(⁶) Ce schème est interactif à deux niveaux. L'interactivité s'applique au niveau même de l'organisation des catégories. Le schème doit être pris comme une totalité: la présence d'une catégorie entraîne la présence de toutes les autres; et c'est ce renvoi nécessaire entre les différentes catégories qui fonde l'interactivité du schème. De plus, à un autre niveau, l'interactivité s'applique à l'objet de description. Une action qui a pour but d'agir sur une personne autre que l'agent peut aussi être dite interactive. L'interaction détermine ainsi à la fois le fonctionnement du schème et de son objet d'analyse.

Le rôle du schème interactif est double: s'il sert en quelque sorte de régie des processus de compréhension, il joue aussi le rôle de paramètre de la représentation discursive de l'action. On peut en présenter la double fonction comme un ensemble de contraintes. Celles-ci sont au nombre de cinq:

C-1 Toute représentation discursive d'action respecte les paramètres du schème interactif

C-2 L'intention est la composante essentielle de la représentation de l'action

C-3 Le cadre fournit l'environnement spatio-temporel nécessaire à la représentation d'une action

C-4 La représentation d'une action doit tenir compte des accessoires requis pour sa réalisation

C-5 La situation narrative est l'expression du schème interactif

Une représentation discursive efficace de l'action, permettant sa compréhension par un lecteur, respecte nécessairement cet ensemble de contraintes. Décrivons les maintenant une à une.

Nous allons donner au cours de ce chapitre un certain nombre d'exemples. Ceux-ci proviennent à la fois de notre corpus de romans d'aventures, de textes littéraires mais aussi de textes qui ne sont pas d'abord narratifs. C'est le cas de l'essai de Zenon Pylyshyn, *Computation and Cognition* ([7]). Cet essai sur les sciences cognitives est un exemple de texte qui utilise un récit afin de représenter un déroulement d'actions. Ce micro-récit n'est jamais présenté comme un récit ou une narration, bien au contraire ce qui est présenté et soumis à l'analyse est un déroulement d'actions, cette illusion référentielle générée par la lecture du récit; mais on verra que, pour atteindre cet effacement du texte au profit d'une illusion, ce micro-récit respecte les contraintes du schème interactif ([8]).

([7]) Zenon W. PYLYSHYN, *Computation and Cognition; Toward a Foundation for Cognitive Science,*, Cambridge (Mass.), MIT Press, 1986.

([8]) En fait, l'analyse de ce récit est l'occasion d'une sorte de mise en

Toute représentation discursive d'action respecte les paramètres du schème interactif (C-1)

Les trois éléments du schème interactif, le cadre, l'intention et les accessoires, participent à toute représentation discursive d'action. Ces éléments ne contribuent pas tous à la structuration de la représentation de la même façon ou au même niveau. La décomposition du schème interactif en intention, cadre et accessoires permet en effet de distinguer différents types de conditions de satisfaction de la représentation d'action. Il n'y a donc pas une condition générale unique qui statuerait sur la validité d'une représentation, mais un ensemble complexe de conditions complémentaires et distinctes.

Il y a ainsi une hiérarchie des éléments. L'intention est l'élément régissant du schème interactif; elle est sa composante essentielle, sans laquelle il ne peut y avoir de représentation. Le cadre est sa composante nécessaire; il est l'environnement spatio-temporel dans lequel une action peut survenir et son absence est une cause sérieuse de défaillance de la représentation. Les accessoires sont aussi importants, mais à un degré moindre. Leur absence peut avoir des conséquences sur l'efficacité de la représentation de l'action mais elle n'annule pas la possibilité même de cette représentation. Une représentation d'action met donc en jeu, minimalement, ces éléments et tout manquement correspond à une défaillance ([9]).

---

abîme théorique. Elle permet en effet de rendre compte des trois composantes d'un contrat de lecture: c'est-à-dire non seulement des modalités en jeu à la lecture de ce micro-récit mais encore du protocole et de la portée du contrat.

([9]) Il y a cependant différents degrés de défaillance d'une représentation de l'action. Ces degrés sont au nombre de trois et ils correspondent aux éléments identifiés dans les deux plans du schème — à savoir, l'intention, le cadre et les accessoires. La mauvaise utilisation de l'un ou l'autre de ces groupes d'éléments affecte différemment la représentation de l'action: ainsi, une action qui n'aurait pas d'agent, au plan de l'intention, ne serait tout simplement pas une action, tandis qu'un mauvais choix d'accessoire pour une opération ne représente qu'une erreur mineure facilement corrigée. Quant aux variations des éléments du cadre de l'action, dont la permanence est si importante à une représentation efficace, elles viennent perturber son identification mais ne mettent pas en péril l'existence même de sa représentation.

Pour mieux illustrer cette contrainte ainsi que l'apport du schème interactif à la représentation d'une action, nous allons utiliser comme exemple un très court récit extrait de *Computation and Cognition* de Zenon Pylyshyn ([10]). Ce récit se présente sur le mode de la transparence langagière; le texte est conçu de façon à s'effacer au profit d'une illusion référentielle. Une situation narrative simple est présentée, comme si elle allait de soi et que rien ne venait s'immiscer entre elle et le lecteur. Bien que sa valeur littéraire et même narrative soit très faible, ce récit n'en respecte pas moins toutes les contraintes de représentation ([11]). En fait, la narration proposée permet non seulement de montrer le fonctionnement du schème comme fondement des modalités de la lecture, mais aussi de donner un exemple de protocole de lecture — simple par la brièveté du texte qui force à aller au plus pressant et à être explicite dans ses injonctions —, et un exemple de manipulation du lecteur, au niveau du déroulement du récit et par conséquent de la portée du contrat de lecture. Elle permet donc de rendre compte rapidement des trois composantes de tout contrat de lecture.

Le récit se situe dans le premier chapitre de l'essai, chapitre qui porte sur la valeur explicative du vocabulaire de la cognition pour la compréhension des comportements humains. L'auteur veut y démontrer d'abord que des vocabulaires particuliers donnent des explications différentes d'un même phénomène ou situation, et ensuite que le vocabulaire cognitif est le plus apte à décrire les comportements fondamentaux

---

([10]) Zenon PYLYSHYN, *Computation and Cognition*, pp. 3 et ss.

([11]) Le choix d'un tel exemple s'explique facilement. La meilleure façon de montrer que toute représentation d'action respecte les composantes du schème interactif, quel qu'en soit le genre, consiste à utiliser comme exemple un micro-récit, une narration qui de prime abord ne cherche à respecter aucune convention littéraire particulière, une représentation d'action dont l'objectif est une plus grande économie de moyens. Il faut un récit qui ne s'intéresse pas à sa structuration comme récit et dont la fonction ne soit pas uniquement de raconter une histoire. Or Pylyshyn nous propose un tel récit minimal dans son essai.

d'individus intelligents et rationnels. Sa stratégie argumentative est simple; elle consiste à donner un exemple de comportement et à le décrire de différentes façons, afin de démontrer la supériorité du vocabulaire cognitif. L'exemple est le suivant:

> Imaginez que vous êtes à un coin de rue, à une intersection, et que vous observiez une séquence d'événements que l'on pourrait décrire ainsi. Un piéton marche sur le trottoir. Ce piéton, soudainement, tourne et commence à traverser la rue. À cet instant même, sur la rue, une voiture avance à toute allure en direction du piéton. Le conducteur de la voiture applique les freins. La voiture glisse, dérape de l'autre côté de la route et frappe un poteau. Le piéton hésite, puis s'approche et regarde à l'intérieur de la voiture, du côté du conducteur. Il court à une boîte téléphonique sur le coin de la rue et compose les numéros 9 et 1 ([12]).

C'est une narration dépouillée, sans description ni évaluation qui est donnée au lecteur, un texte qui ne doit pas être pris pour du langage, mais pour une certaine réalité. Pylyshyn demande en effet à son lecteur, par le biais de cette narration, de se mettre dans une situation d'observateur, témoin d'un accident impliquant un piéton et une automobile. Le but de cet exercice est d'expliquer qu'un vocabulaire cognitif est nécessaire pour rendre compte de situations complexes comme celle-ci — la suite du texte réfléchissant par exemple sur le pourquoi et le comment des actions accomplies par le piéton. Mais, en ce faisant, le lecteur est considéré comme s'il avait véritablement été témoin de cet accident, comme s'il n'y avait

---

([12]) Z. PYLYSHYN, *Computation and Cognition*, p. 3. Le texte anglais se lit ainsi: «Suppose you are standing on a street corner and observe a sequence of events that might be described as follows. A pedestrian is walking along a sidewalk. Suddenly the pedestrian turns and starts to cross the street. At the same time, a car is traveling rapidly down the street toward the pedestrian. The driver of the car applies the brakes. The car skids and swerves over to the side of the road, hitting a pole. The pedestrian hesitates, then goes over and looks inside the car on the driver's side. He runs to a telephone booth at the corner and dials the numbers 9 and 1».

jamais eu de représentation discursive entre le lecteur et l'action. On se situe, au profit d'un vocabulaire cognitif, dans la transparence langagière la plus pure. Si la lecture d'un texte de fiction est quelquefois définie comme un acte de simulation ([13]), ici on ne joue plus... Examinons maintenant le début de cette narration et le protocole de lecture qui est mis de l'avant; cela va nous permettre de retrouver les composantes du schème interactif.

La première phrase du texte propose un protocole de lecture en quatre points. La première injonction apparaît dès le premier mot: «Suppose»/«Imaginez». Il s'agit là d'un embrayeur de discours analogue au traditionnel «Il était une fois» des contes populaires, qui sert à ouvrir un univers fictif. Il préside à l'ouverture d'un univers sémantique que la suite du texte viendra préciser. Il permet de distinguer la narration qui suit de l'essai qui précède et le «Suppose»/«Imaginez» en est la marque. Le verbe inscrit la lecture sur le registre de la transparence langagière et de la référentialité.

Le second terme du texte suggère au lecteur cette fois de participer activement au récit qui va suivre: «Suppose you»/«Imaginez que vous». Comme pour l'*incipit* de *La Modification* de Michel Butor, qui commence avec: «Vous avez mis le pied gauche sur la rainure de cuivre, et de votre épaule droite vous essayez en vain de pousser un peu plus le panneau coulissant» ([14]), le lecteur est appelé à prendre position dans l'univers référentiel ouvert par l'embrayeur initial. On lui demande de faire abstraction de sa situation de lecteur pour jouer un rôle et participer à cet univers. Ce rôle est double — ce sont là les troisième et quatrième injonctions — et il consiste à être d'une part un piéton arrêté au coin d'une rue

---

([13]) John SEARLE, «Le statut logique du discours de la fiction», in *Sens et expression; essais de philosophie du langage*, Paris, Hermann, 1972, pp. 101-119.

([14]) M. BUTOR, *La modification*, Paris, Minuit, 1957, p. 9. On retrouve le même processus dans *Si par une nuit d'hiver un voyageur* de Italo CALVINO (1980), mais aussi dans la série des *Un livre dont vous êtes le héros* et ces autres fictions interactives informatisées. Nous reviendrons plus en détail dans les cinquième et sixième chapitres sur ces fictions interactives.

et d'autre part l'observateur passif d'un accident d'automobile. Non content de demander au lecteur de ne plus lire le texte de la même façon qu'auparavant, on le pousse en plus à participer au récit comme personnage observateur. Le cadre de l'action a été choisi justement pour sa neutralité, sa familiarité. Le lecteur doit être en mesure de se représenter la scène sans peine. La rue, les trottoirs, les piétons, les poteaux, les accidents, les cabines téléphoniques font partie de l'univers habituel des lecteurs contemporains, de ceux, au pis aller, qui s'intéressent aux sciences cognitives. En fait, comme on le verra plus loin, on fait appel à un *script*, à une séquence usuelle d'actions (¹⁵), qu'un lecteur partageant le même horizon d'attente est censé connaître.

Par une série de procédés narratifs et par le choix d'un cadre familier, le texte présente une série d'actions de façon à ce que le lecteur se les représente comme s'il avait été présent. Et cette identification est entérinée par la suite du texte, puisque le lecteur y est interpellé comme s'il avait été là et non pas comme s'il avait simplement lu le texte qui a raconté ce qui s'était passé. Le texte qui suit l'exemple que nous avons transcrit enchaîne, immédiatement après le récit, avec une série de questions portant sur les événements décrits: «Que s'est-il passé? Pourquoi ce pieton a-t-il couru à la cabine téléphonique? Que va-t-il faire ensuite? et pourquoi?» (¹⁶).

Les deux dernières questions («que va-t-il faire ensuite? et pourquoi?») sont très intéressantes, car elles supposent une transformation du registre de lecture. Le lecteur était là, il n'y est plus. Ces questions impliquent en effet que la scène s'est arrêtée à un moment donné, que le lecteur devenu observateur participant a dû quitter son poste sur le bord de la rue avant de savoir ce qui s'est ensuite passé. Elles amènent une clôture de cet univers référentiel, laissé en suspens entre le deuxième et le troisième chiffre du numéro de téléphone composé par le piéton. Le récit ne dit pas que le piéton a com-

---

(¹⁵) Roger SCHANK et Robert ABELSON, *Scripts, Plans, Goals and Understanding, passim.*

(¹⁶) Z. PYLYSHYN, *Computation and Cognition*, p. 3.

posé le 9-1-1, mais uniquement les deux premiers chiffres de ce numéro. C'est le lecteur qui doit inférer à partir du 9 et du 1, que c'est le 9-1-1 qui est composé et non tel autre numéro de sept chiffres. Les «que va-t-il faire ensuite? et pourquoi?» confirment que le lecteur a dû réintégrer son poste de lecture à ce moment précis et qu'il n'observera pas la suite des événements mais devra l'inférer à partir des informations déjà colligées.

Le texte de Pylyshyn manipule son lecteur de façon à le faire passer d'un registre de lecture à un autre, mais il le fait tout aussi bien à l'intérieur d'un même registre. La narration recèle en effet une manipulation importante, stratégie basée sur une variation de la focalisation. Dans sa représentation du déroulement d'action, la narration ne respecte pas le point de vue du lecteur-observateur. Pour une grande partie du texte, la perspective adoptée correspond à celle d'un observateur statique. Il n'y a pas de focalisation interne, comme si les événements étaient décrits, à distance, par un narrateur peu soucieux d'interpréter chaque geste, en raison peut-être du caractère familier des événements. Pourtant deux phrases du texte brisent cette correspondance. D'abord, il n'est pas dit que l'automobile freine, mais bien que le conducteur applique les freins. Le narrateur se déplace pour pénétrer dans l'automobile et décrire le réflexe du conducteur ([17]). Ensuite, en toute fin de récit, le narrateur suit littéralement le piéton qui court à la cabine téléphonique pour le regarder composer les deux premiers chiffres d'un numéro ([18]). À deux reprises donc,

---

([17]) Le texte de l'exemple — et non plus cette fois les événements qu'il décrit! — doit être réinterprété en fonction d'un vocabulaire cognitif. Or Pylyshyn aurait de la difficulté à expliquer à son lecteur non pas que le conducteur mais bien l'automobile «voulait» freiner... Peut-on dire qu'une automobile a une intention?

([18]) On dit bien que le piéton se rend à un coin de rue mais, à moins de supposer qu'il n'y en ait qu'un seul dans cet univers (on trouve, en général, quatre coins par intersection...), on ne dit pas qu'il s'agit du coin de rue où est installé le lecteur. Ce n'est pas «at *your* corner» mais «at the corner» que le piéton s'élance, celui où se trouve la cabine téléphonique, s'il n'y en a qu'un seul qui ait une telle cabine, sinon celui le plus près de la voiture accidentée.

la focalisation se déplace, quittant la perspective fixe du lecteur installé sur son coin de rue. Ces écarts sont justifiés par les besoins de l'argumentation qui va suivre mais la manipulation qu'ils opèrent est importante: ce qu'on demande au lecteur de voir, en l'incitant à se croire là, n'est pas ce qu'il aurait pu voir s'il y avait vraiment été. Le lecteur est littéralement trimballé d'un poste de vision et de lecture à un autre et cela au profit d'une prétendue transparence langagière. Le contrat de lecture de la narration développe donc cette convention implicite que, malgré les apparences et ce protocole qui les produit, la narration ne suit pas les contraintes propres à un lecteur-observateur.

L'objectif de ce texte de Pylyshyn est de présenter de façon minimale un comportement quelconque, une suite d'actions qui pourra être ensuite décrite et expliquée. Les événements sont ainsi présentés sans aucune explication. C'est un récit où dominent la succession simple des actions, un récit privé de sa dimension cognitive. Ce manque provient du fait qu'on ne retrouve aucune évaluation dans ce récit. L'évaluation assure la dimension cognitive du récit; elle est constituée des «procédés qu'emploie le narrateur pour indiquer le propos de son histoire, sa raison d'être: pourquoi il la raconte, où il veut en venir» ([19]). On ne retrouve en effet dans le micro-récit aucune relation causale ni aucun terme intentionnel sauf peut-être l'hésitation du piéton. La cohérence du récit n'est assurée que par des relations temporelles (et puis... et puis...). Cela s'explique parce que c'est au discours de l'auteur qu'incombe la re-logification du récit. Il présente donc dans un premier temps un ensemble de propositions narratives jointes par des jonctions temporelles, qui permettent de représenter un déroulement d'actions, et, dans un second, une interprétation de type cognitive de ce déroulement, qui permet de l'expliquer: «Le piéton **perçut** la collision, **reconnut** cet événement comme un type d'accident, en **inféra** qu'il pouvait y

---

([19]) W. LABOV, *Le parler ordinaire*, p. 303.

avoir des blessés, s'approcha pour **évaluer** si quelqu'un était bel et bien blessé [...]» ([20]).

Pylyshyn présente donc séparément le développement du récit de son évaluation. Il le fait, pour le développement, à l'aide d'un ensemble de propositions narratives jointes par des jonctions temporelles et qui permettent de représenter un déroulement d'actions et, pour l'évaluation, à l'aide de deux interprétations de ce déroulement ([21]). Pourtant, même privé de sa dimension cognitive, ce micro-récit n'en respecte pas moins les composantes de base du schème interactif. Il y a d'abord un cadre, ouvert par le «Imaginez» initial. Le lieu se compose principalement d'une intersection de deux rues, avec ses trottoirs et ses coins de rue. Une époque précise n'est pas mentionnée mais on imagine une certaine contemporanéité avec le temps du lecteur, une époque assez récente qui comprend des sciences telles que les sciences cognitives. En fait, l'indétermination du temps de l'action est une stratégie favorisant d'identification du lecteur à l'observateur du texte. Les accessoires utilisés pour cette scène sont l'automobile, le poteau frappé et la cabine téléphonique; le lecteur est libre d'inclure dans cette liste tous les autres accessoires qui auront

---

([20]) Z. PYLYSHYN, *Cumputation and Cognition*, p. 5. Le texte anglais se lit ainsi: «The pedestrian **perceived** the collision, **recognized** it as an event that is classified as an accident, **inferred** that there might be an injury, went over to **determine** whether anyone had in fact been injured [...]».

([21]) Il est intéressant de remarquer que de la représentation narrative d'une série d'actions, à la traduction de cette narration en une explication de type matérialiste, puis en une explication basée sur un lexique cognitif ou intentionnel, on retrouve la triple perspective de l'action. En passant ainsi d'un vocabulaire à l'autre, Pylyshyn occupe les trois perspectives de description. L'explication cognitive correspond bien à la relation établie entre l'agent et son action; l'explication matérialiste, occupée à montrer quels sont les effets et les causes de chaque événement, correspond à la seconde relation, celle établie entre l'action et le monde; et enfin, l'utilisation d'un récit pour présenter les événements correspond à la dernière relation, celle de représentation. Pylyshyn préfère la relation cognitive aux autres, mais son texte montre plutôt que cette explication est complémentaire aux deux autres et en fait qu'une bonne compréhension de l'action requiert l'utilisation de ces trois perspectives.

facilité son identification, mais ceux cités sont seul requis pour
le bon développement de l'action. Il y a trois agents, et des
actions: observer, marcher, traverser une rue, freiner, frapper
un poteau, etc. Les agents, en fait, ne sont pas identifiés mais
simplement désignés par leur statut dans la situation narrative.
Il y a ainsi un observateur, un piéton et un automobiliste, dont
les actions sont liées directement à leur rôle. L'observateur ne
fait rien d'autre qu'observer la scène, sans y intervenir; le piéton marche et traverse des rues; l'automobiliste conduit, freine
et s'arrête. Les motivations sont réduites aussi à un minimum:
l'observateur se trouve là, parce qu'il est un bon lecteur, et le
conducteur réagit à une situation de crise. Le piéton est le seul
à ne pas avoir une intentionnalité de degré zéro. D'une part,
il hésite avant d'aller vérifier l'état de l'automobiliste; d'autre part, il traverse la rue sans avertissement. Sur un coup de
tête. Pourquoi fait-il cela? Où veut-il aller? Quel but poursuit-
il? Le micro-récit, bien sûr, ne permet pas de le déterminer;
mais au moins un geste est posé, une décision est prise qui
manifeste une quelconque intentionnalité.

Quelque minimale qu'elle soit, la représentation de cette
suite d'actions fait appel aux composantes du schème interactif: l'intention, le cadre et les accessoires; et la lecture en est
possible parce que le lecteur reconnaît leur présence et leur
fonction dans le texte. Et ce qui vaut pour l'exemple de
Pylyshyn vaut pour tout texte représentant des actions, tout
récit ou roman d'aventures. Le texte de Pylyshyn est plus mar-
quant simplement parce que l'absence d'intégration d'une évaluation au micro-récit ainsi que la diversité des discours produisent une lecture qui n'est pas homogène.

L'intention est la composante essentielle de la représentation de l'action (C-2)

L'intention est constituée de la relation cognitive d'un
agent à une opération. L'intention est le noyau du schème
interactif. De même qu'il ne peut y avoir d'action sans agent
ou à plus forte raison sans faire ou agir, la représentation d'une
action nécessite la présence d'un agent et d'un faire. Une
action sans agent n'est tout simplement pas une action. Un

certain mystère peut persister quant à la responsabilité d'une action, dans l'enquête policière par exemple, mais ignorance et absence ne sont pas ici synonymes.

À la suite de la philosophie de l'action, nous n'allons considérer comme actions, que les actions intentionnelles, celles d'une part qui peuvent être attribuées à un agent et qui, d'autre part, sont le résultat d'une certaine volonté, d'une planification. Nous allons réserver le terme d'*événement* aux actions sans intention. Ceci ou cela est un événement, soit parce qu'il n'y a aucune intention à être attribuée: un cataclysme naturel, une avalanche, un feu de forêt; soit parce que dans l'état actuel des choses on ne peut leur attribuer une intention. Un feu de forêt ou une avalanche peuvent être catalogués comme des événements puis être réinterprétés comme des actions, c'est-à-dire des moyens utilisés par un agent pour atteindre un but.

Un agent, une opération, conjoints dans une relation de cognition, forment les éléments de base du schème interactif. Comprendre ou identifier des actions représentées, c'est colliger en fonction de cette relation nécessaire les nombreux éléments du réseau conceptuel de l'action. L'idée d'un tel noyau indissociable du schème interactif recouvre une vérité depuis longtemps exposée. Henry James disait déjà en 1884 dans son essai *The Art of Fiction*: «Qu'est-ce qu'un personnage sinon la détermination de l'action? Qu'est-ce que l'action sinon l'illustration du personnage?» ([22]); et Todorov avait clairement vu exposé dans ce passage «la liaison indéfectible des différentes constituantes du récit: les personnages et l'action. *Il n'y a pas de personnage hors de l'action, ni d'action indépendamment du personnage*» ([23]). Personnage et action, agent et opération, les deux couples représentent un même inéluctable noyau narratif ([24]).

([22]) Cité et traduit dans le texte de T. TODOROV, «Les hommes-récits: *Les mille et une nuits*», in *Poétique de la prose (choix)*, Paris, Seuil, 1971, p. 33.

([23]) *Ibid.*, p. 33. C'est nous qui soulignons.

([24]) Les différentes tentatives de formalisation de proposition narra-

Todorov, dans son commentaire de James, a décrit les deux types de développement narratif possibles à partir de la proposition première «X fait Y». Un développement par le personnage et un développement par l'action. Ces deux voies du récit actualisent respectivement la distinction entre un déroulement transitif et un déroulement prédicatif de l'action. Dans un récit à déroulement transitif de l'action, l'action n'est pas considérée pour elle-même mais comme illustration du sujet. C'est le récit psychologique, privilégié par James, et pour qui chaque action est «une voie qui ouvre l'accès à la personnalité de celui qui agit, comme une expression, sinon comme un symptôme» (^{25}). Dans ces récits, une causalité diffuse, médiatisée relie les traits d'un personnage aux actions qu'il accomplit et qui forment la suite du texte. Rodolphe, dans *Les mystères de Paris*, est présenté comme un personnage généreux et la suite du récit le montre. Les récits à déroulement prédicatif sont tout autres: le personnage n'y est plus le récipiendaire d'actions qui illustrent son caractère, il est directement soumis à l'action. L'a-psychologisme est le fait d'une causalité immédiate entre l'agent et son faire. Un trait est-il décrit qu'il provoque aussitôt une action. On apprend que Buffalo Bill est un tireur d'élite, il tue l'instant suivant quelques Indiens postés au loin. De la même façon: «Buffalo Bill était un homme d'action. Il sauta à la gorge de l'individu et l'entraîna jusqu'au foyer» («Les sentiers du pays de la mort», n° 41, p. 2)

Le roman d'aventures privilégie volontiers le déroulement prédicatif de l'action. En fait, plus le roman est de facture populaire, plus les motivations profondes des personnages, leurs antécédents familiaux ou sociaux sont ignorés; l'espace narratif est entièrement occupé par la description des modes d'accomplissements des actions entreprises. Il suffit

---

tive en sémiotique littéraire ont respecté cette dimension de l'intention. Qu'il s'agisse du «S ∩ O» greimassien, du «X fait Y» de Tzvetan Todorov ou encore du «Pn = prédicat + argument» de Jean-Michel Adam, tous posent cette relation initiale.

(^{25}) T. TODOROV, «Les hommes-récits...», p. 34.

d'avoir posé les lignes directrices d'un personnage, le justicier, le fidèle homme de main ou encore le *pard* américain —une contraction intraduisible de «partner» —, pour ensuite le lancer dans l'action. Les aventures de Buffalo Bill sont un exemple type de cet a-psychologisme du récit populaire. Dans ces fascicules, ces «dime-novels» traduits avec peine de l'anglais, les portraits des personnages se limitent souvent à une brève description physique et à quelques grands traits stéréotypés. C'est tout le contraire de l'éthopée! Buffalo Bill est «le héros du Far-West», le «roi des éclaireurs de l'armée», «le plus haut idéal de la vertu virile américaine, type en train de disparaître de l'histoire de ce pays pour n'y plus figurer jamais.» («L'attaque du courrier de la prairie», no 42, p. 1) Le héros n'est pas défini par ce qu'il est mais par ce qu'il fait et ce qu'il a déjà accompli: quand on reconnaît le héros, ce sont d'abord des anecdotes sur ses nombreux exploits qu'on se raconte. Pour ne donner qu'un exemple parmi d'autres:

> On racontait cent étranges histoires sur Buffalo Bill et ses audaces, sur les périls où il s'en était fallu de l'épaisseur d'un cheveu qu'il ne succombât, et sur ce qu'il avait fait pour le bien de la frontière, depuis les sources du Missouri jusqu'à la région de Rio Grande (no 40, p. 3).

Buffalo Bill est tout puissant; c'est dire, dans un univers frontalier, qu'il sait se battre à main nue et en duel, tirer à la carabine, à l'arc et lancer du couteau, qu'il est un cavalier émérite, un scout intelligent, un cowboy honnête, généreux, célibataire, etc. Il habite le territoire et ce trait seul suffit à expliquer sa participation aux multiples péripéties qui constituent ses aventures. Les aventures de Buffalo Bill sont presque parodiques dans leur division manichéenne du monde. Leurs personnages sont de purs actants, pour utiliser le métalangage greimassien, dont la composition actorielle se limite à quelques traits indispensables.

Quel que soit le type de déroulement de l'action, on doit convenir avec Todorov que «le personnage, c'est une histoire virtuelle qui est l'histoire de sa vie. *Tout nouveau personnage signifie une nouvelle intrigue*» ([26]). Cette dernière assertion doit être élevée au rôle de précepte, dans la définition du schème interactif. L'introduction de tout agent équivaut à une actualisation du schème interactif et à l'amorce d'une nouvelle opération. Agent et opération sont les données fondamentales de l'intention, cette base grâce à laquelle une action peut être conceptualisée mais aussi représentée discursivement. À ces deux termes viennent se greffer, en première instance, des catégories telles que but et moyen, motif et mobile, statut et rôle. Leurs relations peuvent être présentées à l'aide de la figure 7.

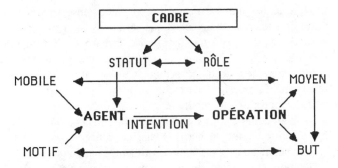

Figure 7. Relations entre les composantes du plan majeur

Dans cette figure, une opération est précisée dans le schème comme ce moyen utilisé afin d'obtenir un but ([27]). La

---

([26]) T. TODOROV, «Les hommes-récits...», p. 37. C'est nous qui soulignons.

([27]) L'utilisation du terme opération dans le schème interactif, pour désigner l'action entreprise par l'agent, s'explique par le besoin de relier les composantes du schème aux termes en usage dans une perspective fonctionnelle de la phrase. Dans le thé-O-rhème, en effet, le verbe qui est en position de régie est présenté comme une opération. Le thé-O-rhème est la segmentation de la phrase en trois positions distinctes: le thème, l'opération et le rhème; auxquelles est attribuée une dynamique communicative. La distinction thème-rhème provient des travaux de l'École de Prague et elle a été reprise plus récemment par Denis SLATKA (dans «L'ordre du texte», in *Études de linguistique appliquée*, n⁰ 19, pp. 30-42). L'opération, le terme central qui

relation moyen/but est fondamentale à la compréhension d'une action. Un moyen est une action faite dans une intention particulière. On peut prendre un train (moyen) pour se rendre à la campagne (but); il faut avaler un liquide (moyen) pour boire un verre (but). Comprendre une action, c'est être en mesure de distinguer ces deux dimensions de l'agir, puis de les mettre ensemble. Ces deux dimensions remplissent des fonctions différentes. La catégorie du but est ce qui permet à l'action de s'inscrire dans une mise en intrigue, dans une structure téléonomique. Planifier une action, c'est ordonnancer des buts. Le moyen est la catégorie par laquelle on représente et rend compte du mode d'accomplissement des actions performées. L'expression «prendre un train» désigne un ensemble complexe de sous-opérations telles que se rendre à la gare, acheter un billet, trouver le train approprié, embarquer, se trouver un siège, présenter son billet au contrôleur, etc., qui font partie de son mode d'accomplissement. Ce mode d'accomplissement peut être désigné de façon générique par l'expression verbale appropriée, «prendre le train», ou être représenté textuellement comme dans *La modification* de Butor où on suit le voyage en train du héros. Mais, de concert avec le but recherché, les sous-opérations constituent la base conceptuelle de l'action. Nous reviendrons plus en détail sur cette question des modes d'accomplissement et des déroulements d'actions au chapitre 3.

Le couple motif/mobile se rattache directement à l'agent et permet de déterminer ses motivations, les raisons qui le poussent à agir. L'opposition antithétique entre ces deux termes est fondée sur la nature des causes qui produisent ou qui tendent à produire une action et sur le caractère de l'explication fournie. Les mobiles sont de l'ordre du vécu, ils recouvrent les raisons, les déterminations psychologiques ou socio-culturelles qui ont incité à agir; aussi sont-ils *rétrospectifs*. Les motifs, eux, sont d'ordre intellectuel, ils sont les

---

correspond au verbe de la phrase, a été définie par Gilles THÉRIEN, dans un effort pour redonner au verbe son rôle dans la cohésion linguistique, pour le comprendre non comme une simple transition mais comme le pôle actif d'une transformation (*Sémiologies*, p. 76.)

raisons pour agir, la source de ces actions entreprises afin d'atteindre les buts visés; ils sont *prospectifs* [28]. Le motif rend compte du but de l'action, tel qu'envisagé par l'agent, du projet ou du plan de l'agent: il a fait cela «de sorte que», «de façon à» obtenir tel objet. C'est le pourquoi de l'action. Le mobile permet d'expliquer le type de moyens mis en œuvre pour obtenir ce but. C'est le pourquoi du comment. Un individu a forcé le coffre de la banque: il l'a fait de façon à s'emparer de l'argent du coffre, c'était son motif; il a volé parce qu'il est pauvre et que pour lui c'est la seule façon d'acquérir de l'argent, c'est le mobile. Il y a ainsi une *relation de corroboration* entre motif et but d'une part, et mobile et moyen d'autre part.

Motif et intention sont par ailleurs des termes qui s'interdéfinissent. Ricœur le souligne: «le motif est motif d'une intention» [29]. Le rapport est si étroit, selon lui, que parfois

---

[28] La distinction proposée ici, issue d'une psychologie traditionnelle, suit aussi les définitions proposées par Alfred SCHUTZ du «in-order-to motive» et du «because motive», respectivement motif et mobile (*The Phenomenology of the Social World*, Chicago, Northwestern University Press, 1967, pp. 86-96). G.E.M. ANSCOMBE parle aussi de motifs «qui regardent en arrière» (*Intention*, Ithaca/New York, Cornell University Press, 1958, cité dans Ricœur, «Le discours de l'action», 1977, p. 40). On peut retrouver de la même façon, dans *la Poétique* d'Aristote, un couple semblable permettant d'expliquer les motivations d'un agent. On peut lire au chapitre 6 que les agents sont «des personnages en action qui doivent nécessairement avoir des qualités dans l'ordre du caractère et de la pensée (en effet c'est par référence à ces données que nous qualifions aussi les actions — il y a deux causes naturelles des actions, la pensée et le caractère — et c'est dans leurs actions que les hommes réussissent ou échouent), eh bien c'est l'histoire qui est la représentation de l'action, les caractères sont ce qui nous permet de qualifier les personnages en action, la pensée tout ce qui dans leur parole revient à faire une démonstration ou encore énoncer une maxime» (de 49 b 36 à 50 a 6). Les caractères semblent bien liés à la psychologie du personnage, et les pensées, à ses idéaux, ses raisons d'agir, son plan, tel qu'il peut être formulé, transmis, démontré. Dans un tout autre contexte, cette distinction entre motif et mobile correspond à ce qu'en disait Jean-Paul Sartre, dans *L'être et le néant* (Paris, Gallimard, 1943), dans le premier chapitre («Être et faire: la liberté») de la quatrième partie.

[29] P. RICŒUR, «Le discours de l'action», p. 40.

motif et intention sont indiscernables. Mais, si motif et intention sont des termes inter-reliés, ils ne répondent pas à la même question et ce sont des catégories qui ne sont pas de même niveau et qui ont des points d'ancrage différents. Ricœur oppose motif et intention:

> On peut dire toutefois que même dans les cas d'extrême proximité, intention et motif se distinguent en ceci qu'ils ne répondent pas à la même question: l'intention répond à la question *que*, que faites-vous? Elle sert donc à identifier, à nommer, à dénoter l'action (ce qu'on appelle ordinairement son objet, son projet); le motif répond à la question *pourquoi*? il a donc une fonction d'explication; mais l'explication [...] consiste à rendre clair, à rendre intelligible, à faire comprendre ([30]).

Mais motif et intention ne doivent pas être pris isolément; dans le jeu de l'interdéfinition, il faut aussi intégrer les termes de mobile et de but. Il y a ainsi non pas deux, comme le suggère Ricœur, mais trois questions: «que faites-vous?» qui permet de définir l'intention, «pourquoi faites-vous cela?» qui définit le motif, et «pourquoi l'avez-vous fait?» qui rend compte du mobile. Les deux dernières questions appellent des réponses totalement différentes. L'une permet de spécifier les buts recherchés par l'action (c'est *pour* atteindre tel but), l'autre les raisons qui ont présidé à son choix (c'est *parce que*). Quant à la première question, elle est plus générale et sert à identifier l'action en tant que telle. De cette façon, si le but est le quoi de l'action, si le motif est son pourquoi et le mobile, la raison du comment, l'intention est le désignateur de l'action. Elle est ainsi une catégorie supérieure, plus large et dont le point d'ancrage n'est ni l'agent (motif et mobile) ni l'opération (but) mais la relation même entre l'agent et son opération. Cette fonction identificatrice de l'action explique le choix du terme «intention» comme titre de cette composante fondamentale du schème interactif.

Le rôle et le statut s'ancrent, pour leur part, dans le cadre et agissent sur l'intention; ils se présentent donc comme une

---

([30]) P. Ricœur, «Le discours de l'action», p. 40.

relation entre les deux éléments du plan majeur du schème interactif. Le statut est la relation posée entre le cadre et l'agent tandis que le rôle est la relation posée entre le cadre et l'opération. Comme pour le motif et le mobile, le rôle et le statut permettent de spécifier le *pourquoi* de l'action; et, à l'instar du couple motif et but, ils correspondent aux deux faces d'une même pièce.

Le statut est statique en ce qu'il détermine uniquement la position et la fonction d'un agent dans une situation donnée; le rôle est dynamique en ce que cette fonction déterminée définit un ensemble d'actions. Dans l'aventure de Buffalo Bill, «Sur la piste de la terreur du Texas», dès la seconde phrase le lecteur apprend que Tom Lane est le patron du Hard Times Saloon. À ce statut, défini par le type d'établissement, est associé un rôle auquel correspondent certaines opérations. Comme patron d'un établissement sans grande envergure, il semble bien que ce Tom Lane doive cumuler les fonctions, non seulement se charger du service au bar et aux tables mais aussi toucher à tout ce qui a trait à l'accueil des gens. Il reçoit ainsi Buffalo Bill, lui sert à manger et l'informe sur la clientèle de l'établissement. Ces opérations sont prévisibles pour le lecteur car elles appartiennent au domaine des activités d'un tel établissement. Buffalo Bill, pour sa part, est identifié comme un scout de l'armée américaine, c'est son statut et son rôle est de faire respecter la loi là où il se trouve. Sa présence au Hard Times Saloon devient donc l'indice d'une action policière à venir.

La connaissance des rôles et statuts est importante pour la compréhension ou l'identification de certains déroulements d'actions. Un tel fait ceci ou cela parce qu'il est le patron, le barman, le serveur ou le plongeur de l'établissement. Ces statuts fournissent une explication contextuelle des actions performées, une explication basée sur la relation de l'agent à son cadre. Cette explication est cependant très limitée car elle est exempte de toute téléonomie. Outre les buts instrumentaux des opérations régies par le cadre, l'identification des rôles et statuts ne donne accès à aucun des buts poursuivis par l'agent. Une description des rôles et statuts est donc le complément d'une explication des buts et motifs; tandis que les uns définissent les buts visés par l'agent, les autres regroupent les buts instrumentaux des moyens employés. Ainsi, dans le fascicule des aventures de Buffalo Bill, immédiatement après l'identification du rôle de Tom Lane, on lit: «C'était un homme qui n'avait peur de rien; et, en effet, il risquait sa vie jour et nuit pour 'faire' de l'argent plus vite et devenir riche» (no 40, p. 1). Si Tom Lane a pris ce rôle, c'est dans le but de devenir riche, avec l'intention de faire de l'argent le plus rapidement possible. Voilà son motif... Quant à savoir pourquoi il a choisi cette façon de faire, quels sont ses mobiles, le texte, avare en commentaires sur ses héros, ne le laisse pas savoir.

Il arrive par contre que les statut et rôle d'un personnage remplacent ses raisons d'agir, ses mobiles et motifs. L'*histoire* de l'agent est alors remplacée par un contexte, un cadre régissant des comportements, et les raisons d'agir sont réduites à des règles de conduites prédéterminées. Le lecteur a alors droit à des textes sans profondeur, où priment des déroulements d'actions instrumentaux à l'accomplissement de buts clairement indiqués. Il n'est pas nécessaire, par exemple, d'expliquer pourquoi un personnage figé et à la réputation établie comme Buffalo Bill s'engage dans une action policière, il suffit de le mettre en situation.

Le concept de rôle utilisé ici diffère du concept de rôle narratif. Le rôle narratif est défini non pas en fonction du cadre mais de la narration, de l'intrigue. Nous n'utilisons pas cette définition narrative du rôle car nous nous situons dans l'endo-narratif, où la question de la fonction de tel personnage ou de telle action dans la narration n'est pas importante. Avant de faire correspondre une action à une position ou fonction dans une narration, il convient de pouvoir l'identifier pour ce qu'elle est en regard du réseau conceptuel qui permet de la définir. Le concept de rôle, utilisé ici, est appelé à favoriser cette identification. Dans les cas d'ambiguïté entre les deux types de rôle, nous utiliserons le terme de *rôle situationnel* pour désigner le rôle défini en fonction d'un cadre et de *rôle narratif*, pour le rôle défini en fonction de la narration.

À partir de la définition de ces éléments, il est possible d'établir une sorte de *portrait intentionnel* des agents engagés dans une action. Ce portrait est composé des six éléments servant à définir l'intention: agent, action, motif, mobile, statut et rôle. On peut établir ce portrait pour chacun des agents des récits de notre corpus. Ainsi le portrait général intentionnel de Phileas Fogg dans *Le tour du monde en 80 jours* se présente de la sorte:

AGENT: Phileas Fogg
ACTION: faire le tour du monde en 80 jours
MOTIF: gagner un pari
MOBILE: le souci de l'exactitude
STATUT: membre du London Reform-Club
RÔLE: préserver les acquis de sa classe sociale

L'action principale de Fogg, celle dont le mode d'accomplissement occupe la majeure partie du récit, est ce tour du monde en 80 jours. Son motif, la raison pour laquelle il entreprend ce périple, est de gagner le pari fait avec les autres membres du Reform-Club. Fogg parie en effet que le calcul soutenu par le *Morning Chronicle* sur le temps minimal requis pour faire le tour du monde est juste. Le journal calcule qu'il faut mathématiquement seulement 80 jours pour réussir l'exploit et Fogg parie que cela est vrai non seulement théoriquement mais dans la pratique aussi. Il part donc pour prouver ses dires et ceux du *Chronicle*. Le mobile, la raison pour laquelle il tient ce pari, dépend du tempérament même de Fogg. Ce personnage est un excentrique et il a cette caractéristique d'être un homme-machine ou mieux un homme-pendule ([31]). Il est un homme mathématiquement exact, pour qui la vie n'est qu'un long et complexe horaire toujours prévu, calculé, respecté. Pour Fogg, l'imprévu n'existe pas et ce n'est pas le monde qui va lui prouver le contraire. Il entreprend donc ce pari incroyable pour montrer que ce que la raison peut concevoir, les faits doivent le confirmer. Fogg est, par ailleurs, membre du Reform-Club, d'une certaine aristocratie anglaise, et ce statut lui donne le droit sinon le privilège d'entreprendre un tel voyage.

([31]) On retrouve ces expressions dans le *Jules Verne* de Simone VIERNE (Paris, Balland, 1986, pp. 251 et 252).

Autre portrait intentionnel, celui de Rodolphe, le héros des *Mystères de Paris*.

AGENT: Rodolphe
ACTION: secourir Fleur-de-Marie
MOTIF: faire le bien et poursuivre le mal
MOBILE: l'intention de parricide
STATUT: prince de Gerolstein
RÔLE: régner sur ses sujets

Tout au long des quatre tomes des *Mystères de Paris*, Rodolphe porte secours à l'orpheline Fleur-de-Marie, à la famille Morel, à Germain le fils de Mme Georges, à Clémence d'Harville, à Mme de Fermont et à sa fille, etc. Ces bonnes actions participent d'un projet bien défini de Rodolphe, celui de jouer à la providence, de faire dans l'aventure charitable. Ses buts sont bien définis: «secourir d'honorables infortunes... poursuivre d'une haine vigoureuse le vice, l'infamie, le crime» ([32]). C'est ainsi qu'en plus de secourir et d'aider la veuve et l'orphelin, Rodolphe s'attaque à l'infâme notaire Jacques Ferrand, ainsi qu'à son complice Polidori; il punit le Maître d'école et recherche Bras-Rouge. Son mobile, par contre, est sombre; c'est, comme il l'explique lui-même à son ancienne épouse Sarah Mac-Gregor, l'intention de parricide:

> Cédant à ma folle passion... à la violence de mon caractère... j'osai défendre à mon père, à mon souverain... de parler ainsi de ma femme... j'osai le menacer. Exaspéré par cette insulte, mon père leva la main sur moi; la rage m'aveugla... je tirai mon épée... je me précipitai sur lui... Sans Murph qui survint et détourna le coup... j'étais parricide de fait... comme je l'ai été d'intention!... Entendez-vous... parricide! (*Les mystères de Paris*, tome 4, p. 131).

Et c'est pour accomplir sa pénitence, que Rodolphe quitte son royaume et s'installe à Paris, entre autres, pour y

---

([32]) Marc ANGENOT, *Le roman populaire; recherches en paralittérature*, Montréal, Les presses de l'université du Québec, 1975, p. 46.

faire le bien et sauver la veuve et l'orphelin. Cette bienveil-
lance lui vient tout naturellement car il est un prince et c'est
le rôle d'un souverain de régner et de contrôler la destinée de
son peuple, et par extension de tout peuple.

Ces deux exemples auront montré qu'il est ainsi possible d'établir le portrait intentionnel de tout agent engagé dans
une action. Sorte de résumé, ce portrait rend compte des principaux termes de l'intention, qui est la composante essentielle
de la représentation de l'action. Ces termes sont proches les
uns des autres, ils sont en fait régis par un système de corroboration qui permet de se déplacer à travers les éléments du
plan majeur et, tout en se déplaçant, de compléter le portrait
de l'action. Si le schème interactif sert de principe organisateur des catégories qui permettent de conceptualiser l'action,
c'est par cette corroboration des termes qu'il parvient à le
faire.

Le cadre fournit l'environnement spatio-temporel nécessaire à la représentation d'une action (C-3)

Le plan majeur du schème interactif est composé d'une
intention et d'un cadre. Ce dernier correspond au contexte de
l'action et représente ses déterminations spatio-temporelles.
Une action est toujours ancrée; elle est le fait d'un agent et
elle prend place dans un espace et un temps. De même que
la représentation d'objets nécessite l'ouverture d'un espace
particulier ([33]), la représentation d'une action requiert le support à la fois d'un espace et d'un temps. Ces deux dimensions
sont dans une relation de complémentarité.

Dans la représentation, le cadre se manifeste à trois
niveaux différents. Il est d'abord thématisé; il est cet espace
et ce temps qui servent de décor aux actions à venir: un
«saloon» du Far-West, un Paris du début du XIXe siècle, etc.

([33]) Roman INGARDEN, *The Literary Work of Art*, Evanston, Nortwes-
tern University Press, 1973, p. 222.

Il est le cadre de référence de l'action. Cette dimension de la représentation est incontournable. En fait, comme le souligne Phillipe Hamon:

> Toutes écoles et tous genres littéraires confondus: le sujet de l'autobiographie comme celui du poème lyrique ('J'ai longtemps habité sous de vastes portiques'), le personnage du roman naturaliste (les marquises, à cinq heures, sortent toujours de quelque part), comme le héros de théâtre ou celui du roman-feuilleton, ne se conçoivent pas sans accompagnement, minimum ou insistant, d'un décor construit [34].

Le cadre sert ensuite à la structuration des éléments de la représentation; il est la façon dont sont disposées d'une part les composantes de l'action et d'autre part les actions entre elles. On se souvient du commentaire de Barthes, dans *S/Z*, sur le déploiement de l'opposition symbolique mais aussi structurante entre le jardin et le salon, ces deux lieux antithétiques du début du «Sarrasine» de Balzac [35]. De tels lieux antithétiques, quoique distribués sur un plus grand espace textuel, structurent la première partie des *Mystères de Paris* de Sue. Le quartier mal famé du Palais de Justice et le cabaret du «Lapin Blanc», où Rodolphe entre d'abord en scène, s'oppose au village de Bouqueval et à la ferme modèle de Madame Georges, où il emmène finalement Fleur-de-Marie. Le passage de l'un à l'autre transforme, par exemple, le statut de Fleur-de-Marie et amène même des modifications onomastiques: de «La Goualeuse», Fleur-de-Marie devient simplement Marie (tome 1, p. 94).

Le cadre est finalement assuré par les pré-constuits langagiers [36]. L'espace et le temps appartiennent à la structure même du langage et déterminent les principales catégories référentielles. Une perspective fonctionnelle de la phrase a

---

(34) Phillipe HAMON, «Texte et architecture» in *Australian Journal of French Studies*, vol. XXIII, n° 3 (1986), p. 290.

(35) Roland BARTHES, *S/Z*, Paris, Seuil, 1970, pp. 33 et ss.

(36) Gilles THÉRIEN, *Sémiologies*, p. 71.

montré comment les mots se positionnaient à l'intérieur d'une phrase et comment la succession linéaire de ces mots définissait un espace essentiel à la production de sens:

> En s'écrivant, (la phrase) met en jeu un espace qui doit être lu selon une trajectoire uniforme, de gauche à droite, du moins dans notre aire culturelle. C'est l'espace dans lequel s'inscrit l'action. C'est le territoire du sens dont les frontières sont marquées par le blanc du papier ou le point final qui marque la limite entre deux territoires ([37]).

À un autre niveau, linguistique cette fois, les prépositions spatiales et temporelles — les devant/derrière, dans/hors de, au dessus/au dessous, avant/pendant/après — sont de bons exemples de cette segmentation initiale de l'espace et du temps opérée par le langage ([38]). L'importance du cadre pour la représentation est illustrée par le fait que l'espace et le temps sont souvent les toutes premières informations fournies dans un récit. Cet aspect a déjà été désigné par Labov ([39]) comme l'orientation du récit.

Dans le fascicule no 40 des aventures de Buffalo Bill, «Sur la piste de la terreur du Texas», le texte s'ouvre ainsi:

> Le cabaret de frontière qui portait pour enseigne «Aux Temps difficiles», le Hard Times Saloon, était le quartier général de tous ceux qui, dans ces parages des confins du Texas, avaient envie de boire ferme, de jouer un jeu d'enfer ou de se disputer et de se battre à mort (p. 1).

Les deux premiers noms apparaissant dans le récit indiquent déjà un lieu et une période précise de l'histoire des États-Unis, la conquête de l'ouest, le Far-West, période qui va des années 1860 aux années 1890, et un endroit précis, un débit de boisson situé justement quelque part dans cette zone

---

([37]) G. THÉRIEN, *Sémiologies*, p. 71.

([38]) Claude VANDELOISE, *L'espace en français*, Paris, Seuil, 1986.

([39]) W. LABOV, *Le parler ordinaire*.

tampon qu'on appelle la frontière. Dans ce récit, c'est plus particulièrement le Texas qui est visé, et l'idée d'une frontière est surdéterminée par la mention même du Texas qui est souvent associé à l'idée de frontière, par le nom du cabaret qui est un bon indicateur de la précarité de la situation («hard times»), et par sa location aux «confins» de l'État. Les activités excessives qu'on trouve dans ce saloon soulignent à leur tour l'aspect sauvage, frontalier de sa location. Un cadre est ainsi introduit qui servira de base à la représentation de l'action.

Il ne s'agit pas ici de développer une théorie des *incipit*, mais si on fait un survol des débuts des différents textes du corpus, on remarque que l'indication d'un temps et d'un lieu font habituellement partie des premières données du texte. Ainsi:

> Le 13 décembre 1838, par une soirée pluvieuse et froide, un homme d'une taille athlétique, vêtu d'une mauvaise blouse, traversa le Pont au Change et s'enfonça dans la Cité, dédale de rues obscures, étroites, tortueuses, qui s'étend depuis le Palais de Justice jusqu'à Notre-Dame (*Les mystères de Paris*, tome I, p. 15).

Et:

> En l'année 1872, la maison portant le numéro 7 de Saville-row, Burlington Gardens — maison dans laquelle Sheridan mourut en 1814 — était habité par Phileas Fogg, esq., l'un des membres les plus singuliers du Reform-Club de Londres, bien qu'il semblât prendre à tâche de ne rien faire qui pût attirer l'attention (*Le tour du monde en 80 jours*, p. 1).

Ainsi que:

> Depuis peu Harry Dickson se trouvait de nouveau dans sa patrie chérie, l'Amérique, et bien dans la capitale, New York,

où en compagnie de Tom, il avait loué quelques chambres à Brooklyn dans la Driggstreet (*Le professeur Flax, monstre humain*, p. 17).

D'un seul coup de crayon, héros, temps et lieux sont introduits. Dans les trois cas, la dimension temporelle a préséance sur la dimension spatiale. On indique d'abord la période, le temps de l'action, avant de préciser où elle se situe: 1838, 1872, «depuis peu». La situation est quelque peu différente avec le Harry Dickson: la période, début du vingtième siècle, est déjà connue du lecteur, le début de l'aventure de ce fascicule ne coïncidant pas avec le début des aventures du détective. Le premier signe, le premier élément de composition de l'univers fictionnel, c'est le temps. Ce sont là des débuts traditionnels, respectueux des conventions instaurées depuis le conte pour qui l'incipit se présente toujours comme un: «Il était une fois, dans un château, [...]»; où la période, quoique laissée en suspens, précède toujours la désignation des lieux.

Ces *incipit* plongent le lecteur *in media res*, l'attention étant portée dès l'abord non sur le cadre et ses particularités, mais sur le héros lui-même, introduit simplement dans son contexte. James Fenimore Cooper affectionne au contraire, pour ses entrées en matière, une périodisation générale où le cadre même de l'aventure est thématisé. Dans les deux premiers récits de *La légende de Bas-de-cuir*, on trouve ainsi:

> Entre 1740 et 1745, les portions habitées de la colonie de New York se bornaient aux quatre comtés baignés par l'Atlantique, à une étroite ceinture de territoire de chaque côté de l'Hudson et à quelques établissements avancés sur les bords du Mohawk et du Schoharie. De larges ceintures du désert encore vierge traversaient la première rivière, s'étendaient dans la Nouvelle-Angleterre, et offraient le couvert des forêts au mocassin silencieux du guerrier sauvage, marchant sans bruit sur le sentier sanglant de la guerre (*Le tueur de daims*, p. 7).

Et:

Toutes les guerres qui se sont déroulées dans les colonies du nord de l'Amérique ont eu cette particularité: avant même d'entrer en contact avec l'ennemi pour lui livrer bataille, les soldats durent braver les fatigues et les dangers d'une nature hostile. Une large ceinture de forêts, qu'on pouvait croire impénétrables, séparaient les possessions françaises de leurs rivales anglaises (*Le dernier des Mohicans*, p. 13).

Cette fois-ci, les récits s'ouvrent sur une description généralisante de l'Amérique du Nord en situation de guerre. Aucun agent n'est encore proposé, sinon celui tout influent de la forêt. En effet, guerre et forêt sont avant tout thématisées dans ces deux *incipit*; et cela représente bien leur importance dans le récit. Car, tout autant que les exploits de Nathaniel Bumppo ou de Chingachgook, ces récits parlent de guerre et de forêt, d'attaques et de massacres, de portages et de randonnées, qui ne sont plus uniquement décor, contexte ou faire-valoir, mais composantes importantes du processus de génération du déroulement de l'action. Quand la perspective enfin se resserre, dans les deux récits, la forêt est aussitôt projetée à l'avant-plan: dans le premier, c'est Tueur-de-daim et Hurry qui émergent de la forêt, tandis que dans le second, c'est une troupe qui s'apprête à y pénétrer pour trouver un raccourci jusqu'au Fort William-Henry. L'aventure naît de la forêt et de la guerre.

Les *incipit* de Cooper; montrent clairement au lecteur quel est le cadre de l'aventure; ils ne font pas que désigner ses lieux, ils fournissent des informations qui en indiquent la teneur générale. L'horizon d'attente du lecteur est entretenu: il sera question de guerre, d'expéditions en forêt, de frontière, etc. Tout autre cependant est le début de *Michel Strogoff* de Jules Verne ou de *La mémoire dans la peau* (traduction de *The Bourne Identity*) de Robert Ludlum.

— Sire, une nouvelle dépêche.
— D'où vient-elle?
— De Tomsk.
— Le fil est coupé au-delà de cette ville?
— Il est coupé depuis hier.
— D'heure en heure, général, fais passer un télégramme à

> Tomsk, et que l'on me tienne au courant (*Michel Strogoff*, pp. 1-2).

Et:

> Le chalutier plongeait dans les creux redoutables de la mer sombre et déchaînée comme un animal essayant désespérément de fuir un marécage (*La mémoire dans la peau*, p. 13).

Là, on laisse volontiers le lecteur dans l'ignorance. Sauf à un second degré — la mer et le chalutier, Tomsk et le caractère militaire de la conversation — rien n'est dit du cadre de l'action. La période n'est pas mentionnée, aucun lieu précis n'est désigné. Le temps de la lecture remplace la périodisation et, si l'on se situe quelque part, c'est en plein milieu d'un déroulement d'action! C'est un début *ex abrupto* ([40]). L'action sert ici de cadre à son propre déroulement. Dans la tempête, dans une conversation: l'invasion tartare que doit stopper Michel Strogoff, l'explosion du navire qui détruit à peu de chose près Jason Bourne. Ce sont des récits où l'intrigue joue sur un subtil dosage de l'information, où le lecteur est laissé par moments dans le noir, et ces deux incipits sont représentatifs de cette situation textuelle. Le suspense est créé dès le début non pas par l'attente de ce qui va arriver mais bien par l'ignorance de ce qui est en train de se passer. Ces deux incipits ont de plus des liens étroits avec les récits qu'ils introduisent. Le chalutier qui plonge entre les vagues de cette mer sombre et déchaînée comme un animal maladroit tente désespérément de se sortir d'un marécage est tout à l'image de ce Bourne qui tente de se déprendre du merdier que son amnésie a créé. Quant au récit de Verne, Tomsk n'est pas que l'endroit où le fil du télégraphe est d'abord coupé, c'est la ville où Michel Strogoff subit son plus important revers de fortune où, tout comme le télégraphe qu'il doit remplacer, il est aussi arrêté. À Tomsk, Michel Strogoff est rendu aveugle «suivant la coutume tartare, avec une lame ardente, passée devant ses yeux» (*Michel Strogoff*, p. 343). À ces deux héros aveugles,

---

([40]) B. TOMACHEVSKI, «Thématique», p. 275.

l'un parce qu'il ne peut plus rien voir, l'autre parce que, suite
à son amnésie, il ne peut reconnaître ce qu'il voit, correspond
un lecteur à son tour, au début, aveugle parce qu'on ne lui
donne rien à voir...

Comme le laissent apparaître les *incipit*, particulièrement
ceux de Cooper, le cadre ne fait pas que mettre en place les
dimensions nécessaires à la représentation de l'action; son
choix vient préciser l'ordre général des activités qui vont survenir. Un cabaret de frontière donne lieu à des activités qu'on
imaginerait difficilement dans un salon de thé ou une disco-
thèque. Au «Hard Times Saloon», dans le fascicule des aventures de Buffalo Bill, un client peut demander une nouvelle
bouteille d'alcool, mais il ne peut pas appeler un taxi. Le vraisemblable serait alors pris en défaut ([41]). Des aires sémantiques sont déterminées par le cadre, et cela en fonction à la
fois des attentes usuelles concernant ces cadres et des spéci-
fications du récit. Tel cadre permet tel ensemble d'opérations,
de la même façon que ces opérations, dans des cadres donnés, appellent tel type d'accessoires. Comme on le verra par
la suite, le cadre est un élément important de la définition de
la situation narrative.

*La représentation d'une action doit tenir compte des
accessoires requis pour sa réalisation (C-4)*

Le concept d'accessoire appartient au plan mineur du
schème interactif et il tient au fait qu'une action peut demander pour sa représentation plus qu'un cadre ou une intention.
Certaines actions ne se comprennent ou ne sont identifiées que
dans leur relation aux accessoires qu'elles utilisent, que ceux-
ci soient explicites ou implicites. Il n'y a qu'à penser à des
opérations telles que «peindre», «écrire», «manger», qui

([41]) La question du vraisemblable est liée ici à celle du cadre. On
dira en effet qu'une action représentée dans un cadre donné est vraisemblable si elle fait partie de l'ensemble des activités possibles pour un tel cadre.
L'ensemble des activités possibles est défini par les horizons d'attente des
protagonistes de la situation textuelle (soit le texte et le lecteur), concernant
les cadres choisis. Le cadre correspond donc à une connaissance des scènes
et des situations; il sert à rendre signifiant ces actions opérées par des agents.

requièrent les unes des pinceaux, une plume ou un crayon, et les autres des ustensiles, selon les cultures, sinon obligatoirement de la nourriture.

Une première définition de l'accessoire avait été proposée par Tomachevski: un accessoire est un objet placé dans le champ visuel d'un lecteur; il est un «motif» ([42]). Mais l'accessoire peut être soumis à l'attention du lecteur, soit directement à l'aide de l'expression appropriée, soit implicitement parce qu'il participe de la conceptualisation du verbe. Au Hard Times Saloon, Buffalo Bill lance un défi à Brazos Bill, le desperado qu'il est venu arrêté. Celui qui gagnera aux cartes pourra tirer le premier dans le duel qui s'ensuivra:

> Buffalo Bill alluma un cigare, battit et coupa, donna les cartes et le jeu commença.
> Buffalo Bill gagna la première partie. [...]
> Il venait de gagner la seconde manche, et il donnait pour la dernière partie («Sur la piste de la terreur du Texas», p. 3).

Si dans la première phrase, les cartes sont désignées, elles restent implicites dans la dernière. Les cartes sont dans les deux cas des accessoires requis, des motifs associés: elles sont indispensables au jeu, l'action ne pourrait être représentée sans elles. Dans la dernière phrase en fait, la présence des cartes n'est pas indiquée parce qu'elle a déjà été établie hors de tout doute. Leur permanence est assurée par le contexte et par l'utilisation de verbes dans la conceptualisation desquels elles figurent au premier plan. «Donner», c'est distribuer les cartes; «gagner une manche ou une partie», c'est remporter un certain nombre de levées.

Il y a deux types d'accessoires: les compatibles et les requis. Les accessoires compatibles sont ces accessoires qui sont utilisés dans la représentation, sans être pour autant essentiels à l'action. Le cigare est un tel accessoire dans la première phrase; sa relation au jeu est indirecte: il ne modifie en rien le jeu et son accomplissement. Que Buffalo Bill fume ou ne fume pas un cigare n'ajoute rien à la partie en cours. Le

---

([42]) B. TOMACHEVSKI, «Thématique», p. 282.

cigare est un accessoire requis pour l'action de fumer mais compatible ou facultatif pour le jeu de cartes. Sont compatibles aussi ces accessoires qui auraient pu être utilisés dans la représentation d'une action et qui font partie de l'horizon d'attente des lecteurs pour cette action. Il n'est pas question ici de ces jetons de couleur qui servent à fixer la mise, mais ceux-ci sont disponibles, de même que tous ces cendriers fumants, ces bouteilles d'alcool et ces verres, ces revolvers déposés sur la table, que l'on s'attend à retrouver lors d'une partie de carte dans un saloon du Far-West. Un lecteur qui incorpore ces éléments dans son effort de reconstruction de l'action ne triche pas; il n'invente rien. Il ne fait que puiser dans un répertoire mis à sa disposition par la conjonction de la situation narrative présentée et de son horizon d'attente pour une telle situation. De cette façon, si, dans la suite de cette représentation d'une partie de carte, un joueur se plaint qu'il ne reste plus d'alcool dans la bouteille ou encore si un joueur est viré pour ne plus avoir de jetons, le lecteur ne sera pas autrement ennuyé de l'apparition de ces accessoires. Par contre, si au paragraphe suivant le joueur viré se lève pour téléphoner à un taxi, on comprendra le lecteur d'être surpris. Il s'agit alors moins d'un genre qui n'aurait pas été respecté qu'un horizon d'attente qui est rendu caduc. Les accessoires sont donc bien des points de repère permettant de circonscrire les attentes d'un lecteur.

Les accessoires peuvent provenir d'une banque; ainsi les accessoires requis sont ces accessoires compatibles effectivement utilisés dans un récit et indispensables à la représentation de l'action. Dans l'aventure de Buffalo Bill, une véritable banque d'accessoires est proposée:

> Cuisine ou bureau, le lieu ressemblait plus à un arsenal qu'à tout autre chose, car il y avait le long des murs des carabines, des revolvers, deux fusils d'ordonnance avec la baïonnette au canon, des arcs et des flèches, plusieurs lances mexicaines, des sabres et des épées de différentes sortes, avec une hache, deux hachettes et quantité de couteaux («Sur la piste de la terreur du Texas», p. 2).

L'arsenal est complet. Résultat d'une accumulation passée et trace matérielle d'incidents déjà survenus, l'arsenal préfigure les scènes de violence où de telles armes seront à nouveau mises à contribution. Le lecteur ne tarde pas à être averti que ces armes proviennent justement de clients malchanceux ou trop téméraires qui ont laissé leur peau au Saloon. La banque d'accessoires compatibles est ici littéralement présentée; le lecteur est prévenu, les confrontations seront violentes.

Les accessoires relèvent ainsi d'une connaissance générale des cadres et de la façon dont les actions se déroulent. L'accessoire d'abord est étroitement lié au cadre. La banque d'accessoires disponibles change selon les époques et les lieux. On ne retrouve pas les mêmes accessoires dans un saloon frontalier que dans un salon de thé; ils sont spécifiques aux contextes. Les accessoires ont ensuite partie liée avec les actions et leurs déroulements. Ils peuvent, d'une part, faire partie des moyens mis en œuvre pour réaliser l'action, comme le couteau dans un meurtre, et ils peuvent, d'autre part, amener des modes d'accomplissement particuliers d'action. C'est l'accessoire-mode d'emploi. La représentation de l'utilisation d'un canon doit respecter les contraintes de l'arme qui, de ce fait, initient un déroulement d'actions particulier. Bien que leur action soit médiatisée par moments, les accessoires participent aussi pleinement à l'organisation conceptuelle du schème interactif.

La situation narrative est l'expression discursive et narrative du schème interactif (C-5)

La situation narrative est le mode de présence du schème interactif dans le discours narratif. Elle est une entité narrative qui met en jeu, pour un cadre donné, un agent et son action. Les déterminations spatio-temporelles, qui constituent le cadre, servent de base à son développement, mais l'action est son élément dynamique, le moteur qui la fait évoluer et qui fait passer d'une situation à une autre.

La situation narrative n'est pas une superstructure, elle est plutôt de l'ordre de la microstructure. Elle ne régit pas de façon générale la structure narrative d'un récit mais rend

113

compte de sa progression. Nous la présentons ici de façon générique mais elle n'équivaut nullement au récit. Un récit peut ne contenir qu'une seule situation narrative comme il peut en contenir plusieurs, réunies alors par un ensemble de connexions (des relations de consécution, de subordination, d'opposition, de complémentarité que nous décrirons dans le détail au chapitre 4). Les récits se donnent à lire à travers elles, puisqu'elles lui fournissent son matériau et son principe de cohérence générale. Dans cette perspective, lire un récit, *c'est passer d'une situation narrative à une autre.*

Il convient pour mieux comprendre la situation narrative de la comparer d'abord avec la situation dramatique qui est une entité du même type quoique issue d'un autre domaine (⁴³). Nous reviendrons ensuite aux théories du récit qui ont aussi utilisé la notion de situation, mais dans une perspective tout à fait différente où elle est intégrée à une superstructure narrative.

Le concept de situation dramatique a déjà été le prétexte d'un échange sur les limites et la capacité de l'imagination humaine. Deux attitudes se sont opposées, l'une affirmant l'existence d'au plus 36 situations dramatiques — et c'est le cas des Gozzi, Goethe, Schiller, et à leur suite Georges Polti dans son essai *Les trente-six situations dramatiques* (⁴⁴); l'autre proposant au contraire un chiffre un peu plus important — ce sont *Les deux cent mille situations dramatiques* d'Étienne Souriau (⁴⁵).

Bataille de méthodes, plutôt que bataille de chiffres, les travaux de Polti et de Souriau ont permis de donner une

---

(⁴³) La situation dramatique est définie en fonction du théatre et de la scène, domaine qui pose les problèmes d'une façon différente du récit. La représentation y trouve, par exemple, des conditions de satisfaction tout à fait étrangères et irréductibles au texte. Mais, hors du plan de manifestation, au plan donc de sa conceptualisation, elles trouvent une définition similaire, et c'est sur cette base qu'elles peuvent être comparées.

(⁴⁴) G. POLTI, *Les trente-six situations dramatiques*, Paris, Mercure de France, 1924.

(⁴⁵) Étienne SOURIAU, *Les deux cent mille situations dramatiques*, Paris, Flammarion, 1950. Le chiffre exact est de 210 141 (p. 11).

Registres — ↑↓ POPUlaire

[Merci beaucoup] pour
ce Régul(arid) chère
↳ Vous êtes royale(?)
↳ princesse. ↰

souper = repas du soir
^

festin. — roi
Régule   ↑

Donne + déve "

```
WWWWWWWWWW        2222222222222222222222222222
WWWWWWWWWW     Digital Equipment Corporation
WWWWWWWWWW        2222222222222222222222222222


                      SSSS    AAA
                      S      A   A
                      S      A   A
                       SSS   A   A
                          S  AAAAA
                          S  A   A
                      SSSS  A   A    _____

  SSSS    AAA              OOO   L           AAA
 S      A   A             O   O  L          A   A
 S      A   A             O   O  L          A   A
  SSS   A   A             O   O  L          A   A
     S  AAAAA             O   O  L          AAAAA
     S  A   A             O   O  L          A   A
  SSSS  A   A    _____     OOO   LLLLL      A   A

                          PPPP   RRRR
                          P   P  R   R
                          P   P  R   R
                          PPPP   RRRR
                          P      R R
                       .. P      R  R
                       .. P      R   F
```

définition de la situation dramatique. Conflit de méthodes: le travail de Polti se veut une compilation, une recherche empirique portant sur le théâtre mais aussi sur des genres littéraires voisins du dramatique: le roman, l'épopée, l'histoire [46], en tout douze cents exemples, dont le résultat est un répertoire de trente-six situations dramatiques; l'analyse de Souriau, quant à elle, est de nature *a priorique* et son but est la détermination des possibilités dramatiques, de fait beaucoup plus importantes [47]. Identité des résultats: pour l'un et l'autre, la situation dramatique est la rencontre conflictuelle d'au moins deux *forces*. Pour Polti, «Toute situation dramatique naît d'un conflit entre deux directions principales d'effort» [48]. Souriau est plus abstrait dans sa définition: la situation dramatique est une donnée essentiellement dynamique, «un système de forces en tension intérieure, en arc-boutement» [49]. La situation est une combinaison de fonctions dramaturgiques, qui sont ces forces en tension. La fonction dramaturgique est «le mode spécifique de travail en situation d'un personnage: son rôle propre en tant que force dans un système de force» [50]. *Travail en situation* (Souriau), *effort* (Polti); ce sont là, à l'instar de l'action dans la situation narrative, des principes dynamiques fondamentaux pour le développement de la situation dramatique.

Polti présente ses situations dramatiques à l'aide d'expressions qui équivalent aux points d'intérêt du texte. Ces titres sont quelquefois un verbe: «implorer», «obtenir», «tuer

---

[46] G. POLTI, *Les trente-six situations dramatiques*, p. 18.

[47] De Polti à Souriau, on retrouve illustré le même passage qui a mené des travaux de Propp à ceux de Bremond, Greimas, Lévi-Strauss et à la sémiotique littéraire, soit l'interprétation de données recueillies grâce à une méthode empirique dans un modèle analytique de description. Un des résultats de la comparaison de ces deux textes est la faiblesse, peut-être dramatique, de l'imagination humaine: d'une possibilité théorique de 210 141 situations dramatiques, il n'y en a qu'une trentaine utilisée périodiquement.

[48] G. POLTI, *Les trente-six situations dramatiques*, p. 200.

[49] É. SOURIAU, *Les deux cent mille situations dramatiques*, p. 42.

[50] *Ibid.*, p. 71.

un des siens inconnu»; quelquefois un nom ou une expression nominale: «haine des proches», «folie», «involontaire crime d'amour» (sur les trente-six titres de situations, vingt-deux sont des expressions nominales et quatorze des expressions verbales). Une description des agents impliqués suit le titre: la «rivalité des proches», par exemple, met en jeu le proche préféré, le proche rejeté et l'objet; «l'adultère meurtrier» met en jeu l'époux adultère, l'adultère complice et l'époux trahi; «l'erreur judiciaire» implique pour sa part celui qui se trompe, celui qui en est victime, celui ou ce qui trompe ainsi que le vrai coupable. Viennent ensuite le répertoire des pièces et textes où ces situations sont mises en scène, ainsi que les variantes de ces situations.

Souriau a critiqué cette liste de Polti, parce que certaines situations dramatiques proposées n'étaient, à son avis, nullement des situations, mais plutôt des sujets ou des ressorts dramatiques, «des actions, des aventures, plus exactement des genres d'événements» ([51]). Ce sont en fait des processus ([52]). De nombreuses situations de Polti ne mettent en jeu qu'une seule action, ce qui contrevient à la règle du système des forces de Souriau. Des situations telles que «implorer», «venger proche sur proche», «traqué», «la vengeance poursuivant le crime», ne sont dramatiques qu'à un second niveau, parce qu'elles ont un drame à leur origine ou parce que les conséquences de leur accomplissement sont dramatiques. Ce sont en fait des situations narratives, des situations basées sur une seule action dont le dénouement ou le prétexte peut être dramatique. Pour qu'il y ait une situation dramatique, il faut donc plus que des actions, il faut aussi une scène, un décor, un lieu, un cadre, ce que ne mentionne pas Polti, et surtout une confrontation, un système de forces en conflit.

La situation narrative est une entité un peu différente de la situation dramatique. Elle prend place dans un cadre mais ne met en jeu qu'une force à la fois; elle ne focalise que sur le projet ou l'action d'un seul agent. L'objectif de sa défini-

---

([51]) É. Souriau, *Les deux cent mille...*, p. 59.

([52]) C. Bremond, *La logique du récit.*

tion n'est pas de décrire le point culminant de la mise en intrigue, le rapport de force établi à la confrontation des principaux agents, comme cherchent à le faire Polti et Souriau, mais plutôt le développement même de l'intrigue, la progression des agents jusqu'à ce point culminant.

Donnons dès maintenant un exemple d'enchaînement de situations narratives, par lequel un récit progresse. Dans la première partie des *Mystères de Paris*, une situation narrative se développe, par exemple, au tapis-franc du Lapin Blanc, cabaret du quartier du Palais de Justice. Le Lapin Blanc, c'est l'endroit mal famé où vient de pénétrer Rodolphe, accompagné de la Goualeuse (Fleur-de-Marie) et du Chourineur. La rencontre de ces trois personnages a eu lieu lors d'une situation narrative initiale, quand Rodolphe est venu en aide à la Goualeuse, ennuyée par le Chourineur. Une première bataille a eu lieu, dont est sorti victorieux Rodolphe, suivie d'une réconciliation générale. Les trois sont maintenant au cabaret, où ils discutent assis à une table en dégustant les plats que Rodolphe a payés.

À ce moment de la lecture, le lecteur ne sait pas quelles sont les forces en jeu, quelles sont les intentions des différents personnages, surtout celles de ce Rodolphe dont on sent bien que le court récit de sa vie n'est qu'un trompe-l'œil destiné à mettre en confiance le Chourineur et la Goualeuse. Le lecteur ne sait pas quels sont les buts qui ont amené le héros dans ces parages et quel intérêt il a à se mêler avec ces gens. La situation narrative se caractérise par la présence d'un plan ou d'une action, qui la traverse et qui la relie aux autres situations du récit. L'existence d'un tel plan peut ne pas être dévoilée dès les premiers instants de la situation; un récit peut très bien, comme ici, retarder le dévoilement des intentions de l'agent principal et même son identification (le narrateur parle tout au long de son récit d'un inconnu qu'il finit par appeler Rodolphe), afin de déséquilibrer son lecteur. Mais ce n'est pas parce que les projets d'un agent ne sont pas connus qu'il n'y pas de situation narrative. Tout dans un texte sert, il n'y a donc pas de situation gratuite, de situation qui ne participerait pas d'une façon ou d'une autre à l'intrigue.

Une situation narrative se développe au Lapin Blanc: on mange autour d'une table, on boit, on parle. De cette discussion naît deux situations narratives subordonnées, qui viennent expliquer la présence de la Goualeuse et du Chourineur dans ces bas fonds de Paris. Tour à tour, ces deux-là vont faire le récit de leur vie, résumé succinct qui va consister en un enchaînement de sous-situations peu développées. Le lecteur apprend ainsi la vie de la Goualeuse. Elle est une orpheline recueillie par la Chouette, vieille borgnesse pour qui elle vendait du sucre d'orge sur le Pont-Neuf et qui, pour la punir d'avoir mangé une partie de son sucre, lui arracha une dent avec des tenailles. Apeurée, la Goualeuse réussit à se sauver mais se fit arrêter pour vagabondage. Elle resta en prison pendant huit ans, jusqu'à l'âge de seize ans. À sa sortie, elle utilisa l'argent gagné en prison pour aider des moins fortunés qu'elle et fit si bien qu'elle se retrouva vite sans un sou et contrainte de rester dans le quartier du Palais de Justice où Rodolphe la rencontra. Dans l'espace d'un court chapitre, le lecteur passe donc de la situation du cabaret à celle de la Goualeuse, marquée par la Chouette, la prison et le quartier du Palais de Justice.

Après la Goualeuse, c'est au tour du Chourineur de raconter sa vie. Lui aussi orphelin de père et mère, il a commencé à travailler très jeune dans un abattoir où il était aide-équarrisseur. Il se fit mettre à la porte de cet endroit parce que des accès de rage lui faisaient dépecer maladroitement les pièces qu'on lui donnait. Après avoir vagabondé sans grande fortune, il s'engagea dans un régiment. Là, dans un nouvel accès de rage, il tua un sergent et blessa quelques soldats et fut emprisonné pour quinze ans.

Après ces deux récits, la narration revient à la situation du Lapin Blanc. Là, le lecteur assiste aussitôt à l'ouverture d'une situation narrative contiguë à la première. Des policiers entrent en trombe dans le cabaret et mettent le grappin sur deux voleurs qui y attendaient le Maître d'école. Cette arrestation rapidement exécutée n'est qu'une diversion qui permet de déplacer la focalisation de la narration afin de la fixer sur le Maître d'école et sa compagne, la Chouette, à leur arrivée. Ils entrent peu de temps après et rapidement une bataille s'engage entre Rodolphe et le Maître d'école. La Goualeuse est l'objet de la dispute. Le Maître d'école désire utiliser ses services, ce à quoi s'oppose Rodolphe, quand soudainement la Chouette la reconnaît comme son ancienne protégée et la voleuse du sucre d'orge. Deux forces contraires s'opposent, l'une cherchant à protéger ce que l'autre veut exploiter, et c'est la confrontation. Pour Polti et Souriau, il s'agit là d'une situation dramatique. Une situation cependant vite désamorcée, une situation sans dénouement, sans combat car, à la dernière seconde, Rodolphe doit s'enfuir sans terminer le combat afin de se soustraire à Tom et Sarah Mac-Gregor qui le recherchent et qui viennent eux aussi d'arriver au Lapin Blanc.

La différence entre situation narrative et situation dramatique apparaît maintenant évidente. Le cabaret n'est le théâtre que d'une seule situation dramatique, celle désamorcée par l'irruption de deux nouveaux agents, tandis qu'il est le cadre d'un ensemble de situations narratives liées entre elles par des connexions diverses (consécution, contiguïté et subordination), et dont le développement et l'enchaînement marquent la progression du récit.

Le concept de situation narrative n'est pas étranger à la sémiotique littéraire et aux théories du récit. Mais sa définition dans ce contexte est bien différente de ce que nous proposons ici. La différence ne repose plus sur le nombre de forces en jeu mais sur l'opposition entre ce qui est dymanique et ce qui est statique ([53]).

([53]) Le terme a aussi été employé en études littéraires et en narratologie, pour définir la situation d'énonciation de la narration. F. K. STANZEL utilise le terme de situation narrative pour rendre compte de la personne, de la perspective et du mode de la narration (*A Theory of Narrative*, Cambridge, Cambridge University Press, 1979). Dans une autre perspective, Ross CHAMBERS la définit comme un contrat de lecture, mais un contrat dans sa relation au donné sociologique et pour parler du contexte de la lecture (*Story and Situation: Narrative Seduction and the Power of Fiction*, Minneapolis, University of Minnesota Press, 1984). Ici, malgré les différences, c'est bien dans une perspective plus proche de la tradition française que nous utilisons le terme.

Déjà dans *La morphologie du conte*, Propp avait placé l'orientation première du conte, l'identification du cadre et des protagonistes de la narration, sous le signe de la situation:

> Les contes commencent habituellement par l'exposition d'une *situation initiale*. On énumère les membres de la famille, ou le futur héros (par exemple un soldat) est simplement présenté par la mention de son nom ou la description de son état. Bien que cette situation ne soit pas une fonction, elle n'en représente pas moins un *élément morphologique important*. ([54])

Le concept de situation va rester marqué de ce sceau initialement apposé par Propp. Il trouve là en effet ses trois caractéristiques fondamentales: être un élément morphologique du récit, tout en n'étant pas une de ces fonctions qui en déterminent la forme, servir de limite, de cadre général au récit, et enfin être un élément d'une superstructure narrative; une définition, par conséquent, bien différente du concept développé ici, où la situation narrative est une microstructure qui parcourt le récit. Mais revenons aux théories du récit.

À la suite de Propp, les définitions sémiotiques du récit (qu'il soit élémentaire, simple, minimal ou idéal) ont utilisé le concept de situation pour désigner les limites de la narration. Un récit est ainsi défini comme le passage d'une situation initiale à une situation finale. D'un modèle à l'autre, le lexique peut se modifier — le terme de situation être remplacé par celui d'état ou d'équilibre — et le passage se spécifier en un procès, processus ou faire transformateur, mais toujours cette même fonction d'encadrement de l'action est respectée. Dans *Sémiotique* ([55]), par exemple, Greimas et Courtés définissent le récit simple comme le passage d'un état antérieur à un état ultérieur, opéré à l'aide d'un faire. Gerald Prince et Tzvetan Todorov ont proposé des définitions similaires du récit minimal ou élémentaire:

([54]) V. PROPP, *La morphologie du conte*, p. 36.

([55]) A. J. GREIMAS et J. COURTÉS, *Sémiotique*, p. 307.

> Un récit minimal est composé de trois événements liés. Les premier et troisième événements sont statifs, tandis que le second est actif. Le dernier événement est l'inverse du premier. Enfin, les trois événements sont liés par des composantes conjonctives de telle façon que a) le premier précède le second et le second précède le troisième; et b) le second cause le troisième (56).

Et:

> Le récit élémentaire comporte donc deux types d'épisodes: ceux qui décrivent un état d'équilibre ou de déséquilibre, et ceux qui décrivent le passage de l'un à l'autre. Les premiers s'opposent aux seconds comme le statique au dynamique, comme la stabilité à la modification, comme l'adjectif au verbe (57).

Jean-Michel Adam a donné une représentation schématique de cette transformation fondamentale au récit. Ce schéma qui intègre le vocabulaire greimassien est destiné à rendre compte du conte merveilleux, mais il s'applique à toute séquence narrative simple.

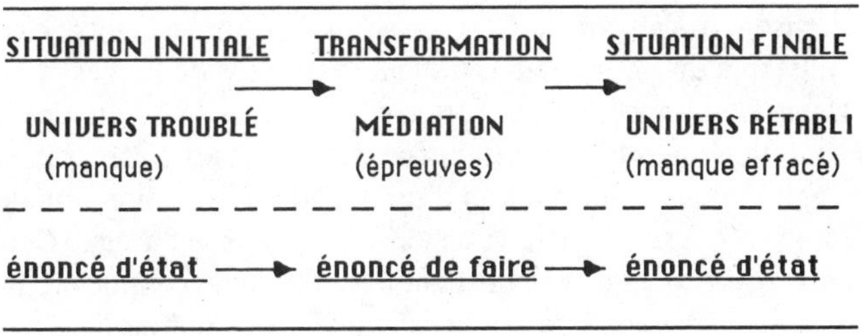

SITUATION INITIALE	TRANSFORMATION	SITUATION FINALE
→	→	
UNIVERS TROUBLÉ (manque)	MÉDIATION (épreuves)	UNIVERS RÉTABLI (manque effacé)

énoncé d'état ⟶ énoncé de faire ⟶ énoncé d'état

Figure 8. Schéma général d'un conte merveilleux

---

(56) Gerald PRINCE, *A Grammar of Stories*, La Haye, Mouton, 1973, p. 31.

(57) Tzvetan TODOROV, *Introduction à la littérature fantastique*, Paris, Seuil, 1970, p. 172.

Pour Adam, aussi, «les prédicats des situations initiale et finale diffèrent de ceux de la *transformation* (lieu des épreuves du héros qui assure la médiation) comme le *statique* (énoncé d'état) s'oppose au *dynamique* (énoncé de faire)» ([58]).

On s'accorde donc, dans les théories du récit, pour présenter la séquence narrative simple comme la jonction de deux types d'éléments, les uns statiques, qui délimitent cet espace que doit occuper le récit — espace tant narratif que schématique: le début et la fin du récit correspondent à la gauche et la droite du schéma qui en représente la structure — et les autres dynamiques, qui forment le centre ou le cœur du récit. Les termes «statique» et «dynamique» reviennent avec une régularité surprenante, au point de former l'opposition fondamentale permettant de penser le récit. Notions complémentaires, puisque le récit ne peut exister que par leur relation, elles jouent des rôles distincts, facilement isolés les uns des autres.

Si on ne peut échapper à cette dichotomie, il y a lieu de se demander si une distribution aussi franche de ces rôles n'est pas une réduction dangereuse. Qu'y a-t-il de bien statique dans un manque? Dans l'attente? *L'assommoir* de Zola s'ouvre sur «Gervaise avait attendu Lanthier jusqu'à deux heures du matin. Puis, toute frissonnante d'être restée en camisole à l'air vif de la fenêtre, elle s'était assoupie, jetée en travers du lit, fiévreuse, les joues trempées de larmes» ([59]). Dans la perspective de certaines théories du récit, de la sémiotique narrative et discursive de Greimas par exemple, il s'agit là de la manifestation d'un état, d'une situation initiale statique. C'est l'attente, la disjonction d'un sujet d'état (Gervaise) d'un objet de valeur (Lanthier). Pourtant, comment fait-on pour départager ce qui est statique de ce qui ne l'est pas dans cette situation? Décider que cela est un état, c'est dire que la seule action qui existe et qui compte dans cet univers narratif, la seule action qui peut être représentée, c'est l'arrivée de Lanthier. Mais alors qu'est-ce que «se jeter en travers

---

([58]) J.-M. ADAM, *Le texte narratif*, p. 54.

([59]) Émile ZOLA, *L'assommoir*, Paris, Gallimard, 1980, p. 3.

du lit»? Il semble bien que ce soit une action et même une action qui fasse partie de l'attente, au même titre que manger et payer la note font partie de l'action «aller au restaurant». L'attente a une certaine durée, elle se poursuit, seulement sous une autre forme, le cadre du lit a remplacé celui de la fenêtre. Si l'attente est définie comme un état, il faut alors expliquer comment des états peuvent être composés d'opérations. Une façon d'éviter le paradoxe consiste à définir l'attente comme une activité. Une activité est une opération qui ne permet pas de changer des états (qui serait alors le critère de définition de l'action), mais seulement de les préserver. Mais on a vu avec von Wright (chapitre I), que maintenir un événement ou encore laisser un événement se continuer sont des actions au même titre que la production d'un événement elle-même.

Dans les structures profondes ou les superstructures, il est possible de distinguer facilement les états des actions, de voir des situations initiale et finale d'un côté et des transformations de l'autre [60]. Mais une telle conceptualisation ne permet pas de décrire adéquatement la représentation discursive d'une action. Dans des récits, dans des représentations discursives, les actions ne sont pas séparées des situations, comme le dynamique se sépare du statique. Elles forment un ensemble et l'une ne se distingue de l'autre qu'en fonction des perspectives de description. L'action n'existe pas en dehors d'une situation narrative — elle en fait partie —, de la même façon qu'une situation ne peut être définie qu'en

---

[60] La distinction permet en effet de manipuler aisément les données du narratif. Un récit a un début et une fin, qui sont ces limites en deçà et au-delà desquelles le récit ne s'aventure pas. Afin de les manipuler, de s'en servir comme repères narratifs, on fige ces limites, les transformant en entités statiques, stables, aisées à définir et à isoler. Cette opération a pour effet de réduire les situations limites du récit à un seul aspect, celui statique des relations et tensions qu'elles présentent. L'aspect dynamique est ainsi éliminé du concept de situation, au profit de celui de transformation ou d'action qui se retrouve, par compensation, entité uniquement dynamique. Avec ce résultat que l'on connaît: d'un côté des situations, qui fournissent uniquement les éléments de base du récit, et de l'autre des actions qui transforment le tout mais qui ne sont plus intégrées à aucune situation.

fonction des actions auxquelles elle donne lieu. L'attente de Gervaise est donc à la fois une situation narrative et une action. Elle est une situation dotée d'un cadre, c'est la chambre à deux heures du matin, d'un agent, Gervaise, et d'une action, celle que l'on résume par le terme d'attente.

Contrairement aux théories traditionnelles du récit, la situation est ici irréductible à la notion d'état et elle se précise plutôt comme une entité narrative dont la composante essentielle est l'action. Il n'y a plus de statique ou de dynamique: la situation recouvre l'action et elles sont dans une relation de subordination plutôt que de complémentarité.

L'action est l'élément dynamique de la situation narrative; son intégration à la situation a pour effet de libérer cette dernière de son rôle étroit de limite ou de borne du récit. Pour nous, le récit n'est plus conçu comme un couple de situations opposées réunies par un faire, mais comme un ensemble de situations se succédant au rythme des actions accomplies. Il y a entre les situations initiales, ou inaugurantes, et finales, des situations intermédiaires qui se succèdent et qui font évoluer le récit. Il ne faut pas voir là un refus du renversement des contenus opéré par le récit, mais bien, par la voie de son ancrage, une recontextualisation conceptuelle de l'action aux situations qu'elle aide à développer et qu'elle fait progresser.

C'est donc un concept de situation narrative quelque peu différent de celui en usage dans les théories du récit. Un concept, en fait, plus proche des positions de Tomachevski que de celles héritées de Propp. À l'instar de Tomachevski, nous allons considérer «le développement de la fable comme le passage d'une situation à une autre, chaque situation étant caractérisée par le conflit des intérêts, par la lutte entre les personnages» ([61]). C'est au pied de la lettre que nous prenons ces propos: le récit est un enchaînement de situations narratives, qui ne se limitent pas aux deux états limitrophes de la définition sémiotique; et lire, c'est passer d'une situation à une autre.

([61]) B. TOMACHEVSKI, «Thématique», p. 273.

L'opposition entre aspect dynamique et aspect statique n'est pas totalement oubliée dans cette nouvelle conceptualisation. Elle permet de distinguer deux grandes façons de décrire la situation narrative. C'est-à-dire qu'au lieu de servir à séparer ce qui est «transformation» de ce qui est «situation», l'opposition est réintégrée ici comme double perspective d'analyse. Selon la première perspective, la situation est une entité dynamique qui se développe et se transforme et dont l'analyse doit servir à montrer les mécanismes de cette évolution. Selon la seconde, qui correspond à une définition statique, la situation est cette fois définie comme un ensemble d'éléments, qui peuvent être répertoriés et dont les relations doivent être décrites. Nous reviendrons plus en détail sur ces deux perspectives de description de la situation narrative dans les deux prochains chapitres.

Avec la situation narrative, nous ne sommes déjà plus tout à fait dans l'analyse des modalités du contrat de lecture. Sa définition comme expression discursive du schème interactif la place dans les modalités mais l'étude de son développement et des types d'enchaînement qui peuvent la lier aux autres situations narratives participe de la portée du contrat de lecture. Si le schème interactif est la conceptualisation de la pré-compréhension par le lecteur du monde de l'action, la situation narrative, qui en est la projection discursive, est la mise en pratique de cette compréhension. Elle est le lien qui permet de passer d'un niveau à l'autre du contrat de lecture.

Pour résumer, le schème interactif est une structure qui organise les principales catégories du réseau conceptuel de l'action. Ce réseau conceptuel est l'objet d'une pré-compréhension pratique de l'action, qui est le gage de la capacité du lecteur à s'engager dans une situation textuelle basée sur un récit. La description des cinq contraintes de représentation a permis d'expliciter les rapports étroits établis entre le schème interactif et la représentation discursive de l'action. Ces contraintes ont pris la forme de principes régissant la représentation de l'action mais elles correspondent aussi, par la force des choses, aux conditions minimales de sa compréhension.

Après avoir défini ses bases, il faut maintenant, dans l'analyse de la portée du contrat de lecture, expliquer comment cette compréhension est mise en pratique dans la situation textuelle.

II

LA PORTÉE DU CONTRAT
DE LECTURE

Chapitre III

Le développement
de la situation narrative

Le contrat de lecture a une portée qui est composée de l'ensemble effectif des conventions régissant la situation textuelle et permettant à un lecteur de participer à son déroulement. Dans les situations textuelles basées sur des récits, ce déroulement prend la forme d'un enchaînement de situations narratives. Lire un récit consiste à passer d'une situation narrative à une autre. Or, ce passage ne peut s'effectuer que si certaines données établissent un pont, un lien entre ces situations dont l'enchaînement assure la progression du récit. Ces données sont les conventions de la portée du contrat de lecture.

Ce concept de convention seul permet de décrire l'activité de lecture dans son déroulement même. Les superstructures narratives proposées dans les théories du récit et en psychologie cognitive se sont avérées, malgré leur utilité, peu efficaces pour expliquer le parcours de la lecture ([1]). Les

---

([1]) En psychologie cognitive, on rencontre des superstructures narratives sous la forme de «schémas narratifs». Le terme a été proposé par E. J. BARTLETT (*Remembering*, Cambridge, Cambridge University Press, 1932) et

superstructures ne fonctionnent vraiment que sur des textes courts où le lecteur peut facilement prévoir les événements et où il peut, grâce à son «intelligence narrative» ([2]), reconnaître le tout du récit et la position d'une action quelconque dans cette structure. En psychologie cognitive, les différents essais pour établir des schémas narratifs et des grammaires de récit capables de prédire la compréhension et le rappel de récits ne sont jamais basés que sur des textes d'au plus une page ou deux; et encore la validité de leurs résultats a déjà été contestée, entre autres par Black et Bower ([3]). Van Dijk a bien proposé un ensemble de trois règles permettant de résumer des récits — des règles de suppression ou de sélection, de généralisation et de construction, qui servent à formuler les macropropositions qui entreront dans la composition de la superstructure ([4]) —, mais elles ne permettent de résumer un récit qu'une fois celui-ci terminé. La question du déroulement du récit et de sa lecture, qui est celle posée ici, est par la force des choses laissée en suspens. Pour des questions méthodologiques, on préfère à la lecture elle-même le rappel d'une

---

il est censé avoir une validité psychologique. Plusieurs modèles récents de schémas narratifs sont en usage en psychologie cognitive: parmi les principaux il y a ceux de J. M. MANDLER et N. S. JOHNSON («Rememberance of things parsed: story structure and recall», in *Cognitive Psychology*, n° 9 (1977), pp. 111-151), de N. L. STEIN et C. G. GLENN («An analysis of story comprehension in elementary school children», in Roy O. FREEDLE (éd.), *New Directions in Discourse Processing*, 1979, pp. 53-120), et de W. H. WARREN, D. W. NICHOLAS et T. TRABASSO («Event chains and inferences in understanding narratives», in Roy O. FREEDLE (éd.), *New Directions in Discourse Processing*, 1979). On retrouve un excellent résumé des théories du récit en psychologie cognitive dans *Le récit et sa construction, une approche de la psychologie cognitive*, de Michel FAYOL (Paris, Delachaux & Niestlé, 1985).

([2]) P. RICŒUR, *Temps et récit*, tome I.

([3]) John B. BLACK et Gordon H. BOWER «La compréhension des récits considée comme une activité de résolution de problèmes», in *Il était une fois... Compréhension et souvenir de récits*, textes traduits et présentés par Guy Denhière, Lille, Presses Universitaires de Lille, 1984, pp. 275-311.

([4]) Teun VAN DIJK, «Le texte: structures et fonctions. Introduction élémentaire à la science du texte», in A. KIBEDI VARGA (éd.), *Théorie de la littérature*, Paris, Picard, 1981, p. 75.

lecture déjà complétée, qui ne pose plus le problème de son événementialité.

L'hypothèse soutenue ici est que l'activité de lecture peut être décrite, comme activité dotée, en outre, d'une durée, à l'aide du concept de contrat de lecture. Les conventions d'un contrat portent, pour un récit, sur les éléments qui composent une situation narrative. Elles portent donc sur le temps et le lieu, qui définissent le cadre, et de façon plus importante sur l'intention, l'identification des agents et de leurs actions. Ce sont ces composantes, issues du plan majeur du schème interactif, qui servent avant tout de repères à la lecture d'un récit. Leur permanence dans et à travers les différentes situations du récit permet à un lecteur de suivre sans problème le fil de l'histoire ([5]).

Ce qui va nous intéresser surtout dans l'étude de la portée du contrat de lecture, c'est moins la description même des conventions d'un contrat que la définition des modes de développement et d'enchaînement des situations narratives sur lesquelles ces conventions reposent. C'est-à-dire que la portée d'un contrat de lecture, si elle se présente comme un

---

([5]) Les conventions sont ces données qui servent de repères à la lecture; la présence de conventions pour régir le déroulement de la lecture n'apparaît donc nécessaire que s'il s'agit de grandes surfaces textuelles et de la manipulation d'une grande quantité de données. À l'opposé de la superstructure, le concept de convention devient heuristique quand il s'agit d'analyser des textes de grandes dimensions, les *Michel Strogoff, les Mystères de Paris* ou *Le dernier des Mohicans* de notre corpus. Il ne faut pas voir dans les conventions une structure qui viendrait se superposer au schème interactif, quelque chose de plus, comme on ajoute de nouvelles feuilles à une pile. Il s'agit plutôt d'une perspective de description différente, qui cherche à intégrer la représentation de l'action dans une définition de la lecture comme interaction. Les conventions principales d'un récit sont celles qui identifient intention et cadre. À celles-ci viennent se greffer les autres données, motif et mobile, statut et rôle, qui peuvent à leur tour servir de repères permettant la progression. Le schème interactif est donc défini comme principe de la hiérarchisation de ces données. Leur importance suit la hiérarchie des composantes du schème: celles qui portent sur le plan majeur sont plus importantes que celles qui portent sur le plan mineur des accessoires, de même que celles qui portent dans le plan majeur sur l'intention sont plus importantes que celles qui portent sur le cadre.

ensemble de conventions, elle est aussi la mise en pratique de la compréhension de l'action. L'action est l'élément dynamique de la situation narrative, elle est à la base de son développement et constitue son mode principal d'enchaînement. Lire un récit et passer à travers ses situations narratives consiste donc à mettre en pratique sa compréhension de l'action et de son réseau conceptuel.

Dans ce chapitre, nous allons rendre compte du développement de la situation narrative. Cela va prendre la forme d'une analyse de deux grandes catégories de déroulement d'actions, les *scripts* et les *plan-actes*, notions issues des recherches en intelligence artificielle. Dans le chapitre suivant, nous allons décrire les types d'enchaînement de situations narratives, enchaînements qui ponctuent la progression du récit. Enfin, dans le chapitre 5, nous allons approfondir la relation entre les deux déroulements d'actions isolés, les scripts et les plan-actes d'un côté, et la situation narrative de l'autre. Cela devrait permettre de définir avec plus de précision les paramètres de la compréhension de l'action en jeu dans la lecture d'un récit.

La théorie de la dépendance conceptuelle

L'action est l'élément dynamique de la situation narrative. Cette action, on la définit comme *l'ensemble des moyens mis en œuvre pour l'obtention d'un but*. Cette définition est importante car elle permet de saisir les mécanismes de développement de la situation narrative. Ainsi, ces deux aspects, buts et moyens, jouent des rôles complémentaires dans la situation narrative. Les buts servent avant tout à relier les actions entre elles et à donner à la situation narrative une signification, tandis que les moyens lui permettent d'occuper un certain espace dans la représentation discursive. Dans *Le tour du monde en 80 jours*, par exemple, Phileas Fogg et compagnie traversent l'Amérique en train de San Francisco à New York; le but de ce voyage est de gagner le pari relevé par Fogg au Reform-Club de Londres, et c'est cela qui permet de comprendre la position de cette traversée dans la narration, mais ce que la narration développe et ce qui lui permet d'occuper un certain espace dans le récit, c'est la description de l'utilisation de ce *moyen* de transport. L'effet accordéon, selon lequel une action peut être réduite à un minimum ou étirée à son amplitude maximale ([6]), agit donc principalement sur la représentation des moyens. Pour marquer cette différence de fonction et de mode de présence dans le récit, on va dire que les buts sont *désignés*, et à cet effet ils peuvent être discutés et évalués, tandis que les moyens, eux, sont *représentés*.

Lire un récit, c'est être en mesure d'articuler ces deux aspects de l'action: pouvoir identifier et comprendre les moyens représentés et les relier aux buts poursuivis et désignés. En fait l'articulation de ces deux aspects de l'action est fondamentale pour la compréhension des déroulements d'actions représentés dans un récit. La question du développement de la situation narrative est liée au problème de la représentation de l'action; la recherche d'une conceptualisation capable d'expliquer l'articulation des deux aspects de l'action doit donc aussi pouvoir décrire comment opère cette représentation. Dans une situation textuelle, le lecteur ne comprend l'action que par l'intermédiaire de sa représentation; ce ne sont jamais que des mots qui sont lus et utilisés par le lecteur pour inférer des situations narratives qui lui permettent de suivre le récit. La conceptualisation de cette compréhension doit non seulement organiser les multiples composantes de l'action qui lient en un tout les éléments de la situation narrative, mais expliquer cette opération, cette conversion première qui permet de reconstruire à partir du discours le réseau conceptuel de l'action.

Pour décrire l'articulation des deux aspects de l'action, les buts et les moyens, nous allons utiliser un modèle élaboré dans le cadre des recherches en science cognitive et en intelligence artificielle. Développé par Roger Schank et Robert Abelson ([7]), ce modèle porte sur les scripts et les plans et produit une théorie capable, en principe, d'expliquer les struc-

---

([6]) J. FEINBERG, «Action and Responsability».

([7]) Roger SCHANK et Robert ABELSON, *Scripts, Plans, Goals and Understanding. An Inquiry into Human Knowledge Structures.*

tures de la connaissance humaine. De tels travaux en intelligence artificielle sont utiles car ils cherchent à répondre à la question qui nous occupe depuis le début. Comment parvient-on à lire un récit? Dans ces recherches, il ne s'agit pas de savoir comment un récit est structuré, résumé ou mémorisé, ce qui implique une lecture déjà terminée et un lecteur qui n'est plus lisant mais récapitulant, interprétant son activité mais bien, comment la lecture, en tant qu'événement, activité, se produit. Les recherches en intelligence artificielle ont une portée pratique que ne connaît pas l'analyse sémiotique; elles visent en effet à décrire la lecture afin d'en reproduire les mécanismes et de développer des logiciels capables de lire des textes. Mais leur perspective est à ce point parallèle à la nôtre que l'on peut aisément intégrer certains de leurs acquis. Les travaux de Schank et Abelson nous intéressent plus particulièrement parce que, pionniers dans leur propre domaine, ils proposent une analyse des récits basée sur l'action qui ne se limite pas à poser et à jouer sur les buts mais qui incorpore la dimension des moyens mis en œuvre dans l'accomplissement de ces actions.

Dans *Scripts, Plans, Goals and Understanding*, Schank et Abelson ont cherché à élaborer une théorie de la représentation de la signification, afin de pouvoir faire comprendre des récits à des ordinateurs. Leur objectif était cependant de construire un modèle valide tant pour l'intelligence artificielle que pour la psychologie cognitive. La théorie de Schank et Abelson se scinde en deux composantes principales: une théorie de la dépendance conceptuelle (*conceptual dependency theory*), qui est un instrument servant à représenter la signification des phrases, et un modèle des structures de connaissance (*knowledge structures*), qui développe un mode d'organisation des éléments de signification conceptualisés. Soulignons ici que le modèle des structures de connaissance est plus utile à notre travail puisqu'il fournit des hypothèses sur la façon dont les actions peuvent se regrouper pour former un tout cohérent. Mais il convient d'abord de décrire les grandes lignes de la théorie de la dépendance conceptuelle qui donne lieu à la notion d'acte primitif, pour en saisir d'abord le rôle puis en cerner les limitations. Le concept d'acte primitif est en effet intéressant car sa fonction, pour Schank et Abelson, est d'assurer un ancrage *pragmatique* à la compréhension de l'action, de définir par conséquent ces unités par lesquelles on peut décrire la pré-compréhension pratique de l'action. Il est limité en ce qu'il ne permet pas de décrire la représentation discursive de l'action. Ce détour va nous éloigner quelque peu de la situation narrative et des romans d'aventures, mais il est nécessaire pour mieux comprendre l'articulation des deux aspects de l'action qui sont à la base de ses mécanismes de développement.

La théorie de la dépendance conceptuelle est le point central des travaux de Schank et Abelson sur les structures du savoir humain. Son axiome de base stipule que, pour tout ensemble de phrases ayant une même signification (*meaning*), et indépendamment des langues utilisées, il ne doit y avoir qu'une et une seule représentation de cette signification. Le corollaire de cet axiome est que toute information implicite d'une phrase doit être manifestée dans la représentation de la signification de cette phrase.

Les représentations de signification de phrase sont exprimées par des propositions qui portent le nom de conceptualisations (*conceptualizations*). Comme pour les motifs statiques et dynamiques des formalistes russes, des conceptualisations statiques et actives sont définies. Une conceptualisation statique ([8]) a la forme:

Cs: Objet (être dans) État (plus valeur);

Cinq états principaux sont isolés; ce sont: SANTÉ (*health*), ATTENTE (*anticipation*), ÉTAT MENTAL (*mental*

([8]) Pour établir un lien avec la sémiotique narrative et discursive de Greimas, la conceptualisation statique équivaut à la signification d'un énoncé d'état, tandis que la conceptualisation active équivaut à la signification d'un énoncé de faire. La conceptualisation active est aussi très proche de la définition de la proposition narrative proposée par Jean-Michel ADAM (*Le texte narratif*, pp. 36 et suivantes). L'énoncé narratif de base combine en effet fonctions et acteurs, qui remplissent des rôles narratifs (agent, patient ou objet).

state), ÉTAT PHYSIQUE (*physical state*) ainsi que DEGRÉ DE CONSCIENCE (*awareness*). Chaque état est une catégorie modalisée par une valeur numérique établie en fonction d'une échelle allant de -10 à +10 et à laquelle correspondent des sous-états. Par exemple, DEGRÉ DE CONSCIENCE contient les états suivants, du négatif au positif: mort, inconscient, endormi, état de veille, à l'affût; ÉTAT MENTAL contient: brisé, déprimé, stable, content, heureux, ravi. Si, pour n'en donner qu'un exemple, on établit le mécontentement comme un ÉTAT MENTAL de niveau -3, une phrase telle que: «Ce soir-là, Brazos Bill était fort maussade», recevrait la représentation suivante: (⁹)

Cs1: Brazos Bill ÉTAT MENTAL (- 3)

Une conceptualisation active a pour sa part la forme:

Ca: Acteur ACTION Objet Direction (instrument).

C'est à partir de ces deux conceptualisations que les auteurs développent leur théorie de la dépendance conceptuelle. Il n'est pas inutile de préciser que l'on retrouve exprimé, dans la conceptualisation active (Ca), certains éléments du schème interactif: l'acteur correspond à l'agent, l'action à l'opération, et l'instrument aux accessoires. L'opération est détaillée en une action sur un objet dans une direction. «Manger» dans une telle conception est «pousser un aliment à l'intérieur du corps». On retrouve spécifié aussi deux types d'accessoires, l'instrument et l'objet. L'objet fait partie du champ restreint de l'opération, il est l'objet sur lequel porte l'action. Il peut y avoir réflexivité, dans le cas de la marche, par exemple, où l'objet transféré d'un premier à un second lieu n'est autre que l'agent lui-même; et il peut y avoir transitivité, comme avec «manger», où l'objet est la nourriture (les ustensiles et la vaisselle seraient, dans ce cas, les instruments).

(⁹) Cela est purement à titre indicatif. Schank et Abelson ne donnent aucun exemple sérieux d'application de cette échelle de valeur. Ils se contentent d'en établir le principe (cf. *Scripts, Plans...*, p. 15).

Toute phrase d'un texte est susceptible d'être traduite en l'une ou l'autre de ces conceptualisations qui en représentent la signification. Un récit, dans une telle perspective, est compris comme un ensemble complexe de conceptualisations passives et actives reliées entre elles par des relations. Ces relations sont au nombre de cinq et elles forment les éléments d'une syntaxe causale. Cette syntaxe est basée sur des règles reproduisant des relations effectives dans le «monde physique»; ce sont des règles par conséquent qui opèrent sur du sémantique, des conceptualisations, mais qui sont de nature pragmatique. Schank et Abelson les désignent comme suit:

SC1: une action a comme résultat un changement d'état (**r**)
SC2: un état permet une action (**E**)
SC3: un état empêche une action (**dE**)
SC4: un état ou une action amènent un état mental (**I**)
SC5: un état mental est la raison d'une action (**R**)

Ces relations sont à la base des chaînes causales qui relient les conceptualisations passives et actives de Schank et Abelson ([10]). Si ces relations et la syntaxe qu'elles permettent de développer nous intéressent, c'est parce qu'elles se contruisent en fonction du concept d'*acte primitif*, présent dans la conceptualisation active (CA) comme l'ACTION au centre de la proposition.

([10]) Ce qui distingue cette syntaxe de celles proposées dans le cadre des théories du récit ou encore de la sémiotique narrative et discursive, ce sont, d'une part, que les états ne sont pas des entités totalement passives, puisqu'ils peuvent empêcher ou permettre une action de se produire, de même qu'ils peuvent amener un état mental, et, d'autre part, le fait que des états mentaux sont intégrés à une syntaxe narrative. Les recherches en intelligence artificielle et en sciences cognitives tirent surtout leur données de la psychologie cognitive, pour qui les concepts d'états mentaux, d'intentionnalité et d'individu sont non seulement d'actualité mais essentielles pour les élaborations théoriques. Prendre des décisions, savoir, comprendre sont des opérations dont l'explication requiert l'utilisation du concept d'états mentaux.

L'acte primitif

Bien que de très grands progrès aient été fait en robotique, il n'y a pas, à ma connaissance, de machine dotée d'yeux, de bras, de mains et ainsi de suite, qui ait été reliée à un logiciel dont la fonction principale était la compréhension générale de textes en prose. Jusqu'à présent, aucun programme de compréhension de textes n'a été capable de saisir des références à des expériences sensorielles et motrices, sinon que par le biais de résumés sémantiques formels. Ainsi, un programme, qui a été informé qu'un personnage venait de subir un violent coup à la tête, peut inférer que ce personnage est blessé et qu'il peut tomber et perdre connaissance, et même qu'il est possible qu'une personne aux intentions malhonnêtes ait été responsable de cette attaque. Mais l'ordinateur n'a pas la possibilité d'imaginer un coup à sa propre tête de façon à expérimenter la sensation d'une telle action ([11]).

L'acte primitif est la composante sémantique de base de l'action ([12]). Toute représentation d'action met en jeu un acte primitif, de la même façon que toute action effective par un agent appelle, dans le «monde physique», un geste initial. L'acte primitif est cet élément stable, permanent, de la conceptualisation d'un verbe d'action; ce qui est mis en jeu minimalement à chaque utilisation de ce verbe. Onze actes primitifs sont isolés et désignés ([13]) (cf. tableau 1 pour la liste). Ces actes se présentent comme des catégories générales permettant de distinguer les divers types d'actions. La différence en

---

([11]) Robert P. ABELSON, «Artificial intelligence and literary appreciation: how big is the gap?», in László HALÁSZ (éd.), *Literary Discourse. Aspects of Cognitive and Social Psychological Approaches*, Berlin, Walter de Gruyter, 1987, pp. 42-43.

([12]) R. SCHANK et P. ABELSON, *Scripts, Plans...*, pp. 12 et ss.

([13]) R. SCHANK affirmait ainsi, en 1975, dans «The Structure of episodes in memory»: «[...] la théorie des actes primitifs permet d'affirmer qu'en fonction d'une représentation bien construite de la signification, il est possible d'utiliser aussi peu que onze actes, qui peuvent être combinés avec un nombre plus important d'états pour représenter les verbes et les noms complexes d'une langue» (in D. BOBROW et A. COLLINS (éds.), *Representation and Understanding*, New York, Academic Press, 1975, p. 238).

tre les deux phrases «Buffalo Bill prend un verre au bar» et «Buffalo Bill prend le verre sur le bar» repose sur deux conceptualisations actives différentes:

Ca1: Buffalo Bill AVALER alcool (verre)
Ca2: Buffalo Bill SAISIR verre

La première conceptualisation active représente l'absorption d'un liquide par un agent, tandis que la seconde, la saisie d'un objet par un agent. De la même façon, la phrase «Ce soir-là, en entrant au Hard Times, Brazos Bill était fort maussade.» doit être comprise comme la conjonction de deux conceptualisations: une statique décrivant l'état d'esprit du personnage et une active indiquant son entrée dans le Hard Times Saloon:

Ca3: Brazos Bill TRANSP Brazos Bill Hard Times Saloon
+
Cs1: Brazos Bill ÉTAT MENTAL (- 3)

Les actes primitifs se posent, en quelque sorte, comme des contraintes d'utilisation. Dire qu'on a donné un objet sans pour autant savoir que cela signifie qu'il y a eu transfert de possession de l'objet, implique ne pas connaître la signification du verbe «donner». Le récit d'une action est réussi s'il se conforme aux restrictions des actes primitifs mis en jeu; et un lecteur qui saisit correctement l'action représentée est un lecteur qui identifie le ou les actes primitifs en jeu pour cette action. Les actes primitifs font partie de cette compétence minimale qu'on doit attribuer à un lecteur humain ou informatisé pour la compréhension d'un texte d'une part et la capacité d'identifier des actions et leurs conséquences d'autre part. Comme le mentionnent Schank et Abelson: «Les ACTES primitifs expriment les concepts liées aux actions présentes habituellement dans les discours des gens et ils servent à organiser les inférences qui peuvent être effectuées au sujet des résultats de ces actions» ([14]).

([14]) R. SCHANK et R. P. ABELSON, *Scripts, Plans...*, p. 86.

TABLEAU I

Les actes primitifs (d'après Schank et Abelson)

TRANSA: transfert de possession, de contrôle, d'une relation abstraite; peut être représenté discursivement à l'aide de verbes tels que «donner», «prendre», «acheter».

TRANSP: transfert de location physique d'un objet; «aller», «déplacer».

TRANSM: le transfert d'une information mentale entre des animaux ou par un animal seul; «dire», «apprendre».

CONSM: la construction par un animal d'une nouvelle information à partir d'une veille information; «conclure», «imaginer».

FORPH: application d'une force physique à un objet; «pousser», «tirer».

MOUV: le mouvement par un animal d'une partie de son corps; «lever le bras», «se gratter».

SAISIR: la prise de possession d'un objet par un acteur; «tenir», «lâcher», «lancer».

AVALER: l'absorption d'un objet par un animal; «manger», «boire», «fumer».

EXPUL: l'expulsion d'un objet du corps d'un animal; «cracher», «pleurer».

DIRE: l'action de produire des sons; «dire», «crier», «jouer de la musique».

PERC: la perception d'un stimulus par un organe sensoriel; «voir», «écouter».

La thèse des deux auteurs est que ces actes primitifs ne sont pas des noms de catégories de verbes, mais bien des éléments de l'action. L'action est cette entité complexe qui s'organise à partir d'éléments qui sont les actes primitifs. Il ne faut pas voir dans TRANSA ou CONSM, par exemple, des sous-catégories de la transitivité ou de l'intransitivité. Si, pour les auteurs, on trouve ces actes primitifs manifestés dans des verbes, on les retrouve aussi dans des noms de chose ou de lieu. «Alcool» ou «bar» appellent aussi bien l'acte primitif AVALER que le verbe «boire»; ils ne le font pas de la même manière ou au même titre, mais la présence de cet acte primitif n'en est pas moins assurée.

Le concept d'acte primitif est intéressant parce qu'il joue le même rôle que le schème interactif. Tous deux servent à rendre compte de la pré-compréhension de l'action et de son domaine. Les actes primitifs sont en effet des unités charnières entre la sémantique et le donné empirique et ils correspondent à une connaissance du monde qui définit l'ensemble des effets ou des résultats possibles d'une opération. Pour distinguer le rôle du schème interactif de celui des actes primitifs, on dira que ceux-ci agissent à titre de conditions de satisfaction pratiques du schème interactif. Ils ne jouent pas un rôle actif dans la composition du schème mais en servent de garantie de validité. Toute opération doit engager, dans son rapport au monde, au moins un acte primitif; et un lecteur qui ne sait quel acte primitif est en jeu a une compréhension défaillante de l'action correspondante représentée. Un lecteur qui ne comprend pas que, lorsque «Buffalo Bill avale un verre de bière», cela a pour conséquence qu'il AVALE un liquide, ou que prendre une balle et la lancer, c'est SAISIR puis FORPH cette balle, ne remplit pas les conditions de satisfaction pratiques associées à la représentation de ces actions.

Indiquer les actes primitifs ne revient donc qu'à désigner les conséquences pratiques d'une action représentée et à rendre explicite ce qui est habituellement évident pour un lecteur compétent. Sa définition et son utilisation en intelligence artificielle se comprennent du fait que, pour un ordinateur, rien n'est jamais évident. Il faut programmer ou «dire» à un ordinateur que manger ou boire sont des cas où AVALER s'applique. Pour un lecteur «humain», par contre, dont la pré-compréhension de l'action est assurée, il faut considérer la connaissance de ces actes primitifs comme un acquis. Trois raisons nous poussent ainsi à délaisser ce concept d'acte primitif. D'abord, parce que l'acte primitif est acquis par définition pour un lecteur non informatisé. Ensuite, notre intérêt ne porte pas sur le rapport entre la compréhension de l'action et le monde, que permet de décrire l'acte primitif, mais sur celui établi entre cette compréhension et l'activité de lecture. Enfin, le concept d'acte primitif, en représentant justement les conditions de satisfaction pratiques d'une représentation réussie, n'est pas à un niveau de complexité suffisant pour expliquer la représentation discursive de l'action. On va en fait remplacer, dans l'hypothèse, le concept d'acte primitif par ceux d'*action* générique et de *plan-acte.*

L'action générique

Malgré cette connaissance pratique du monde qu'elle incorpore dans sa sémantique de l'action, la conceptualisation des actes primitifs ne permet pas de penser la représentation discursive de l'action. D'abord, parce que la théorie de la dépendance conceptuelle ne donne aucun indice sur la façon dont un lecteur réussit à les inférer; et ensuite, parce que la définition même du concept de l'acte primitif l'en empêche.

Premièrement, la théorie de la dépendance conceptuelle, cadre des actes primitifs, n'est pas une théorie du langage ou de la façon dont les concepts sont représentés dans une langue. La théorie permet d'organiser des unités sémantiques mais elle ne montre pas comment elles sont choisies. Il manque à la théorie des mécanismes de traduction ou de conversion. L'absence de tels mécanismes — ou même de la nécessité de tels mécanismes — vient du type d'exemples utilisé par Schank et Abelson. Il s'agit toujours d'un ensemble restreint de phrases, deux ou trois par exemple, et où l'action est toujours directement désignée. Ce sont des phrases où l'on retrouve des *actions génériques.*

Une action générique est une action dont la représentation du mode d'accomplissement est réduite à l'exposé du but recherché. Des phrases, telles que «Phileas Fogg prend le train qui va de San Francisco à New York» ou «Buffalo Bill commande un verre au bar», présentent des actions génériques, c'est-à-dire des représentations génériques d'actions. Le mode d'accomplissement de ces actions demande un ensemble complexe de sous-actions ou d'*opérations*. Commander un verre au bar implique, par exemple, s'approcher du bar, s'asseoir, attirer l'attention du barman, commander, attendre, payer; tandis que prendre le train nécessite, lui, se rendre à la gare, acheter un billet, attendre sur l'embarcadère, monter dans le train, s'asseoir et ainsi de suite jusqu'à l'arrivée. Mais dans les deux phrases citées, ce mode d'accomplissement est implicite, il est réduit à sa plus simple expression, soit à l'assertion du but principal recherché, recevoir un breuvage alcoolisé ou se rendre en train à New York. Une action générique est donc une action dont les moyens mis en œuvre pour la réaliser ne sont pas représentés mais résumés, condensés dans la désignation du but recherché et doivent être inférés dans une sorte de causalité rétroactive à partir du but.

Le concept d'action générique est un concept *relatif*. Cela est dû au fait qu'il ne s'agit pas d'une unité minimale mais de l'état particulier de la représentation d'une action. Toute action dont le mode d'accomplissement peut être présenté à l'aide d'opérations instrumentales peut recevoir une représentation générique. Il est opportun de revenir à nouveau ici sur l'effet accordéon de la représentation de l'action ([15]). Si le mode d'accomplissement d'une action, selon la métaphore de l'accordéon, peut être développé à son amplitude maximale, la représentation générique de l'action correspond quant à elle à l'accordéon au repos, celui dont le soufflet est comprimé et réduit à son plus petit volume.

L'action générique décrit un certain état de la représentation discursive de l'action: la plus condensée, celle par conséquent dont l'inférence est maximale. Ce concept va servir dans notre travail sur le développement de la situation narrative à identifier, de la façon la plus économique possi-

---

([15]) J. FEINBERG, «Action and Responsability», *passim*.

ble, les moyens mis en œuvre pour atteindre un but. Cela n'empêche pas de retrouver aussi dans des récits des actions représentées de façon générique. Un lecteur peut lire la phrase toute simple «Il a pris le train de Paris à Rome», comme il peut suivre à travers tout un roman le voyage en train de tel personnage, comme dans *La modification* de Butor ([16]). Dans l'exemple de la phrase, il s'agit d'une représentation générique de l'action, tandis que dans celui du roman, la mise en œuvre des moyens impliqués par l'action est représentée avec une très grande amplitude. Le développement des situations narratives d'un récit est lié au déploiement de la représentation des modes d'accomplissement des moyens mis en jeu.

Avant de poursuivre plus avant la question du développement des situations, revenons aux exemples de Schank et Abelson. Nous avons dit qu'ils utilisaient de courts segments narratifs composés de quelques phrases où l'action était avant tout représentée de façon générique. Avec de telles représentations génériques, le passage de la phrase à sa conceptualisation est le plus transparent, le plus direct possible. L'action est réduite à sa plus simple expression et son mode d'accomplissement est pris comme un acquis dont la présentation n'est pas nécessaire à la compréhension de l'action. Dans la théorie de l'acte primitif, comprendre «Buffalo Bill boit une bière», c'est comprendre qu'il y a eu AVALER du liquide «bière». Le fait que cet AVALER requiert un certain nombre d'opérations est hors de propos. Une compréhension minimale de cette action n'a besoin d'expliciter que ce qui est essentiel à l'action; ainsi, dans l'acte de boire, AVALER est véritablement l'unité sémantique minimale essentielle. Une telle compréhension minimale de l'action est problématique en ce qu'elle n'est suffisante que pour les cas où une représentation générique de l'action est employée. Quand une action est représentée par les opérations ou les accessoires qui participent de son déroulement, quand elle n'est pas réduite à sa représentation générique, son identification demande non seulement un certain nombre d'actes primitifs résumant les buts

---

([16]) M. Butor, *La modification*.

principaux visés, mais encore une connaissance appropriée des modes d'accomplissement des actions.

Ainsi, pour donner un exemple, nul besoin d'expliciter des mécanismes de conversion pour passer d'une phrase telle que **P1**, à la conceptualisation qui en représente la signification. Dans le fascicule des aventures de Buffalo Bill, «Sur la piste de la terreur du Texas», le héros se rend au Hard Times Saloon pour y arrêter Brazos Bill. Un duel s'engage rapidement entre les deux cowboys et on peut paraphraser la suite des événements comme suit:

P1: Brazos Bill tira mais atteignit seulement le sombrero de Buffalo Bill; ce dernier tira à son tour et tua Brazos Bill d'une balle dans la tête.

On peut conceptualiser cette paraphrase de la façon suivante, où **CP1** désigne la conceptualisation de **P1**:

CP1

Ca Brazos Bill FORPH balle (dans le) sombrero de Buffalo Bill (revolver)
   +
Ca Buffalo Bill FORPH balle (dans la) tête de Brazos Bill (revolver)
   r
Cs Brazos Bill SANTÉ (-10)

La conceptualisation se comprend aisément. Le passage du verbe «tirer» à l'acte primitif FORPH est simple. De fait, comprendre le verbe «tirer» équivaut à comprendre qu'une balle a été projetée à l'aide d'un instrument. Il y a une relation uni-univoque (ou d'un à un) entre le verbe qui sert à représenter l'action et l'acte primitif qui correspond à sa conceptualisation. Il en va de même pour l'instrument, l'objet et l'acteur, qui sont dans une relation de correspondance simple. Chaque case ne trouve qu'une et une seule entrée dans l'exemple. Quant à l'état de santé du bandit Brazos Bill, à la conceptualisation statique résultante de cette action, on conçoit aisément qu'il ne soit pas bien bon, comme le (-10) le suggère. La conceptualisation **CP1** présente donc correctement la signification narrative de **P1**. La même conceptualisation permet tout aussi bien de représenter **P2**, qui est cette fois la suite de phrases utilisée dans le fascicule pour représenter les faits saillants du duel.

P2: Il y eut une brève détonation, suivie d'une autre, comme d'un écho. La balle de Brazos Bill avait percé le bord du sombrero de Buffalo Bill. En réponse celle du «scout» fracassa le crâne du desperado (n° 40, p. 4).

Si le lien entre **P1** et **CP1,** sa conceptualisation, est transparent et ne nécessite pas une démonstration complexe, la situation est très différente entre **P2** et **CP1** qui doit tout autant l'exprimer. La conversion n'est plus directe et elle ne s'explique plus par la seule compréhension de l'acte primitif mis en jeu. Il ne s'agit plus de relation uni-univoque, mais d'une relation médiatisée; inférer **CP1** de **P2** requiert en effet la médiation de **P1**, ou, pour être plus précis, de l'action générique présentée en **P1**, soit l'action de «tirer au revolver». Il faut d'abord identifier l'action avant d'établir sa conceptualisation. L'identification de l'action, quand elle est représentée de façon générique, se fait de façon simple; elle demande, dans les autres cas, une connaissance des éléments mis en jeu dans son accomplissement. Dans **P2**, par exemple, l'action de tirer au revolver est décomposée et représentée à l'aide d'un nombre restreint d'éléments, de la détonation, d'un accessoire (des balles) et de la cible atteinte. Reconstruire à partir de ces éléments l'action générique de «tirer au revolver» ne se fait pas à partir des actes primitifs impliqués mais bien d'un savoir particulier concernant à la fois les différentes composantes de cette action et la façon de les identifier.

Il faut au lecteur une connaissance minimale du mode

146

d'accomplissement de cette action ainsi que du réseau sémantique par lequel on réfère à ses composantes, s'il veut soit
l'identifier, soit reconnaître ce qui participe de son accomplissement. Il doit être capable de rattacher la détonation au tir,
de même que la balle qui atteint Brazos Bill à la tête. Cela
demande un savoir particulier, que l'on peut présenter à l'aide
de définitions ou de réseaux sémantiques. Le *Lexis* (1979), par
exemple, définit le revolver comme une «arme à feu porta-
tive, à répétition, dont le magasin est constitué par un barillet situé à l'arrière du canon», tandis que le *Petit Robert* (1978)
propose «toute arme à feu à répétition du genre pistolet avec
ou sans barillet». Il est à noter que les dictionnaires ne proposent pas une définition du tir au revolver mais uniquement
du revolver, en tant qu'instrument ou accessoire. Il existe
maintenant des dictionnaires visuels, tel le *Dictionnaire thématique visuel* de J.-C. Corbeil ([17]), qui offrent des réseaux
sémantiques simples, de type analogique. On peut avoir
recours par ailleurs à des encyclopédies ou même à un dictionnaire thématique. Le *dictionnaire thématique visuel*, pour
prendre celui-là en exemple, fonctionne sur des représentations iconiques d'objets dont les différentes parties sont désignées par les termes appropriées. Les armes de guerre y sont
bien représentées, avec le bazooka, le fusil automatique, la
grenade à main, les armes de chasse, le revolver, etc. Ce dernier est décomposé en guidon, canon, ressort d'éjecteur, came
de barillet, barillet, levier de came, détente, pontet, ressort
principal, anneau de suspension, éjecteur, chien, arrêtoir. Ces
dictionnaires servent de répertoires plus ou moins faciles d'accès des réseaux sémantiques et lexicaux nécessaires à la compréhension des représentations discursives de l'action. Il faut
donc pour en rendre compte plus que la notion d'acte primitif qui permet uniquement de désigner les résultats atteints par
les moyens mis en œuvre. Il faut en fait des concepts, comme
celui d'action générique, qui peuvent décrire le type de pré-

---

([17]) Jean-Claude CORBEIL, *Dictionnaire thématique visuel*, Montréal,
Québec/Amérique, 1986.

sence de ces moyens dans un récit, c'est-à-dire à la fois les modes d'accomplissement auxquels ces moyens participent et le réseau sémantique dont ils dépendent pour leur représentation ([18]).

Schank et Abelson ont vite saisi que le niveau primitif ne pouvait jamais logiquement comprendre la surface, sauf dans les cas où les mêmes mots ou des synonymes étaient utilisés, et qu'il fallait plus que des actes primitifs pour identifier des actions à partir d'un texte. Ils ont aussi complété la théorie de la dépendance conceptuelle par une analyse des modes d'accomplissement des actions, formulée comme un modèle des structures de connaissance. Puisque complémentaire de la théorie de la dépendance conceptuelle, ce modèle définit les modes d'accomplissement comme des suites d'actes primitifs. Deux suites sont ainsi isolées, selon le type de connaissance requis du lecteur, une connaissance particulière du déroulement de certaines activités ou une connaissance générale de la façon dont les actions sont accomplies ou les buts atteints. Ces suites sont respectivement des *scripts* et des *plans*. Ce nouveau modèle résout certains problèmes mais, comme il tire ses préceptes de la théorie de la dépendance conceptuelle, il en conserve les présupposés et, en premier lieu, celui de ne pas être une théorie du langage.

Or, comme notre exemple l'a démontré, pouvoir identifier une action requiert une connaissance non seulement de ses modes d'accomplissement mais aussi des réseaux séman-

---

([18]) Il est intéressant de remarquer que les analyses du mode d'accomplissement d'une action et de son réseau sémantique focalisent sur des éléments différents. Une analyse des modes d'accomplissement se concentre avant tout sur le verbe et les transformations opérées entre des états, sur le caractère dynamique de la représentation de l'action, tandis qu'une étude des réseaux sémantiques se précise comme la description statique des relations entre les éléments qui peuvent participer à cette représentation. Dans l'une, les verbes ont un statut spécial, ce sont même les seuls éléments qui comptent vraiment; ce sont les ACTION de la conceptualisation active et les actes primitifs de la théorie de la dépendance conceptuelle. Dans l'autre, ceux-ci sont substantivés pour n'être plus qu'une catégorie de mots comme les autres, sans statut particulier.

tiques qui servent à en représenter le déroulement (^{19}). Ces deux compétences sont requises du lecteur pour manipuler des actions représentées dans des récits. Elles sont complémentaires et s'articulent l'une sur l'autre. Par conséquent, seule une théorie qui prend en considération la dimension langagière peut proposer une conceptualisation adéquate de l'action.

(^{19}) Dans la perspective des théories de la mémoire, ces deux dimensions de la compréhension de l'action font référence à des types de mémoire complètement différents. Endel TULVING, le premier, a distingué deux grands types de mémoire propositionnelle: une mémoire sémantique et une mémoire épisodique («Episodic and semantic memory», in E. TULVING, W. DONALDSON (éds.), *Organization of memory*, 1972, pp. 381-403; voir aussi, du même auteur, *Elements of Episodic Memory*, New York, Oxford University Press, 1983). La mémoire sémantique est la mémoire nécessaire à l'utilisation d'un langage. C'est une mémoire cognitive, un savoir général qui peut être partagé par les membres d'une communauté, contrairement à la mémoire épisodique qui est avant tout autobiographique et qui renvoie à des expériences personnelles. La description du réseau conceptuel de l'action travaille donc sur les données stockées en mémoire sémantique. La mémoire épisodique est le registre plus ou moins fidèle des expériences d'un individu; elle contient donc de l'information sur des événements ou des épisodes vécus ainsi que sur les relations spatio-temporelles établies entre ces événements. Mémoires sémantique et épisodique s'opposent donc par leur fonction et de par la nature même de l'information stockée. La mémoire sémantique est un système de type hiérarchique qui fonctionne à partir d'un emboîtement de catégories (la goélette est un voilier, qui est un navire, qui est un mode de transport, etc.), tandis que la mémoire épisodique est de type linéaire, une concaténation d'événements reliés par des relations spatio-temporelles (je suis allé là, et puis le lendemain, juste à côté). Si la mémoire épisodique requiert du vécu, il y a cependant comme le souligne Tulving différentes façons de vivre un événement: «Se souvenir d'événements vécus indirectement — par exemple, assister à une pièce de théâtre, lire un roman ou même comprendre une phrase telle que "un homme pauvrement vêtu, dans la cinquantaine avancée, a sauté tôt ce matin d'un pont de San Francisco" — est régi par les mêmes principes généraux qui s'appliquent à l'acte de se souvenir d'événements vécus directement» (*Elements of Episodic Memory*, p. 37). La mémoire épisodique s'applique donc aussi bien à la lecture d'un récit qu'à l'expérience non médiatisée d'un événement. Si elle s'applique à la lecture, c'est dire qu'elle peut fonctionner dans le contexte d'une activité toute langagière, d'une activité qui nécessite d'abord une mémoire sémantique. Mémoires sémantique et épisodique ne s'opposent donc que dans une perspective générale. Elles sont en fait des systèmes indépendants mais complémentaires dont l'articulation permet à la lecture de se produire.

Dans la prochaine section nous allons décrire la théorie des structures de connaissance de Schank et Abelson, en essayant cette fois de lui intégrer une dimension langagière. Nous allons le faire en redéfinissant scripts et plans, non pas en fonction de l'acte primitif, mais de l'action générique. Le concept d'action générique permet de rendre compte des mécanismes de la représentation. Définissant un certain état de la représentation, elle se pose dans un rapport de désignation avec les modes d'accomplissement des actions; définie comme composante du schème interactif, elle correspond au moyen mis en jeu par l'opération. Elle décrit donc un phénomène langagier, la représentation, tout en s'inscrivant dans une conceptualisation de l'action. Mais avant cela, arrêtons-nous au concept de plan-acte, qui est le second élément qui nous permet d'articuler compréhension de l'action et représentation discursive.

Le plan-acte

Deux raisons avaient été invoquées pour lesquelles l'acte primitif ne pouvait servir à décrire la représentation de l'action. La première portait sur le fait que la théorie de la dépendance conceptuelle n'était pas une théorie du langage. Intégré ainsi à une théorie où il sert avant tout de garantie pratique, l'acte primitif est à un niveau conceptuel trop élémentaire pour participer efficacement à l'analyse de la représentation. La seconde raison, déjà invoquée puisque conséquence de la première, tient à la définition trop restrictive de l'acte primitif.

Une action a été définie comme l'ensemble des moyens mis en œuvre pour l'obtention d'un but. En fonction de cette définition, la lecture se présente donc comme une double activité: c'est, d'une part, l'identification à partir des opérations représentées des moyens mis en œuvre et, d'autre part, la reconnaissance des buts poursuivis par ces moyens, leur fonction dans l'économie du récit. Il s'agit donc d'identifier les moyens pour ce qu'ils sont et de les intégrer à des déroulements. C'est cette double activité qui permet au lecteur d'assister au développement des situations narratives et de suivre leur enchaînement. Si, comme on l'a montré, les actes primitifs ne permettent pas de décrire la représentation des moyens, ils sont de la même façon très peu utiles à la description des buts convoités. Tels que définis, les actes primitifs ne participent que faiblement à l'organisation des déroulements d'actions, par laquelle on détermine la fonction des actions dans le récit.

Les onze actes primitifs proposés par Schank et Abelson ne forment pas un ensemble homogène: certains correspondent à des mouvements corporels, d'autres désignent avant tout des transformations d'états. FORPH, MOUV, SAISIR, AVALER et EXPUL servent à conceptualiser des mouvements corporels; bouger, saisir, absorber, pousser sont des actions reliées à des gestes [20]. Mais tous les actes primitifs ne renvoient pas à des mouvements corporels; DIRE, par exemple, n'est plus tout à fait un tel mouvement [pensons à la distinction programmatique entre locution et illocution proposée par Austin [21]] et PERC représente une attitude. De plus, à l'intérieur même des mouvements corporels, certains actes sont plus «primitifs» que d'autres. MOUV, par exemple, est une conceptualisation instrumentale pour les autres actes. Une conceptualisation active telle que «Buffalo Bill SAISIR revolver» implique cette autre conceptualisation «Buffalo Bill MOUV main». Pour reprendre la distinction de Goldman [22], MOUV est une action génératrice, tandis que SAISIR ou FORPH sont des actions générées. On retrouve le même phénomène avec l'acte primitif PERC qui est l'instrument de TRANSM, pour ces cas où l'activité sensorielle est condition de la connaissance. Les actes tels que TRANS (M, P, A) et CONSM ne correspondent plus pour leur part à des gestes mais à des transformations entre des états. Ainsi,

---

[20] Cette correspondance entre mouvements corporels et actes primitifs favorise la définition de ces derniers comme actions de base (A. C. DANTO, «Basic actions», 1965). C'est en ces termes que R. P. ABELSON décrit les actes primitifs dans «Concepts for representing mundane reality in plans» (in D. BOBROW et A. COLLINS (éds.), *Representation and Understanding*, pp. 278-279).

[21] J. L. AUSTIN, *Quand dire, c'est faire*, Paris, Seuil, 1962.

[22] A. I. GOLDMAN, «The individuation of action».

TRANSP est cette opération qui fait passer d'un état premier (éloignement) à un état final (proximité); TRANSA, de la même façon, travaille sur des relations abstraites, des relations de possession. Ces actes primitifs peuvent incorporer des mouvements corporels dans leur réalisation — TRANSP peut demander qu'il y ait MOUV — mais ils désignent surtout des relations dont ils transforment les termes. Comme pour PTRANS, ces relations peuvent être concrètes, mais elles peuvent être aussi abstraites (TRANSA) ou cognitives (TRANSM, CONSM).

Du geste générateur à la transformation d'une relation cognitive, les actes primitifs traversent différents niveaux de génération. Ce jeu, cette incertitude quant à leur portée réelle, a d'ailleurs provoqué le premier réajustement de la théorie de la dépendance conceptuelle. Afin de corriger la situation, Abelson avait proposé en 1975, un nouveau type d'acte d'un niveau supérieur à l'acte primitif: c'est le *deltact*. Arrêtons-nous quelque peu à la définition de ce *deltact*, car le concept, une fois redéfini en plan-acte, nous servira à désigner les actions nodales et essentielles au développement des situations narratives.

Les *deltacts* sont, pour Abelson, des opérations qui définissent des transformations d'états. Leur origine vient donc des actes primitifs complexes tels que TRANSP, TRANSM et TRANSA qui servent à transformer des relations. Ces trois primitifs sont justement convertis par Abelson en *deltacts*; ils en sont même les trois principaux. Abelson distingue en tout neuf *deltacts* qui se différencient les uns des autres par les états ou les relations qu'ils modifient. Une des caractéristiques formelles du *deltact* est sa contextualisation. Un *deltact* est uniquement défini par les états qu'il transforme. Ainsi, à l'état de proximité correspond le *deltact* «changement de proximité», à l'état de possession correspond le «changement de possession», et ainsi de suite pour les neuf *deltacts* ([23]). Le *deltact* est donc une opération polymorphe, une boîte noire

---

([23]) R. P. ABELSON, «Concept representing mundane reality in plans», pp. 280-281.

susceptible d'être actualisée d'autant de façons qu'il y a d'états possibles et dont les mécanismes d'activation sont laissés pour ainsi dire indéterminés ou uniquement spécifiés par les instruments ou accessoires utilisés. Le *deltact* «changement de proximité» est représenté de la façon suivante:

delta PROX (A, X, Z, Y, M):
Acteur A cause l'entité X (cela peut être lui-même) à être transportée d'être proche de Z à être proche de Y, à l'aide d'un moyen M

La question des moyens mis en œuvre par les *deltacts* pour réaliser ces changements d'états souhaités est ainsi reléguée à un rôle de second ordre, ceux-ci étant réduits au M, dernier terme de la parenthèse. Cela est dû à la fonction même du concept qui sert avant tout à rendre compte de la *planification*, c'est-à-dire de l'organisation des déroulements d'actions, plutôt que de l'accomplissement véritable de ces plans. La planification est une opération cognitive qui travaille avec des actions uniquement définies en fonction des buts qu'ils permettent d'atteindre.

Les *deltacts* sont ainsi chez Abelson les éléments de la planification, les unités cognitives des plans. Ces unités ne sont que des entités cognitives, qui ne touchent pas aux problèmes posés par les modes d'accomplissement requis pour les réaliser. Cet aspect cognitif des *deltacts* s'exprime chez Abelson par l'état qui doit être atteint par la transformation; le but d'un *deltact* est en effet d'amener un nouvel état, une nouvelle relation de proximité (*change of proximity*), de possession (*change of having*), un nouveau savoir (*change of knowing*), etc. Le plan, composé d'un ensemble de *deltacts*, prend donc la forme d'une séquence d'étapes à franchir, chaque étape correspondant à une transformation d'états souhaitée [24]. Le concept de plan est fondamental pour le modèle des structures de connaissance développé par Schank et Abelson à partir de la théorie de la dépendance conceptuelle. Il est

---

[24] R. P. ABELSON, «Concept representing mundane...», p. 278.

le principe constitutif de l'organisation des actions requises pour l'obtention d'un but.

Le *deltact* étant l'unité de la planification, les actes primitifs ne peuvent en faire partie; ils ne peuvent être intégrés à une planification parce qu'ils se situent au niveau des moyens, de la réalisation effective du projet plutôt que de sa planification. Ils ne participent donc pas à la planification tout simplement parce qu'ils sont *non problématiques*. MOUV, PERC, SAISIR, AVALER, qui sont des actes primitifs générateurs, se présentent comme des acquis, des actes qui ne méritent pas de planification complexe. Ce sont des opérations simples, qu'on ne mentionne pas dans un plan à moins que leur réalisation ne soit empêchée. L'établissement d'un plan ne prend en considération que ces actes à risque, ceux dont il faut justement assurer le succès. Il n'y a planification que s'il y a incertitude dans l'obtention d'un but. S'il n'y avait qu'à souhaiter pour voir se réaliser tous nos vœux les plus chers, nul besoin de plan ni même d'action et encore moins de narration. En outre, les actes primitifs générateurs ne participent pas à la planification parce qu'ils ont une valeur cognitive faible, tandis que les plans sont des entités cognitives. Les actes primitifs générateurs, puisqu'ils expriment non pas les buts visés par une action mais les gestes posés pour les atteindre et les effets de cette action, n'y ont simplement pas leur place.

*
* *

À la suite d'Abelson, nous avançons le concept de plan-acte. Le plan-acte est l'équivalent du *deltact*, redéfini en fonction de la représentation discursive de l'action.

Le *deltact* ne permet pas de conceptualiser la représentation discursive de l'action. Il ne dit rien ni sur les modalités de réalisation effective des actions ni sur la représentation de ces moyens. Il ne permet rien de plus que de spécifier les plans, de décrire les déroulements d'actions souhaités, et c'est tout. Dans un récit cependant, on ne retrouve pas que des déroulements d'actions souhaités, des déroulements à venir. Des personnages peuvent discuter des actions qu'ils vont entreprendre; d'ailleurs, une grande partie des récits sert à cette fin. Mais ces plans une fois définis sont mis en application et leur réalisation matérielle est représentée. *Le tour du monde en 80 jours* de Verne fournit, par exemple, un plan du voyage à réaliser, plan présenté comme un itinéraire, un ensemble d'étapes à franchir. Et le reste du récit raconte la réalisation de ce plan.

Pour décrire la représentation d'un tel périple, il faut donc plus qu'un *deltact* limité à la conceptualisation du plan établi; il faut en fait un *plan-acte* qui possède une dimension supplémentaire lui permettant de rendre compte de la mise en application de ce plan, avec ses succès et ses infortunes. Le plan-acte se présente ainsi comme *la conjonction d'un moyen et d'un but*, double dimension qui lui permet justement de jouer le rôle de charnière entre le plan d'un côté, l'aspect cognitif de l'action, et la mise en œuvre des moyens, de l'autre $(^{25})$.

$(^{25})$ Il est important de faire remarquer que le *deltact* a pris une direction complètement opposée dans les travaux subséquents de Schank et Abelson, une direction qui a concrétisé sa dimension cognitive au détriment de tout le reste. Le concept s'est transformé, dans le modèle des structures de connaissances où il s'intègre (*Scripts, Plans...*), pour ne plus désigner que les buts recherchés. Les notions d'état et de changement, présentes chez Abelson, y sont délaissées au profit de celle, supérieure, de but. L'aspect cognitif du *deltact* est ainsi projeté à l'avant plan; on commence à désigner le concept d'ailleurs non plus par la transformation qu'il opère mais par le but même de la transformation: on passe ainsi du *deltact* au *D-GOAL* (*D-BUT*), transformation symtômatique de l'importance prise par la dimension cognitive de l'acte, mais aussi du malaise qui avait été produit suite à la définition du *deltact*. Schank et Abelson expliquent ainsi: «Les delta-buts (*D-goals*) sont le résultat d'un long processus d'élaboration théorique. Quand nous avons commencé à travailler sur les delta-buts, ils étaient appelés des *deltacts*, et apparaissaient comme des candidats sérieux pour remplacer les actes primitifs de la théorie de la dépendance conceptuelle» (*ibid.*, p. 86). Le *deltact* tel que défini par Abelson en 1975 était un concept hybride, ambigu sur le plan cognitif. Il était ambigu parce que sa dimension cognitive était accessible uniquement à travers les concepts d'acte, d'état et de transformation. Le but n'y était pas posé de façon immédiate, il était désigné à partir des effets de la transformation, conséquence de la contextualisation déjà exposée du concept. C'était donc un concept à mi-chemin entre la pure entité cognitive qu'il deviendra dans le modèle des structures de connaissance et l'acte primitif,

Plan-acte: MOYEN (action générique)
BUT

Le but est la composante du plan-acte qui permet de rendre compte de sa dimension cognitive; le moyen sert, par contre, à décrire la représentation de son mode d'accomplissement. C'est par le moyen que s'articulent le plan-acte et l'action générique. Le moyen mis en œuvre par le plan-acte est identifié par une action générique, qui est la représentation la plus condensée de son mode d'accomplissement.

Il y a deux façons de définir le plan-acte: selon que la perspective adoptée est l'action et sa réalisation, ou l'action et sa planification. Cette différence de perspective définit des directions inversées dans la relation établie entre les buts et les moyens. Une description de l'action du point de vue de sa planification traite d'abord des buts et seulement ensuite, une fois ceux-ci dûment organisés en un plan d'action, de la réalisation effective de ce plan. Une description de l'action du point de vue de sa réalisation analyse d'abord les moyens mis en œuvre et ensuite les buts qu'ils permettent d'atteindre ([26]).

_____

défini aussi comme l'effet d'une action. Pour sauver l'acte primitif qu'il affaiblissait (en diminuant leur nombre par exemple) et réduire cette ambiguïté, les auteurs ont décidé d'éliminer le *deltact* et de le remplacer par le *deltagoal*. Au lieu d'un seul concept hybride, il y eut donc deux concepts simples: «Les actes primitifs rendent compte des concepts sous-tendus par les actions présentes dans un discours et ils servent à organiser les inférences qui sont faites à propos des résultats de ces actions. Les delta-buts organisent les informations qui dépendent de la transformation désirée de l'état d'un objet. [...] Nous avons donc, d'un côté, de l'information qui nous dit quels sont les effets possibles d'une action et, d'un autre côté, de l'information qui nous dit quelle action peut amener l'effet désiré» (*ibid.*, pp. 86-87). Le *deltact* a disparu, divisé en deux entités complémentaires, l'une purement cognitive et l'autre uniquement pragmatique.

([26]) C'est finalement la différence entre planification et réalisation qui est actualisée. Un plan est habituellement défini comme un «projet élaboré servant de base à la réalisation matérielle» (*Lexis*, 1979), et la planification correspond à ce projet qui détermine la forme de la réalisation matérielle. Deux éléments de niveaux différents sont isolés dans cette définition. L'un, le projet, est une entité cognitive: c'est ce que l'on a l'intention de faire; et

156

Ces deux perspectives correspondent à ce qu'on a déjà identifié comme des processus de type descendant et de type ascendant (chapitre I). Le premier est un comportement analytique qui impose un ordre pré-établi aux données à être traitées; cela correspond bien à la planification. Le second est un comportement constructiviste, qui cherche à construire un ordre à partir des données présentes.

Si la relation entre les buts et les moyens du plan-acte peut changer de direction selon la perspective d'utilisation du concept, ces deux relations ne sont pas symétriques. Les buts et les moyens ne sont pas des concepts de même niveau. Les buts, étant des entités cognitives, subsument les moyens, qui ont une faible valeur cognitive. Cette hiérarchie explique pourquoi une conceptualisation qui cherche à rendre compte de la planification, de l'organisation des actions en fonction de leurs buts et des états qu'ils permettent d'atteindre, en vient à délaisser complètement la question des moyens qui doivent être mis à l'œuvre pour véritablement réaliser ces plans. À partir du moment où un déroulement, une forme ont été choisis, la façon dont cette forme ou ce déroulement vont effectivement s'actualiser n'est plus que d'un intérêt secondaire. Dans la planification, par conséquent, la relation entre les buts et les moyens est minimisée, et plus la planification est complète, plus la réalisation elle-même est évacuée ([27]). Cela donne un

---

l'autre, la réalisation matérielle, se situe à un niveau pragmatique ou quasi-pragmatique: c'est ce qui est accompli pour réaliser ce faire. Ces deux éléments du plan sont étroitement reliés et leur articulation reproduit la double dimension fondamentale de l'action et du plan-acte, à savoir d'être l'ensemble des moyens mis en œuvre pour la réalisation d'un but. Le projet ou la planification travaille sur les buts de l'action et la réalisation matérielle est l'actualisation des moyens mis en œuvre. Les définitions de plan et d'action comparées ici sont très proches et elles ne se distinguent que parce qu'elles sont inversées l'une par rapport à l'autre. En effet, ces deux définitions vont dans des directions contraires: celle de l'action va des moyens vers les buts, tandis que celle du plan va des buts vers les moyens. Il s'agit donc des faces opposées d'un même phénomène.

([27]) Un cas usuel maintenant d'une planification surdéveloppée entraînant une évacuation presque complète de la dimension des moyens est le logiciel où la mise en œuvre du programme est réduite à un simple commandement.

concept de plan-acte uniquement défini en fonction de sa relation au plan (ce qui correspond au *deltact* d'Abelson). C'est tout le contraire d'une description de l'action en fonction de sa réalisation ou de la représentation de son accomplissement. Là, la relation entre les moyens et les buts est de toute première importance car il s'agit de reconstruire à partir des gestes posés l'action en voie de réalisation. Cela donne un concept de plan-acte où les moyens ne sont plus renvoyés à une périphérie toujours plus éloignée mais réintroduits comme point de départ de l'analyse. Placer les moyens devant les buts, c'est suppléer par un positionnement à une différence de valeur; et c'est aussi remettre les bœufs devant la charette, pour reprendre le vieil adage.

Une des difficultés rencontrées par une conceptualisation de l'action axée en premier lieu sur sa planification réside dans le fait que les déroulements d'actions ne se réalisent jamais tels que prévus. Le cas le plus probant de cette inadéquation est, pour utiliser un récit de notre corpus comme exemple de planification malmenée, *Le tour du monde en 80 jours* où Phileas Fogg, cet excentrique, entreprend de faire un voyage autour du monde pour montrer que l'itinéraire proposé par le *Morning Chronicle* est réalisable dans le temps requis. Ce qui est proposé par le *Chronicle* est véritablement un plan, selon le point de vue d'Abelson, c'est-à-dire une séquence d'étapes à franchir où chaque étape correspond à un point du parcours (ou, selon le lexique d'Abelson, en un état de proximité). On peut facilement réécrire cet itinéraire comme une séquence simple de plan-actes.

PLAN: faire le tour du monde en 80 jours

Plan-acte 1:
MOYEN: prendre le train puis prendre le paquebot
BUT: de Londres, se rendre à Suez en 7 jours

Plan-acte 2:
MOYEN: prendre le paquebot
BUT: de Suez, se rendre à Bombay en 13 jours

Plan-acte 3:
>   MOYEN: prendre le train
>   BUT: de Bombay, se rendre à Calcutta en 3 jours

Plan-acte 4:
>   MOYEN: prendre le paquebot
>   BUT: de Calcutta, se rendre à Hong Kong en 13 jours

Plan-acte 5:
>   MOYEN: prendre le paquebot
>   BUT: de Hong Kong, se rendre à Yokohama en 6 jours

Plan-acte 6:
>   MOYEN: prendre le paquebot
>   BUT: de Yokohama, se rendre à San Francisco
>   en 22 jours

Plan-acte 7:
>   MOYEN: prendre le train
>   BUT: de San Francisco, se rendre à New York en 7 jours

Plan-acte 8:
>   MOYEN: prendre le paquebot puis prendre le train
>   BUT: de New York, se rendre à Londres en 9 jours

Si, comme le veut le modèle d'Abelson, la planification était seule importante, la réalisation du plan étant cet acquis non problématique, il n'y aurait alors plus rien à dire. Le texte pourrait s'arrêter là, à la fin de la planification; un autre chapitre serait peut-être nécessaire, pour indiquer que cela s'est fait promptement, et c'est tout [28]. Mais voilà, l'univers narratif de ce récit n'est pas un monde parfait et l'accomplissement de ce plan ne se passe pas tel que prévu. L'horaire est ainsi continuellement bousculé. Quand ce n'est pas le train

---

[28] Et c'est la stratégie souvent adoptée par des récits qui cherchent à représenter à peu de frais des actions complètes. On planifie, on indique la voie à suivre, les actions qui doivent être réalisées puis, à la suite d'une ellipse savante et bien placée — introduite par une fin de chapitre impromptue ou l'ouverture d'une nouvelle situation narrative —, on la présente comme un fait accompli avec ses résultats.

qui s'arrête faute de rails ou parce qu'il y a une attaque d'Indiens, le paquebot dont on a raté le départ ou le steamer qui est à court de combustible, c'est Passepartout, le domestique, qui est capturé par les Indiens, accusé à Calcutta ou drogué à Hong Kong et Mrs. Aouda qu'il faut sauver d'une mort certaine. Mais cela, la planification ne peut en faire état. D'ailleurs la seule étape où tout se passe bien et comme prévu, la première, le récit la laisse sous silence, la narration ne reprenant qu'à partir de Suez, là où l'imprévu peut surgir. En fait, l'aventure, c'est bien cela, c'est la planification prise de court, déjouée.

Le choix de ce récit pour parler des défaillances de la planification à rendre compte de l'action, est motivé parce que le rapport entre planification et réalisation, entre prévu et imprévu, y est directement thématisé. Ce n'est pas n'importe qui qui entreprend ce tour du monde, mais bien Phileas Fogg... l'exactitude personnifiée, l'être pour qui l'ordre, la méthode et la discipline sont les seules choses qui existent: «Phileas Fogg était de ces gens mathématiquement exacts, qui, jamais pressés et toujours prêts, sont économes de leurs pas et de leurs mouvements. Il ne faisait pas une enjambée de trop, allant toujours par le plus court» (p. 10). C'est un homme impassible qu'aucun incident ou accident ne peut surprendre, un homme pour qui la ponctualité n'est pas un principe mais un mode de vie, un homme qui n'hésite pas à proclamer que «l'imprévu n'existe pas» (p. 22). Or cet homme entreprend de faire le tour du monde, de se lancer dans la grande aventure. Qu'est-ce que le tour du monde en cette fin du XIXe siècle, sinon une entreprise périlleuse à travers des contrées éloignées où la civilisation ne s'est pas encore complètement implantée, un long combat contre les éléments, une expédition au résultat incertain. Mais ce n'est pas par goût de l'aventure que Fogg part, au contraire, c'est afin de montrer aux membres du Club que ce qui est théoriquement faisable, l'est nécessairement dans la pratique et que, pour un être sensé, il ne doit jamais y avoir d'écart important entre ce qui est planifié et la façon dont cela doit se réaliser. Fogg accepte de partir parce qu'il sait que l'intelligence humaine et la rationalité doivent l'emporter sur les forces du monde et de la nature. Pour Simone

Vierne; d'ailleurs, Fogg est bien un «homme-machine, et plus précisément un homme-pendule: sa vie est inexorablement liée au temps, au temps des horloges et des chronomètres, car elle est minutée avec une précision qui ne souffre aucun délai, jusqu'à la maniaquerie» [29]. Le voyage de Fogg est l'occasion d'une opposition entre deux forces opposées: l'une qui, dans les faits, proclame l'aléatoire, l'imprévisibilité de la vie; et l'autre qui, dans ses intentions, entend imposer son ordre et sa ponctualité au monde.

Ainsi, pour Fogg, il n'y a pas d'aventure. Tout est planifié et rien ne doit l'empêcher de réaliser ce plan. Si l'aventure naît de l'imprévu, elle est perçue par Fogg plutôt comme un contretemps passager, du même ordre qu'un maringouin la nuit ou une mauvaise main au whist. Les obstacles ne sont pas des occasions de se surpasser mais des données que l'on inscrit dans un carnet au même titre que les dates, les étapes franchies et avec la même passion qu'un comptable aligne des chiffres sur une colonne. Sur la Tankadère qui doit mener le groupe à Shangaï, Fogg réagit au typhon qui les menace tous comme si la tempête faisait partie de son programme (p. 179). Il passe à travers le monde comme si celui-ci n'existait pas.

> Ainsi donc, des merveilles de Bombay, il ne songeait à rien voir, ni l'hôtel de ville, ni la magnifique bibliothèque, ni les forts, ni les docks, ni le marché au coton, ni les bazars, ni les mosquées, ni les synagogues, ni les églises arméniennes, ni la splendide pagode de Malebar-Hill, ornée de deux tours polygones. Il ne contemplerait ni les chefs-d'œuvre d'Éléphanta, ni ses mystérieux hypogées, cachés au sud-est de la rade, ni les grottes Konhérie de l'île Salcette, ces admirables restes de l'architecture bouddhiste! (p. 64).

Fogg ne fait rien d'autre que s'asseoir dans la cabine de son train ou de son bateau, jouer au whist ou inscrire des chiffres et des données dans son carnet, et attendre que le paysage ait fini de passer! Comme le dit Verne: «il ne voyageait

---

[29] S. VIERNE, *Jules Verne*, p. 251.

pas, il décrivait une circonférence. C'était un corps grave, parcourant une orbite autour du globe terrestre, suivant les lois de la mécanique rationnelle» (p. 71). Faire le tour du monde sans rien voir, c'est une façon de lui refuser toute initiative, de ne pas se laisser divertir du chemin tracé. À quelques occasions cependant, Fogg se laisse aller à quelques incartades du côté de l'aventure: il sauve Mrs Aouda en Inde et Passepartout en Amérique, même si cela risque de nuire au succès de son entreprise. Mais il le fait toujours poussé par le devoir à accomplir et parce que quelque chose n'est pas en ordre dans son univers.

Si Fogg ne croit pas à l'aventure, s'il n'accepte pas l'existence de l'imprévu, celui-ci finit pas le rattraper et même le frapper là où le bât blesse, en pleine ponctualité. Quand Fogg rejoint finalement Londres, après une révolution complète de la planète, il arrive avec un retard de cinq minutes sur l'heure fixée pour son retour. Mais il apprend ensuite que s'il était arrivé quelques minutes passées huit heures quarante-cinq du soir, il avait par contre une journée complète d'avance. C'est que, par un phénomène tout naturel, «Phileas Fogg avait, «sans s'en douter», gagné un jour sur son itinéraire, — et cela uniquement parce qu'il avait fait le tour du monde en allant vers l'est [...]» (p. 329). Avec Fogg, l'imprévu n'est donc pas quelque chose qui arrive, mais quelque chose qui se soustrait! C'est une journée gratuite, celle que l'on gagne à passer le 180e méridien. Malgré toutes ses précautions, mais peut-être aussi en raison de celles-ci, cette aventure refusée et reniée, cet imprévu qui n'existe pas permettent finalement à Fogg de gagner son pari.

Ce que *Le tour du monde en 80 jours* montre, c'est que tout récit est un jeu entre ces actions qui sont planifiées et celles que l'on réalise effectivement et qui sont adaptées à l'imprévisibilité du monde dans lesquelles elles se situent. Décrire les déroulements d'actions qui y prennent place demande de pouvoir passer à la fois de l'acte au plan et du plan à l'acte.

Modèle des structures de connaissance

Le modèle des structures de connaissance est la suite de la théorie de la dépendance conceptuelle. Les prémisses à la base de ce modèle de Schank et Abelson proposent qu'il existe deux grands types d'organisation d'actions, et par conséquent de structures de connaissance, les scripts et les plans ([30]). Ces deux modes d'organisation sont à notre avis essentiels à la compréhension de la représentation de l'action. Nous allons décrire leur fonctionnement en cherchant à les intégrer à une définition de la lecture comme processus de type ascendant. Leur présentation ici sera donc un acte d'appropriation. En cours de route, nous allons donner des exemples qui proviennent des récits de notre corpus. Cela se fera dans une perspective un peu particulière, c'est-à-dire que nous allons utiliser ces récits comme des répertoires d'expériences sur des déroulements d'actions. Le monde du texte, auquel la lecture donne accès, ainsi que le montre Ricœur ([31]), est par la force des choses un catalogue extraordinaire d'actions et de déroulements, un catalogue dans lequel on peut puiser afin de pallier à la faiblesse et à la simplicité des exemples généralement utilisés en sciences cognitives. Ainsi, plutôt que de toujours «aller au restaurant» avec Schank et Abelson, nous préférons faire le tour du monde en 80 jours avec Verne...

L'analyse des structures de connaissance de Schank et Abelson propose que les suites d'actions puissent être identifiées de deux façons, selon le type de savoir qu'elles exigent du lecteur: un savoir spécifique sur la façon dont des actions sont accomplies, et les suites d'actions se présentent alors comme des scripts, ou un savoir général, et elles sont des plans.

> Un savoir général permet à une personne de comprendre et d'interpréter les actions de quelqu'un d'autre, tout simplement parce que cette autre personne est aussi un être humain avec

---

([30]) R. Schank et R. P. Abelson, *Scripts, Plans...*, pp. 37 et ss.

([31]) P. Ricœur, *Temps et récit*, tome I, p. 109; tome III, p. 230.

certains besoins tout à fait normaux, vivant dans un monde où certaines méthodes conventionnelles sont utilisées pour remplir ces besoins. Ainsi, quand un individu vous demande un verre d'eau, vous ne vous demandez pas normalement pourquoi il le veut. Et s'il l'utilise d'une façon non-conventionnelle — en le jetant à la face de quelqu'un, par exemple, pour lui voler sa montre — vous n'avez aucune difficulté à interpréter cette action. Il est facile de comprendre quel était son plan et pourquoi il avait besoin de ce verre d'eau. Il se peut que nous n'ayons jamais été témoin d'une telle séquence d'actions, mais notre savoir général à propos des gens et du monde dans lequel nous vivons nous permet d'interpréter les événements auxquels nous assistons.

Nous utilisons un savoir spécifique pour interpréter et participer à des événements auxquels nous avons souvent été conviés. Un savoir détaillé spécifique à une situation donnée nous permet de couper court à de longues analyses sur des expériences récurrentes. Nous n'avons pas à nous demander pourquoi le portier veut voir nos billets quand nous allons au théâtre, ou pourquoi l'on doit garder le silence ou même combien de temps doit-on rester assis à notre place. Notre savoir sur des situations spécifiques, comme celle d'aller au théâtre, nous permet d'interpréter les propos que les gens tiennent au sujet du théâtre ([32]).

Les scripts et les plans sont les principaux instruments de l'analyse des structures de la connaissance. Délaissant le vocabulaire de la théorie de la dépendance conceptuelle, centré sur l'acte primitif, nous allons chercher à les définir de façon à rendre compte de la représentation discursive de l'action et de la lecture, les définir afin de les intégrer à un nouveau contexte d'analyse.

Le script

Pour Schank et Abelson, le script permet de décrire des actions relativement complexes telles que «aller au restaurant», «cuire un œuf», «prendre l'autobus»; c'est-à-dire des

---

([32]) R. SCHANK et R. P. ABELSON, *Scripts, Plans...*, p. 37.

séquences prédéterminées et stéréotypées d'actions définissant des situations communes ([33]). Aller au restaurant, on le sait par expérience, implique certaines actions telles que pénétrer dans les lieux du restaurant, choisir une table, s'asseoir, prendre et lire le menu, commander, manger et boire, et cela jusqu'à l'addition, le pourboire et le départ. Un locuteur peut dire qu'il est allé au restaurant la veille sans avoir pour autant à spécifier dans le détail l'ensemble des actes qu'il a dû poser. Il ne le fait pas parce qu'il s'attend à ce que son interlocuteur ait connaissance du script auquel il fait référence. Le script renvoie ainsi à un mode d'accomplissement standardisé, prévisible, qui n'a pas à être présenté dans sa totalité dans un discours ou un récit pour être reconnu par l'interlocuteur ou le lecteur. C'est en ce sens que l'utilisation d'un script s'appuie sur un savoir spécifique. Si le locuteur ne connaît pas les détails d'un script proposé, il ne pourra comprendre la suite d'actions représentées qui en dépend. Car, comme le disent Schank et Abelson, lorsqu'un locuteur décide de raconter une histoire qui fait référence à un script, il s'attend à ne pas avoir à mentionner tous les détails de son histoire; il prend pour acquis que son interlocuteur est aussi familier avec le script référé et qu'il en reconnaîtra la présence si un nombre suffisant de détails est utilisé.

Le concept de script est important pour nous parce qu'il implique, au niveau des processus de compréhension des textes, qu'une connaissance pratique préalable est nécessaire à la compréhension de représentations d'actions. Schank et Abelson le reconnaissent:

> Pour comprendre les actions qui se déroulent dans une situation donnée, une personne doit avoir été dans cette situation auparavant. C'est-à-dire que comprendre repose sur des savoirs. Les actions de nos prochains ne prennent un sens que dans la mesure où elles font parties d'un ensemble connu d'actions déjà expérimentées ([34]).

([33]) R. SCHANK et R. P. ABELSON, *Scripts, Plans...*, p. 41.

([34]) *Ibid.*, p. 67.

En principe, avec un script, le lecteur doit lui-même recouvrer les différentes étapes de la chaîne d'actions qui ont été tues, il doit reconstruire à partir des quelques éléments accessibles au niveau de la manifestation textuelle, les actions complexes qui sont développées. Mais une telle reconstruction n'est pas nécessaire. Si le lecteur connaît le script, il n'a pas à recomposer l'ensemble des opérations, qui ont participé à son accomplissement, pour comprendre comment les résultats ont été atteints. Les moyens mis en œuvre par un script sont fixés de façon précise, de même que leur ordre, et seules des variations minimes sont permises. Dès que le script est reconnu et identifié, le lecteur sait donc, sans avoir à inférer quoi que ce soit, quels sont les résultats. La relation entre l'action projetée et les résultats atteints est immédiate. Lire qu'un individu a pris le train n'appelle pas le même genre de questions que dire qu'il a détourné un avion. La question «comment a-t-il fait?» s'applique difficilement à la première action, qui est un script, mais elle est tout à fait valide pour la seconde qui n'en n'est pas un. Savoir comment le détournement d'avion a été fait est pertinent car il ne s'agit pas d'un déroulement d'actions fondé sur une séquence précise et prévisible de moyens, mais plutôt d'un déroulement d'actions fondé sur un plan.

Les problèmes surviennent quand le lecteur ne partage pas le script. Un lecteur qui n'aurait jamais voyagé en train par exemple — ou qui n'aurait jamais été témoin de la présentation d'un tel voyage — pourrait difficilement comprendre ce qui est représenté à partir de la suite fragmentaire d'actions du script. Il serait incapable, à partir des éléments donnés, de reconstruire la chaîne d'action. Pour ce lecteur, la question de savoir comment l'individu a fait pour prendre le train devient à son tour pertinente. De cette façon, l'exotisme d'une littérature étrangère traduite, d'une littérature par conséquent accessible à un lecteur qui pourrait ne rien connaître de la culture représentée, ou encore de la science-fiction et du fantastique, tient souvent à l'absence de partage des scripts utilisés et à l'incapacité de recouvrer les étapes tues.

Le script est une entité conceptuelle qui permet au lecteur qui le connaît de comprendre des suites d'actions. Cette entité tire sa source d'une connaissance pratique du domaine de l'action. Elle est donc, d'une façon ou d'une autre, en relation avec le schème interactif qui est la représentation de cette pré-compréhension du lecteur. En fait, on définit le script et le plan (spécifié en plan-acte) comme les deux modes de développement du schème interactif. C'est-à-dire qu'ils régissent le rapport établi entre le schème interactif et la situation narrative. On a proposé, dans l'étude des modalités du contrat de lecture, que la situation narrative était la projection ou l'expression discursive du schème interactif (la cinquième contrainte). Cette projection se développe suivant deux grandes modalités qui sont les scripts et les plans. Elles opèrent à partir de l'intention, la composante fondamentale du schème interactif. Le script correspond ainsi à un développement fondé sur l'opération, tandis que le plan correspond à un développement fondé sur l'agent. Ce sont les deux modes d'expression du schème interactif dans la situation narrative.

Le script se développe à partir de l'opération. Il demande donc un savoir spécifique sur les actions et les situations dans lesquelles elles se produisent et nécessite pour sa compréhension non pas une connaissance des agents, de leurs motivations et des buts qu'ils cherchent à atteindre, mais des cadres et des accessoires qui sont utilisés. Comprendre le script «aller au restaurant» requiert que l'on sache que l'agent a faim (du moins, qu'il y a pour manger). Mais c'est là un but instrumental, qui vaut pour tout agent allant au restaurant et qui informe peu sur ses motivations profondes. Le script ne permet pas de comprendre pourquoi tel restaurant a été choisi, ni quel plat a été commandé. Il ne permet pas d'expliquer que l'agent a choisi ce restaurant pour rencontrer la serveuse qu'il aime passionnément — ce qui est de l'ordre du plan; il permet de comprendre uniquement quelle est la suite d'actions impliquée par le fait d'aller au restaurant.

Si le script est un mode de développement du schème interactif, il met en jeu des éléments qui le composent. De fait, on retrouve dans la description des scripts de Schank et Abelson les différentes composantes du schème interactif. Prenons le script «aller au restaurant» (noté $-RESTAURANT), un des premiers et le plus célèbre des scripts élaborés par Schank et

Abelson. Il y a plusieurs possibilités de scripts, selon le type de restaurant fréquenté, celui choisi est le «Coffee Shop», mais d'autres *pistes* auraient pu être développées: le restaurant-bar, la cafétéria ou la cantine, la concession de type Mc Donald, le grand restaurant, etc. Le développement de ce script requiert des *conditions d'entrée:* le client a faim; il a de l'argent pour payer son repas. Il permet d'obtenir les *résultats* suivants: le client a moins d'argent; le propriétaire a plus d'argent; le client n'a plus faim; il est satisfait (ceci est un résultat possible). Pour assurer le déroulement même du script, il faut des *accessoires* (le terme utilisé est *props*, qui sert à désigner au théâtre et au cinéma les accessoires): tables, menu, nourriture, addition, argent; mais aussi des *rôles*: le client, le serveur, le cuisinier. Tous ces éléments permettent de produire un script qui se déroule en quatre actes: entrer au restaurant, commander son repas, manger et sortir en réglant l'addition. On retrouve donc dans un tel script: le cadre, le local où se trouve le restaurant, des agents et des opérations, qui complètent le plan majeur du schème interactif; et une liste plutôt incomplète d'accessoires possibles, pour le plan mineur ([35]). Le tableau II décrit les deux premiers actes du script $-RESTAURANT ([36]).

([35]) L'utilisation des concepts de rôle et d'accessoire dans ce contexte est conforme avec leur définition dans le cadre du schème interactif. Le rôle avait été en effet défini, à l'intérieur du couple rôle/statut, comme la relation entre le cadre et l'intention permettant de déterminer la raison des actions accomplies. Le répertoire des accessoires était de la même façon restreint dans le schème par la périodisatoin inhérente au cadre.

([36]) Roger SCHANK et Peter CHILDERS, *The Cognitive Computer. On Language, Learning, and Artificial Intelligence*, Don Mills (Ont.), Addison-Wesley Publishing Company, 1984.

TABLEAU II

Actes 1 et 2 du script «aller au restaurant»

Script:	RESTAURANT
Piste:	Coffee Shop
Accessoires:	Tables
	Menu
	Nourriture
	Addition
	Argent
Rôles:	Client
	Serveur
	Cuisinier
	Propriétaire

Conditions d'entrée	Le client a faim
	Le client a de l'argent
	Le client a moins d'argent
Résultats	Le client a moins d'argent
	Le propriétaire a plus d'argent
	Le client n'a plus faim
	Le client est satisfait (facultatif)

Acte 1: L'entrée au restaurant
— entrer dans le restaurant
— regarder les tables
— décider où s'asseoir
— aller à cette table
— s'asseoir

Acte 2: Commander

(le menu est   (le serveur amène   (Il faut demander
sur la table   le menu   le menu

                                          — appeler le serveur
                                          — le serveur arrive
                                          — demander le menu
                                          — le serveur donne
                                             le menu

— lire le menu
— décider (nourriture)
— appeler le serveur
— le serveur arrive
— dire au serveur «Je veux (nourriture)»

      — le serveur va à la cuisine
        — il dit au cuisinier de préparer (nourriture)

                        — cuisinier prépare (nourriture)
                        [aller à acte 4: manger]

— cuisinier répond qu'il
  n'y a plus de (nourriture)
— le serveur revient à la table
— le serveur dit «il n'y a plus de (nourriture)»
[retour à lire le menu] ou
[aller à l'acte 4: sortir]

La relation entre script et schème interactif est plus complexe que cette simple correspondance des éléments de l'un et de l'autre. Schank et Abelson proposent une typologie de trois scripts: des scripts de situation (*situational scripts*), des scripts personnels (*personal scripts*) et des scripts instrumentaux (*instrumental scripts*) ([37]). Cette typologie est insatisfaisante à bien des égards, et on en proposera une version plus complète au chapitre 5, mais déjà on remarque qu'elle reproduit les trois grandes composantes du schème: le cadre, l'intention et les accessoires. Le script se développe à partir de l'opération, il se développe donc en fonction de l'opération dans la relation de celle-ci avec les autres éléments du schème interactif, avec le cadre, l'agent et les accessoires.

Le premier type de script proposé est le script de situation. Ce sont des déroulements d'actions qui dépendent des cadres où ils surviennent. «Aller au restaurant» est un exemple de script de situation: le restaurant, en tant que cadre, impose ses propres suites d'actions, qui se présentent comme des rôles. On retrouve la même base d'actions dans des scripts tels que «aller au théâtre», «passer à la douane», ou encore «aller à la pagode». Ce dernier script survient dans *Le tour du monde en 80 jours*. Passepartout se rend à la pagode de Malebar-Hill, jouant au touriste entre deux paquebots. Il entre mais il est bientôt expulsé par les trois prêtres. Il se fait rosser parce qu'il n'a pas suivi le script qui vaut pour cette situation. En bon étranger ignorant des coutumes, il contrevient de deux façons au script: d'une part en ne respectant pas une des conditions d'entrée, à savoir que la pagode est formellement interdite aux chrétiens, et, d'autre part, en ne se soumettant pas à une des opérations obligatoires de l'entrée à la pagode, celle qui demande aux croyants de retirer leurs chaussures et de les laisser à la porte. En bon chrétien bien chaussé, Passepartout se fait donc sortir sans ménagement par les prêtres qui protègent l'entrée du temple.

([37]) R. SCHANK et R. P. ABELSON, *Scripts, Plans...*, pp. 61-66.

Le second type de script est le script personnel. Les scripts personnels sont des déroulements d'actions fondés cette fois non pas sur les cadres mais sur les agents impliqués. Ce sont des déroulements proches des plans, puisqu'ils sont fondés sur les agents, mais à la différence de ceux-ci ils n'impliquent aucune planification. Ce sont des déroulements qui ne s'inscrivent dans aucune téléonomie forte, des actions qui se suffisent à elles-mêmes, des actions habituelles.

> Les scripts personnels existent uniquement dans l'esprit du principal protagoniste. Il est composé d'une séquence d'actions possibles qui peut le mener au but désiré. Ce qui est différent d'un plan, c'est qu'il n'y a pas, pour l'agent, de planification impliquée dans le script personnel. L'agent participe à cette séquence d'événements de la même façon qu'aux autres séquences dans lesquelles il a été impliqué. Il pourrait enseigner sa méthode à quiconque lui demanderait (³⁸).

Les exemples de scripts personnels proposés par les auteurs sont: $-ÉPOUX JALOUX, $-BON SAMARITAIN, $-PICK-POCKET, $-ESPION. Ces scripts se présentent un peu comme des rôles qui dépendraient non pas des cadres mais des interactions entre les agents; ce sont des comportements ou des attitudes qui proposent des déroulements d'actions usuels, des façons personnelles de faire les choses. Phileas Fogg dans *Le tour du monde en 80 jours* est un personnage à script personnel dominant — on pourrait même dire que c'est un personnage-script, un être qui entreprend tout déroulement comme s'il s'agissait toujours de la même action. Homme pendule, sa journée est ainsi un long horaire toujours scrupuleusement respecté: «Déjeunant, dînant au club à des heures chronométriquement déterminées, dans la même salle, à la même table, ne traitant point ses collègues, n'invitant aucun étranger, il ne rentrait chez lui que pour se coucher, à minuit précis [...]» (p. 5). Sa vie n'est qu'une grande régularité. La description de sa journée au club est le reflet de cette exactitude.

(³⁸) R. SCHANK et R. P. ABELSON, *Scripts, Plans...*, p. 62.

Phileas Fogg se rendit aussitôt à la salle à manger, dont les neuf fenêtres s'ouvraient sur un beau jardin aux arbres déjà dorés pour l'automne. Là, il prit place à la table *habituelle* où son couvert l'attendait. [...]

À midi quarante-sept, ce gentleman se leva et se dirigea vers le grand salon, somptueuse pièce, ornée de peintures richement encadrées. Là, un domestique lui remit le *Times* non coupé, dont Phileas Fogg opéra le laborieux dépliage avec une sûreté de main qui dénotait une *grande habitude* de cette difficile opération. La lecture de ce journal occupa Phileas Fogg *jusqu'à trois heures quarante-cinq*, et celle du *Standard* — qui lui *succéda* — dura jusqu'au *dîner*. Ce repas s'accomplit dans *les mêmes conditions* que le déjeuner [...]» (pp. 14-15). [C'est nous qui soulignons.]

Cette description ne présente pas au lecteur une journée dans la vie de Phileas Fogg, mais bien le script «Fogg au Reform-Club», une entité fixe au déroulement déterminé. Quand il est dit que Fogg sort de table à midi quarante-sept, ce n'est pas par accident, c'est parce que midi quarante-sept est l'heure où il faut sortir de table. C'est toujours le même horaire, le même menu, le même ordre de lecture. Après le *Times* et le *Standard*, c'est le *Chronicle*, et ensuite l'immanquable partie de whist. L'ordre est immuable. Il y a en jeu aussi dans cet extrait le script de situation «aller au Reform-Club»; un script où l'on retrouve les actes: «manger à la salle à dîner», «lire au salon», «jouer aux cartes au salon» ou encore «discuter au salon». On peut y définir des rôles (serveurs, membres), des accessoires (tables, jardin ou journaux), des conditions d'entrée et finalement des résultats (avoir bien mangé, avoir gagné ou perdu aux cartes, s'être bien diverti). En fait deux scripts co-existent dans ce récit, le script de situation sur lequel vient simplement se superposer le script personnel de Fogg.

Le dernier script est le script instrumental, qui rend compte des déroulements d'actions fondés cette fois sur les accessoires utilisés et dont le mode d'emploi impose une suite définie.

Des exemples de scripts instrumentaux comprennent $-S'AL-LUMER UNE CIGARETTE, $-METTRE EN MARCHE UNE AUTOMOBILE, $-UTILISER UNE CAISSE ENREGIS-TREUSE, $-FAIRE CUIRE UN ŒUF. Il y a peu de variations avec les scripts instrumentaux. L'ordre des événements est strict et chacune des opérations doit être performée ([39]).

Il s'agit donc bien d'un mode d'emploi, de l'ensemble des opérations requises pour faire fonctionner correctement un accessoire complexe. «Tirer au revolver» fait partie de ces scripts instrumentaux.

Ces trois types de scripts sont bien fondés sur les trois niveaux de composantes du schème interactif. Le script de situation correspond à des déroulements d'actions rattachés au cadre; le script personnel à des déroulements fondés sur l'intention; et le script instrumental à des déroulements fondés sur les accessoires utilisés. Ce sont là trois modes importants du développement du schème interactif. Au chapitre 5, nous allons proposer une définition plus complexe de ces trois scripts de Schank et Abelson, une définition plus à même de rendre compte de la multiplicité des déroulements d'actions présents dans les récits du corpus.

Quels que soient son type et son degré de complexité, un script peut être plus ou moins développé dans un récit; toutes les opérations qui font partie de son mode d'accomplissement peuvent être utilisées comme aucune ne peut l'être. On dira en fait, quand le mode d'accomplissement d'un script est explicité dans un récit, que ce script est *programmé*. Le script de situation «aller au Reform-Club» est de cette façon un script programmé dans le roman de Verne. Il existe comme script uniquement dans le monde du texte parce qu'il est une invention de l'auteur. Sa présentation détaillée, l'explicitation des actions de ses membres, ses conditions d'entrées, ses rôles et privilèges sont donc une véritable programmation. La description de la journée de Fogg au Club, journée qui ressemble à toutes les autres qu'il y passe et qui est présentée comme un déroulement inaltérable d'actions, sert aussi à programmer

---

([39]) R. Schank et R. P. Abelson, *Scripts, Plans...*, p. 65.

un script personnel, celui de Fogg. La programmation est une façon de faire passer un script du monde du texte au monde du lecteur.

Programmer un script n'implique pas que le lecteur soit totalement ignorant du déroulement d'actions en jeu. Un lecteur peut savoir ce qui se passe dans un club, il peut lui-même appartenir à un club quelconque. Ce savoir est justement ce qui lui permet de s'y retrouver dans la description du Reform-Club. En fait, programmer un script est une façon de ne pas laisser le lecteur imposer son interprétation du script.

Dans la littérature populaire, on se contente souvent de simplement mentionner la présence d'un script et de donner quelques éléments de son fonctionnement, laissant au lecteur le soin de meubler à sa guise la situation. Dans les aventures de Buffalo Bill, par exemple, les mêmes cadres sont continuellement réutilisés, de façon à ne pas avoir à les spécifier d'un épisode à l'autre. Ce sont toujours les mêmes canyons, saloons, diligences et repères de bandits, les mêmes attaques indiennes, duels et chevauchées sauvages à travers les steppes, les mêmes personnages jouant les mêmes rôles de base. Le lecteur est censé connaître tous ces scripts, et on le laisse à ses propres constructions: il devient en quelque sorte responsable du territoire imaginaire couvert par le récit. Buffalo Bill entre-t-il dans un saloon, le texte fournit le patron, le bar, les tables, ainsi que la composition générale de la clientèle et demande au lecteur de suppléer tout le reste. Son savoir de ces situations ou de ces cadres et scènes est donc mis à contribution; ce qu'on peut appeler la fonction-script joue alors à plein. Dans ces fascicules, on trouve peu de descriptions; et à quoi serviraient-elles puisque le lecteur fournit les siennes, quelle que soit leur pauvreté. Si les scripts sont pauvrement représentés en littérature populaire, les plans sont par ailleurs très clairement définis. Les buts poursuivis par les héros sont bien indiqués et leurs motivations coulent de source. Le lecteur est peut-être laissé à lui-même quant au déroulement des scripts en jeu, mais il est dirigé d'une main ferme à travers la narration. Dans une littérature un peu moins populaire, par contre, c'est tout l'inverse qui se produit. Les scripts sont bien développés, ils laissent peu de place au lecteur pour improviser, et c'est toute la dimension du plan — les buts poursuivis, les motivations des agents, leurs relations —, qui est laissée indéterminée. La demande faite au lecteur ne se situe pas au niveau du script mais à celui plus important du plan et de son accomplissement.

Il reste un dernier point à développer avant de passer au plan; cela concerne la façon dont on désigne les scripts. Schank et Abelson désignent les scripts à l'aide d'un nom précédé d'un «$». Comme notre objectif n'est pas de contruire un langage de programmation, nous allons plutôt désigner les scripts à l'aide d'un syntagme verbal: le script «aller au restaurant», par exemple. Un script, pour nous, doit être désigné par l'action complexe dont il organise le déroulement. Une telle action désignatrice d'un script est une action générique. Une action générique, on le sait, est une action dont la représentation du mode d'accomplissement — que celui-ci soit défini comme un script ou un plan — est réduit à l'exposition du but général visé. C'est un état de représentation, le plus petit état possible. «Aller au restaurant» est un exemple d'action générique; c'est une action complexe dont le mode d'accomplissement est à sa plus petite expression, c'est-à-dire totalement condensé. Une représentation non générique de cette action serait celle qui mettrait en jeu les divers actes du script par lequel elle se développe. Dans notre conceptualisation, nous allons utiliser des actions génériques pour désigner le script de situation et le script instrumental. Pour les scripts personnels, par ailleurs, nous nous contenterons souvent de n'indiquer que le rôle joué par l'agent, comme le script «homme machine» de Fogg.

Le plan

Le plus important élément de l'analyse des structures de la connaissance est le plan. Le plan permet de conceptualiser les actions qui ne peuvent être organisées à l'aide de scripts, soit parce que le script n'est pas connu, soit parce que l'action est trop complexe pour être prise en charge par une structure aussi prévisible. Le plan sert à regrouper des actions dont le résultat est imprévisible et dont le déroulement n'est pas fixé à l'avance. Il est composé d'information générale sur la façon dont des agents atteignent des buts.

Le plan est ainsi cet ensemble de données générales qui permettent d'établir des connexions entre des événements qui ne peuvent être reliés selon une chaîne prédéterminée. Un plan se définit comme une séquence ordonnée d'actions organisées en fonction d'un but. Cette séquence n'est pas stable ou fixée, comme dans le cas du script; la désignation précise d'un but n'entraîne pas nécessairement une séquence précise de moyens. Un même but peut être atteint de diverses façons, à l'aide de plans différents, engendrant ainsi la nouveauté. Dans cette perspective, le script est un petit plan dont les moyens sont fixés d'avance et qui ne permet que d'insignifiantes variations. Si le processus de compréhension d'un script était fondé sur sa connaissance préalable et la capacité de l'identifier, le processus de compréhension d'un plan passe par l'identification des buts principaux visés par les acteurs du récit et par l'identification du mode d'accomplissement de chacun des sous-buts pavant la voie au but principal. Ainsi le plan, à l'opposé du script, ne demande pas un savoir particulier de situations développées mais plutôt une connaissance générale de la façon dont des actions se déroulent.

Il est cependant tout à fait plausible de supposer que les lecteurs possèdent de telles connaissances sur la planification des actions, même si cette connaissance est pour une large part tacite et non verbalisable. Par exemple, on peut supposer que la plupart des lecteurs possèdent au moins les connaissances suivantes sur la planification des actions:

(1) les buts trouvent leur origine dans les motivations fondamentales des individus telles que la survie, l'amour, le devoir, le travail, la cupidité, l'avarice, etc.;

(2) les plans sont des séries d'actions (réelles ou imaginées) qui sont entreprises avec l'intention d'aboutir à des buts plus compatibles à l'intérieur de certaines contraintes;

(3) les actions acquièrent leur valeur fondamentale par la part qu'elles prennent à l'exécution d'un plan;

(4) les actions possèdent des conditions préalables et des conséquences ([40]).

Si les plans ne requièrent pas un savoir particulier
comme les scripts, ils n'en demandent pas moins une compétence précise, celle qui régit la planification. Ce n'est donc
pas un savoir ponctuel ou spécialisé mais l'équivalent d'un
algorithme de compréhension de l'action. Ces données principales sont l'agent, le but et la séquence d'étapes intermédiaires proposées pour atteindre ce but. Nous allons désigner
l'ensemble de ces étapes à l'aide des plan-actes. Le plan-acte
est la conjonction d'un moyen et d'un but. Ce but du plan-
acte est donc soit le but même du plan, si celui-ci ne requiert
pour sa réalisation qu'une seule étape, soit un but intermédiaire, si le plan est composé d'une séquence de plan-actes.
Les huit plan-actes dans *Le tour du monde en 80 jours* et qui
composent l'itinéraire de Fogg et de ses associés présentent
la conjonction des moyens et des buts intermédiaires nécessaires à l'obtention du but principal.

Un plan se définit donc comme une suite hiérarchisée
de buts: «Un plan est une série d'actions projetées permettant
d'atteindre un but. Souvent, pour atteindre un but, d'autres
buts doivent être définis et un plan doit être établi qui permettra d'atteindre celui-ci» ([41]). Le plan demande ainsi pour
sa réalisation, et par conséquent pour que le but qu'il pose
soit atteint, une séquence d'actions qui ont toutes leurs propres buts et, en tant qu'elles sont des actions complexes, des
modes d'accomplissement qui, à leur tour, ont des buts. Tout
comme les poupées russes dont chaque élément, sauf le premier et le dernier, est à la fois contenant et contenu, les plans
se présentent comme un emboîtement de buts qui, d'un niveau
à l'autre, sont définis soit comme moyens mis en œuvre, soit
comme buts recherchés. Pour pasticher le schéma traditionnel
par lequel on représente les relations entre connotation et

([40]) J. B. BLACK et G. H. BOWER, «Compréhension et résolution de
problèmes», p. 304.

([41]) R. SCHANK et R. P. ABELSON, *Scripts, Plans...*, p. 71.

dénotation, que l'on retrouve chez Barthes ([42]), mais aussi parce qu'il s'agit du même type de relations qui est en jeu, on peut représenter par la figure 9 les relations entre les différents niveaux d'action dans un plan.

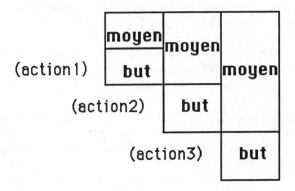

Figure 9. Relations entre les niveaux d'action

Ainsi, embarquer à San Francisco dans un wagon de l'Express du chemin de fer du Pacifique est la seule façon de prendre le train pour aller à New York, qui est un des moyens utilisé par Fogg pour faire son tour du monde en 80 jours, ce qui doit lui permettre de gagner le pari relevé au Reform Club. Bremond avait déjà observé cet emboîtement des mécanismes de spécification des séquences nécessaires à la réalisation d'un plan; il l'avait désigné du terme d'*enclave*, un enchaînement qui apparaît «lorqu'un processus, pour atteindre son but, doit en inclure un autre, qui lui sert de moyen, celui-ci pouvant à son tour en inclure un troisième, etc.» ([43]). Le passage d'une action à une autre correspond à l'intégration du plan-acte à des niveaux de planification ou des niveaux cognitifs de plus en plus généraux. Cela implique, d'une part, que le plan-acte est un concept tout aussi relatif que l'action générique qui sert

---

([42]) Roland BARTHES, *Communications*, n° 4 (1964), p. 130.

([43]) C. BREMOND, «La logique des possibles narratifs», p. 61.

à désigner son mode d'accomplissement et, d'autre part, qu'une même opération peut être interprétée différemment selon les niveaux de planification connus.

Le plan se manifeste, dans son entièreté, comme une hiérarchie de buts définissant des niveaux de planification. Cette hiérarchie n'est complète qu'en fin de récit, une fois que les buts principaux ont été ou non atteints et que tous les buts intermédiaires ont été à leur tour désignés et atteints ou non. Cela implique donc qu'en cours de récit, cette hiérarchie soit en construction et que le lecteur doive composer avec l'information disponible au moment de la réalisation des actions.

Deux grandes stratégies produisent des organisations différentes de plan-actes. Première stratégie, le plan est d'abord défini et désigné, et les actions accomplies par les personnages sont rapidement intégrées par le lecteur aux niveaux élevés et généraux de la planification: c'est le cas du *Tour du monde en 80 jours*. Les plan-actes y sont dès le départ bien encadrés, la relation entre les moyens les plus bas et les buts les plus élevés étant bien établie. Le suspense, dans un tel récit, vient surtout de la tension créée par la contrainte temporelle et par les imprévus qui peuvent empêcher les agents de la respecter. Deuxième stratégie, le plan n'est désigné, ou même défini, qu'au fur et à mesure que les actions sont accomplies. La lecture devient alors véritablement une construction, celle graduelle des différentes étapes d'une planification en voie de réalisation. Le suspense tient d'abord, dans ces récits, à l'ignorance des buts poursuivis par les agents et de la signification des actions réalisées (nous verrons, au chapitre VI, les conséquences de ces stratégies sur les processus cognitifs de la lecture). Le prologue qui forme les deux premiers chapitres de l'aventure de Buffalo Bill, *Sur la piste de la terreur du Texas*, offre un bon exemple d'une reconstruction graduelle du plan réalisé par un agent.

Le but de ce prologue, outre celui d'exposer un nouveau fait d'arme du héros — ce qui est en soi, dans ce contexte narratif, une raison suffisante — est d'expliquer la venue de Buffalo Bill dans cette région du Texas. Le récit s'ouvre ainsi sur l'arrivée incognito du héros au Hard Times Saloon. Reçu

par le patron qui lui offre à manger et avec lequel il s'entretient, il apprend la présence dans le saloon de Brazos Bill, un
bandit de la pire espèce. Ce bandit terrorise l'assemblée en
passant ses journées à lancer des défis aux cartes. Joueur
imperturbable et sanguinaire, il ne perd jamais: «Tout le
monde savait que celui qui jouait avec Brazos Bill pouvait
faire d'avance le sacrifice de son argent ou de sa vie» (p. 2).
Quand arrive Buffalo Bill, le bandit essaie justement de se
trouver une nouvelle victime pour une petite partie de cartes.
Personne n'ose répondre à l'invitation sauf Buffalo Bill qui,
à la stupéfaction générale, s'avance jusqu'au bandit. Mais le
scout ne fait pas que relever le défi lancé par Brazos Bill, il
élève la mise: ce ne sont plus mille dollars qui sont en jeu,
mais la vie même du perdant! Le gagnant de la partie aura
droit de vie ou de mort sur le perdant... Brazos Bill toujours
si calme et indifférent se met soudainement à hésiter et son
inquiétude croît quand il apprend que son interlocuteur n'est
nul autre que Buffalo Bill. Il cherche à se défiler et c'est alors
que Buffalo Bill joue sa dernière carte... Ce n'est pas un simple hasard s'il est là, ce n'est pas pour rien qu'il brave Brazos
Bill, c'est par ordre de ses supérieurs:

> Je suis venu pour vous, Brazos Bill, pour vous arrêter comme
> déserteur de l'armée, assassin et voleur, et je trouve que c'est
> maintenant le temps et le lieu; je vous offre une chance de
> vivre, en jouant, comme je le fais, ma vie contre la vôtre (p. 3).

Buffalo Bill se trouve donc au Hard Times Saloon pour
arrêter un déserteur. Un plan était donc en progression depuis
le début du récit, mais le lecteur n'en savait rien. Ce dernier
apprend même, au moment de la désignation du but principal
poursuivi par le héros, que certaines conditions préalables ont
déjà été remplies. Buffalo Bill se trouve déjà au Hard Times
Saloon, lieu de prédilection de Brazos Bill, il a discuté avec
le patron de l'établissement afin de repérer le bandit et il a
même observé son comportement. Le lecteur qui suit le récit
n'avait aucun moyen de savoir, avant cette déclaration, que
ces actions participaient à un plan autre que celui désigné par

la lecture et qu'elles avaient une raison d'être différente que celle mentionnée par le texte. Il pouvait identifier les actions mais ne pas savoir de quel plan elles étaient le moyen, puisque rien n'avait encore été ni défini ni désigné.

Nous appelons ces actions, dont on ne sait à quel plan elles participent au moment de leur dévoilement, des *actions non associées*. Cette désignation est ponctuelle: une action est action non associée jusqu'au moment où le lecteur peut l'intégrer à un plan;, puisqu'après, elle devient un plan-acte. Une action qui participe à un plan est en effet un plan-acte. Le titre du premier chapitre de cette aventure de Buffalo Bill se veut énigmatique: «Un étranger survient». Au moment de sa lecture, ceci n'est qu'une action non associée. Elle doit être prise pour ce qu'elle est, une arrivée dans un lieu quelconque. Le lecteur s'attend à ce que le texte qu'il s'apprête à lire complète l'information et il apprend rapidement qui est l'agent et quel est le lieu où il arrive, réduisant du coup le mystère. C'est Buffalo Bill qui vient d'arriver au Hard Times Saloon. L'action est intégrée en fait dans un premier déroulement d'actions limité: le script «aller au Hard Times Saloon». Le script de situation garantit l'ancrage d'une action à un cadre, permettant son identification, et les seuls buts en jeu à ce moment pour le lecteur sont ceux explicitement posés par la représentation générique de l'action («aller au bar»), à laquelle appartient l'opération «entrer dans le bar». Une action non associée est ainsi une action dont le but se limite à celui posé par sa représentation générique ou encore dont le but est celui de l'action générique désignatrice du script auquel il participe.

Ce n'est qu'au dévoilement du but poursuivi par Buffalo Bill que le lecteur peut enfin réévaluer les buts de l'action initialement identifiée. En l'inscrivant dans un plan, dans un nouveau déroulement d'actions, le lecteur la reconnaît comme moyen, lui attribuant un autre but. Si cette action est une arrivée, et en soi possède ses propres buts instrumentaux, elle est, dans la perspective du plan auquel elle se rattache, le moyen de se rendre à proximité de l'objet de sa quête.

Plan: arrêter Brazos Bill pour désertion

Plan-acte 1: MOYEN: aller au Hard Times Saloon
BUT: repérer Brazos Bill

Il en va de même pour la conversation qui se noue entre Tom Lane, le patron, et Buffalo Bill. Au moment de sa présentation, celle-ci est une action non associée qui n'a d'autres buts que ceux conventionnels d'une conversation. À partir du moment où le but poursuivi par Buffalo Bill est désigné et que du même coup un plan est défini, cette conversation bénigne se transforme pour le lecteur en plan-acte, le moyen utilisé pour obtenir des renseignements sur Brazos Bill.

Plan-acte 2: MOYEN: conversation avec Tom Lane
BUT: identifier Brazos Bill

Identifier l'ennemi et l'avoir à sa portée sont des conditions préalables à une arrestation. Ici, comme dans bien des cas, elles sont présentées comme un fait accompli avant même le dévoilement du plan.

Buffalo Bill se trouve au Hard Times Saloon pour arrêter Brazos Bill et il entend le faire en lançant un défi au bandit. À sa manière habituelle, il prend le contrôle de la situation et dicte les règles du jeu: les protagonistes vont prendre part à un duel au revolver et le premier à tirer sera celui qui aura gagné aux cartes. Un plan a été déterminé; pour le réaliser, Buffalo Bill va devoir jouer aux cartes, gagner la partie (c'est un deux dans trois), et puis, soit tirer et blesser Brazos Bill pour le rendre inoffensif, soit ne pas tirer mais sous la menace de son revolver passer les menottes au bandit. Un tel plan est risqué car Buffalo Bill peut aussi bien perdre que gagner la partie; et s'il perd, il doit d'abord subir le tir de l'adversaire avant de pouvoir s'exécuter à son tour. Le choix des moyens pris pour réaliser le but dépend bien uniquement de l'agent. Un policier normal tenterait par des moyens plus sages d'arrêter le bandit; Buffalo Bill préfère la confrontation risquée qui le met en valeur et qui prouve que même le hasard est de son côté...

À partir de ce moment dans le récit, un but est désigné. Il faut arrêter Brazos Bill. Un plan est défini, une séquence d'actions possibles est proposée afin de le réaliser. La poursuite de la lecture va montrer si cette séquence est celle véritablement exécutée. Si le plan est simple — Buffalo Bill doit trouver Brazos Bill, il doit le capturer et le ramener à l'armée où il sera jugé pour désertion —, il ne va pourtant fonctionner qu'en partie. Buffalo Bill gagne la partie de cartes mais au moment où il cherche à passer les menottes à Brazos Bill, celui-ci fait feu. Buffalo Bill répond et atteint le bandit au front, le tuant net. Le résultat est mitigé, il ne correspond pas à ce qui avait été planifié: si la carrière du bandit est arrêtée, celui-ci n'est pas pour autant aux arrêts.

Le plan de Buffalo Bill a ceci de particulier que la désignation du but survient au moment où le plan d'action est enfin défini. Le plan n'est pas préalablement défini. Il existe une séquence type d'actions — trouver, maîtriser et ramener le bandit —, qui provient d'un savoir général sur la façon dont une arrestation doit se dérouler et dont la première séquence a déjà été réalisée (le bandit est repéré), mais les modalités de l'opération principale, la capture, restent à définir. Dans ce cas-ci, c'est la situation elle-même qui va définir le plan. Tout héros de romans d'aventures se doit de pouvoir improviser et c'est ce que fait Buffalo Bill en profitant de la passion pour le jeu de Brazos Bill. En lançant un défi à Brazos Bill avec simplement des enjeux plus importants, il ne fait que répondre à l'invitation du bandit qui se cherche une victime.

Le défi lancé participe du mode d'accomplissement de l'action entreprise. Il est le moyen utilisé pour capturer le bandit. Ce défi, s'il se présente d'une façon générale comme un performatif, un dire qui est un faire, il se spécifie en une sous-séquence d'actions: il faut d'abord proposer un affrontement, le faire accepter et veiller à ce qu'il se réalise.

Plan: confronter Brazos Bill afin de le maîtriser

Plan-acte 3: MOYEN: lancer un défi
BUT: confronter Brazos Bill

Le défi proposé par Buffalo Bill consiste en deux actions imbriquées l'une dans l'autre. Il y a le duel qui permet de décider d'un vainqueur et la partie de cartes, dont on a transformé les enjeux et qui doit décider de l'ordre de tir du duel.

Plan-acte 4: MOYEN: jouer aux cartes
BUT: obtenir priorité de tir

Plan-acte 5: MOYEN: duel
BUT: tuer ou blesser son adversaire

Ainsi, de la même façon que le défi est la façon de confronter Brazos Bill, la partie de cartes est le moyen d'obtenir priorité lors du duel qui va permettre d'arrêter le bandit. Buffalo Bill s'y engage dans le but de gagner la mise, sachant que c'est par ce plan-acte que le plan va se réaliser. Le concept de plan-acte sert donc bien à faire le lien entre le plan et les opérations à la base de sa réalisation. C'est, de la même façon, par le biais des plan-actes qu'un lecteur peut passer de l'identification, à partir de son mode d'accomplissement, d'une action complexe telle que «jouer aux cartes» à son intégration dans un plan et par conséquent une narration.

Succession des plan-actes:

P.A.1
P.A.2

P.1 P.A.3
P.A.4
P.A.5

C.P.A.1
P.A.6

Mais, on l'a dit, si le plan progresse tel que prévu, le duel est accepté par Brazos Bill et Buffalo Bill gagne la partie qui lui donne priorité au duel, son dénouement est imprévu. Brazos Bill, qui voit la situation lui échapper, décide d'agir au plus tôt et, du même coup, de ne pas respecter les règles fixées. Le scout aurait dû se méfier, l'honneur ne fait pas partie du lexique du bandit. Il n'attend pas que Buffalo Bill le mette en joue, il s'empare de son arme et fait feu.

Contre plan-acte 1: MOYEN: tir au revolver
BUT: se débarrasser de la menace posée par Buffalo Bill

Plan-acte 6: MOYEN: tir au revolver
BUT: se défendre des attaques de Brazos Bill

Forcé à agir par la réaction intempestive du bandit, Buffalo Bill doit improviser une réaction. Il lui faut tirer à son tour, avec les résultats que l'on connaît: c'est six pieds sous terre plutôt qu'en taule que Brazos Bill s'en ira. Quand le plan est peu complexe, quand il est comme ici réaction aux agissements de l'adversaire, le but du plan se confond à celui du

186

plan-acte. Buffalo Bill n'a d'autre choix que de se défendre et comme moyen il ne peut que recourir à ses revolvers. Le plan n'est pas défini à l'avance; il est improvisé, défini par les actes qui le réalisent, et leurs buts se confondent. Le plan initial de Buffalo Bill n'est pas respecté: si Brazos Bill n'est plus une menace, il ne peut plus être jugé par l'instance qui avait mandaté le héros. Buffalo Bill n'a pu respecter son plan car il a dû d'abord empêcher un autre plan de se réaliser. La réussite des plan-actes 4 et 5 force en effet Brazos Bill à attaquer précipitamment. C'est afin de contrecarrer cette nouvelle action que Buffalo Bill sacrifie son plan initial.

Relations entre les plans et les scripts

Les scripts et les plans sont deux façons d'organiser des déroulements d'actions. Contrairement au script qui définissait un savoir particulier sur des situations mais valable pour n'importe quel agent — le script «aller au restaurant» est valide pour quiconque l'actualise —, le plan requiert un savoir particulier des agents participant à ces situations, tout plan étant spécifique à son agent. C'est qu'en fait, si le plan est construit en fonction d'un but, il doit être supporté par une intention, celle de l'agent. Scripts et plans mettent en jeu des variables différentes: la variable du script est l'agent qui participe à un déroulement fixe d'actions, tandis que la variable du plan est le mode d'accomplissement de l'action qui varie selon les agents.

Les plans et les scripts sont chez Schank et Abelson des concepts d'un même niveau: ce sont des modes d'organisation conceptuelle en compétition. Un plan est un script qui ne s'est pas encore sédimenté, c'est un déroulement d'actions qui n'a pas encore été répété au point de devenir une organisation conventionnelle. Le plan est invention, tandis que le script est répétition. Pourtant, il y a plus qu'une habitude qui sépare ces deux concepts; mais cela apparaît uniquement dans le contexte d'une narration, d'un récit, qui sert alors véritablement de révélateur.

Un script conceptualise un type d'action dont la réalisation est non problématique — «aller au restaurant» ou «prendre l'autobus» ne demande habituellement pas une planification élaborée et leur réalisation ne demande pas un effort conceptuel très grand, ce sont des activités routinières —; le plan est par contre une réalisation dont les résultats sont problématiques. C'est d'ailleurs la raison pour laquelle il y a planification. Cela implique, avec un plan, que l'obtention du but est le résultat d'un travail spécifique, qu'il y a une visée à l'œuvre. Les actions considérées comme des scripts n'ont pas une telle visée. Les seuls buts envisagés sont ceux directement accessibles aux opérations participant à leurs modes d'accomplissement. Parce que leur déroulement d'actions est fixe et prévisible, les scripts ne sont pas des *entités téléonomiques*, tandis que les plans, eux, le sont. Un lecteur qui identifie le script en jeu dans un texte sait à quoi s'attendre, il peut prévoir l'ensemble des actions qui risquent de survenir. Le plan, par contre, n'est pas un déroulement réglé; les moyens mis en œuvre peuvent changer selon les obstacles et les contre plans, l'ordre des actions se modifier selon les contextes, et même les buts se redéfinir ou se subdiviser selon les besoins et les capacités de l'agent à les atteindre, mais cela ne change pas le caractère premier de la planification. La téléonomie joue un rôle important, en contexte de narration, pour distinguer scripts et plans, pour leur attribuer une fonction différente dans le développement de la situation narrative.

Dans leur essai, Schank et Abelson définissent deux types de plans. Il y a le plan véritable et puis il y a des procédures d'usage (*named plan*). «Compte tenu de son caractère routinier, la procédure d'usage est une entité entre le script et le plan. La procédure d'usage est une séquence fixe de buts instrumentaux, qui constitue une démarche habituelle pour l'obtention d'un but» ([44]). Les procédures d'usage sont ainsi une étape intermédiaire entre les plans et les scripts. Ils représentent ces actions complexes qui, sans être pour autant des scripts, sont des déroulements d'actions usuels. Revenons une dernière fois à l'aventure de Buffalo Bill. Brazos Bill a accepté le défi et ils s'apprêtent à jouer, quand on lit: «Tom Lane fit venir un jeu de cartes neuf;

([44]) R. Schank et R. P. Abelson, *Scripts, Plans...*, p. 79.

les deux hommes s'assirent l'un en face de l'autre à une table au milieu de la salle, tous les autres les entourèrent debout, dans une attente muette» (p. 3).

On trouve dans cette phrase la représentation générique d'une action dont le mode d'accomplissement est une procédure d'usage. «Faire venir un jeu de carte» est une action complexe; son mode d'accomplissement, si on veut en expliciter les composantes, demande au moins une autre personne, qu'il faut convaincre d'une façon ou d'une autre de faire la course — et par conséquent une discussion ou un ordre —, un aller-retour de cette personne, l'existence d'un vieux paquet de cartes et d'un neuf, etc. La course elle-même requiert que la personne serviable sache où se trouvent les paquets de cartes neufs et comment se les procurer. Ce sont tous des éléments qui participent au mode d'accomplissement de l'action présentée et qui pourraient être manifestés dans la suite du texte ([45]).

La procédure d'usage n'est pas un script car elle ne se présente pas comme un déroulement fixe ou fini d'opérations; il y a plus d'une façon de se procurer des cartes ou tout autre accessoire. Mais elle n'est pas non plus un plan, car la connaissance du déroulement ne dépend pas des agents engagés dans l'action mais d'un savoir pratique sur la façon dont des difficultés sont résolues ([46]). Elle est ainsi une structure intermédiaire, autonome.

([45]) Une suite possible à cette proposition serait: «Le serveur revint les mains vides, il ne restait plus de paquets neufs; Brazos Bill en profita une nouvelle fois pour se désister.» Comprendre cette suite implique, de la part du lecteur, un certain nombre d'inférences concernant les procédures d'usage de la tâche proposée par Tom Lane. C'est bien un serveur qui a été mandaté; il a dû se rendre là où il croyait trouver des cartes et est revenu bredouille. Cette suite ne fait pas que présenter, sans trop de détails, le moyen utilisé, elle indique aussi le sort de l'opération. La proposition signale en effet qu'une des conditions de réussite n'a pas été remplie; il n'y avait plus de cartes neuves: la procédure est un échec. Le déroulement de l'accomplissement de la procédure a été invalidé faute de l'accessoire requis.

([46]) Les procédures d'usage reçoivent surtout des représentations génériques car le détail de leur accomplissement offre peu d'intérêt, étant du

Dans le contexte d'un récit, nous pouvons dire que procédures d'usage et scripts sont des modes d'organisation de même niveau; tous deux mettent en jeu des opérations et ont une portée téléonomique limitée. Aussi permettent-ils de comprendre non pas l'organisation complexe des actions entreprises par un agent, ce qui est de l'ordre du plan, mais les modalités de réalisation de ces actions. Le plan, quant à lui, est bien une catégorie supérieure, qui subsume les deux autres. Il a une dimension téléonomique forte et il conjoint des actions complexes, des plan-actes dont l'accomplissement demande pour sa représentation, soit un script, soit une procédure d'usage.

Par le plan on accède aux buts d'une action, tandis que ses moyens sont définissables à l'aide de scripts ou de procédures d'usage. Scripts et plans jouent donc des rôles différents dans la narration, ce que ne pouvaient entrevoir Schank et Abelson.

Nous avons décrit cette théorie des scripts et des plans afin de comprendre comment se développait la situation narrative. La situation narrative, a-t-on dit, se composait principalement des éléments du plan majeur du schème interactif, à savoir d'un cadre et d'une intention. Le cadre fournit les déterminations spatio-temporelles de la situation. L'intention fournit ses éléments fondamentaux, l'agent et l'opération qui est son élément dynamique. On comprend maintenant que cette opération soit un plan-acte.

L'élément dynamique de la situation narrative est le plan-acte. Compris comme la conjonction d'un moyen et d'un but, le plan-acte permet d'articuler les deux modes de développement du schème interactif, modes définis comme développement par script et par plan. Par le but, il participe au plan; par le moyen, il engage des scripts. La situation narrative qui contient au moins un plan-acte est donc le lieu de la réalisation d'au moins une étape d'un plan et, en tant que cette réalisation est la mise en œuvre de moyens qui ont leurs pro-

---

domaine d'un savoir conventionnel. À moins d'y trouver un intérêt particulier ou parce qu'elle va donner lieu à une situation narrative, on décrit rarement au long l'accomplissement d'une procédure d'usage.

pres modalités d'accomplissement, elle est le lieu d'un ensemble de scripts ou de procédures d'usage. Ce sont les relations entre les plans, les plan-actes et les scripts qui assurent à la situation narrative son développement.

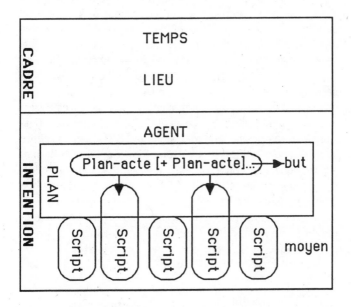

Figure 10. Développement de la situation narrative

Une situation narrative est ainsi composée d'*un ensemble de scripts, réunis entre eux par au moins un plan* ([47]). Si

---

([47]) Une telle définition de la situation narrative rejoint certains résultats obtenus par R. SCHANK dans ses travaux subséquents sur les structures de connaissance. Il correspond ainsi au concept de scène tel que défini dans *Dynamic Memory*, Cambridge, Cambridge University Press, 1982. Dans la première version du modèle des structures de connaissance (1977), le concept de *scene* (que nous avons traduit par «acte») était une des unités d'un script:

la forme d'un récit dépend des plans mis en œuvre, sa construction est fondée avant tout sur les scripts utilisés. Les actions qui sont prises comme moyens dans la réalisation des plans principaux se définissent en effet habituellement comme des scripts. Scripts et plans (spécifiés en plan-actes) sont ainsi en interaction constante: les premiers permettent de développer une situation narrative, et les seconds de lui attribuer une position dans la narration. Cela correspond bien au développement de la situation narrative dans l'aventure de Buffalo Bill. L'action complexe «aller au Hard Times Saloon», en tant qu'elle est un script de situation, permet à la situation narrative de se développer dans un cadre précis; mais, en tant que cette action est aussi un moyen de s'approcher du déserteur qu'il faut arrêter, elle fait partie d'un plan qui rend possible le développement de cette situation. C'est la même chose avec les actions «tirer au revolver», «jouer aux cartes», «lancer un défi» ou «converser avec quelqu'un», qui sont elles-mêmes des scripts ou des procédures d'usage, avec leur mode d'accomplissement particulier, mais qui sont aussi des moyens participant à la réalisation d'un plan. Nous avons pris l'exemple du Hard Times Saloon, mais le Reform-Club de Fogg ou le tapis-franc du Lapin Blanc dans *Les mystères de Paris* jouent tout à fait le même rôle.

---

l'entrée ou le repas sont des scènes issues du script $-RESTAURANT. Elles servent à organiser un ensemble d'opérations. Dans *Dynamic Memory*, Schank procède à un renversement de la hiérarchie: la scène n'est plus l'élément du script, c'est le script qui devient un élément de la scène. Or la nouvelle définition de la scène correspond tout à fait à ce qui est proposé pour la situation narrative: «Une scène définit un cadre, un but instrumental et des actions qui prennent place dans ce cadre afin d'obtenir ce but. Ces actions sont définies en fonction d'une mémoire spécifique et générale au sujet de ce cadre et de tels buts. [...] Deux types de données sont présents dans un scène. Premièrement, il y a des informations concrètes à propos de la scène et de sa description. [...] En second lieu, il y a des informations à propos des activités qui ont lieu dans cette scène. Un script, selon une définition plus étroite, est une séquence d'actions survenant dans une scène. De nombreux scripts peuvent encoder les différentes possibilités de réalisation d'une scène; c'est-à-dire qu'un script concrétise ou colore une scène» (p. 86). La scène, tout comme la situation narrative, est cet espace (mémoriel, conceptuel, narratif) que vient occuper et réaliser un ensemble de scripts.

Chapitre IV

L'enchaînement des situations narratives

La situation narrative est la projection dans un récit du schème interactif. Elle est composée principalement des éléments du plan majeur du schème interactif, à savoir un cadre et une intention, mais aussi des accessoires qui en constituent le plan mineur. Le plan-acte est son élément dynamique, le principe de son développement. Scripts et plans permettent aux moyens du plan-acte d'être représentés et à ses buts d'être désignés, ils assurent la présence de la situation narrative dans le récit. Mais une situation narrative ne fait pas que se développer librement, elle forme une chaîne avec d'autres situations narratives. C'est cet enchaînement que nous allons maintenant décrire.

Pour qu'il y ait enchaînement, il faut qu'il y ait au moins deux situations narratives, ce qui suppose la présence de mécanismes de différenciation. Nous proposons, à cet effet, que la variation d'un des quatre éléments du plan majeur du schème interactif suffit à faire passer d'une situation narrative à une autre ([1]). L'enchaînement des situations dans un récit

---

([1]) Nous laissons donc de côté le plan des accessoires. La raison en est simple: les accessoires sont subordonnés au cadre et aux moyens de l'action, ils servent surtout à spécifier la situation narrative et ne la déterminent qu'à un second degré. Un accessoire peut être le prétexte d'une action

est ainsi décrit à partir du jeu entre le lieu et le temps, qui forment le cadre, et l'agent et son plan-acte, qui constituent l'intention du schème interactif. Dans cette perspective, ces quatre éléments ne sont pas considérés de façon dynamique mais de façon statique. Ce ne sont pas leurs relations ou leur développement qui sont décrits mais leur présence ou permanence d'une situation à l'autre.

Ces quatre variables forment en tout seize possibilités théoriques (2^4) de combinaisons de situations narratives. C'est-à-dire que l'enchaînement des situations narratives d'un récit peut se réaliser de seize façons différentes, modes déterminés selon la permanence ou la variation d'éléments d'une situation à l'autre. Il ne s'agit cependant pas ici de tout répertorier, mais de montrer à partir des enchaînements les plus importants que, de l'identité la plus complète à la différence la plus absolue, le récit est une concaténation de situations narratives plus ou moins distinctes les unes des autres.

On nomme la première situation d'un récit la *situation narrative inaugurante*, et la dernière la *situation narrative finale*. Un récit minimal ou élémentaire ne contient qu'une seule situation narrative, qui s'ouvre avec le début du texte et qui se clôt à sa fin. Ce qui est indiqué par les expressions «inaugurante» et «finale», ce sont uniquement des positions, à savoir les limites effectives du récit. Rien n'est dit par conséquent du contenu de ces situations et rien ne laisse présager que ces situations correspondent aux états impliqués dans le procès narratif propre aux modèles sémiotiques. Entre ces deux situations, et quels que soient les liens qui les unissent, on retrouve un ensemble de *situations intermédiaires*, enchaînées les unes aux autres. On peut représenter cette consécution par la Figure 11.

---

ou encore son acquisition être le but de l'action. S'il joue un rôle important au niveau du développement d'une situation, sa valeur de détermination d'une situation est assez faible.

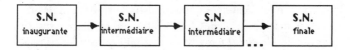

Figure 11. Enchaînement des situations narratives

Lire un récit, c'est suivre le développement d'une situation narrative et passer d'une situation à une autre jusqu'à la fin du texte. Cette progression, nous posons qu'elle s'effectue principalement grâce aux quatre éléments issus du schème interactif. Ces éléments établissent les liens, les relations entre les situations narratives inaugurante, intermédiaires et finale, et assurent la progression à travers le récit.

Nous allons distribuer les relations entre situations narratives en deux grandes catégories, selon qu'elles impliquent des situations narratives fondées sur des actions présentées en train de se dérouler ou des situation fondées sur des actions présentées comme complétées. Le premier type de relation unit les situations narratives *directrices* d'un récit, tandis que le second joue avec des situations narratives *subordonnées*. Les situations directrices sont celles qui, en se succédant et en se côtoyant, forment la ligne principale du récit. Elles peuvent s'enchaîner dans une progression linéaire simple, comme pour *Le tour du monde en 80 jours* de Verne où le récit porte en grande partie sur l'itinéraire de Fogg et de son groupe, ou se déployer en de multiples plans, comme pour l'intrigue à tiroirs des *Mystères de Paris*. Les situations subordonnées sont celles qui, plutôt que de faire progresser le déroulement de l'action, permettent au contraire d'en expliquer les particularités, narrant les motivations des agents, l'histoire de tel lieu ou de tel accessoire.

Les situations narratives directrices

L'enchaînement de base des situations narratives d'un récit est la *consécution simple*. Un agent entreprend de réaliser un projet au cours d'une première situation narrative et le passage d'une situation à l'autre illustre la réalisation des diverses étapes de ce plan. C'est la structure en place dans *Le tour du monde en 80 jours* de Verne, où l'on suit les tribulations d'un bout à l'autre de la planète de Phileas Fogg, esq., l'excentrique membre du Reform-Club de Londres, et de son domestique Jean Passepartout. C'est un pari pris au cours d'une partie de whist au Reform-Club qui est à l'origine du voyage. Fort des calculs établis par le *Morning Chronicle* suite à l'ouverture de la dernière section du «Great-Indian peninsular railway», Fogg parie avec ses six confrères de cartes vingt mille livres qu'il fera le tour de la terre en 80 jours ou moins. Phileas Fogg, faut-il le rappeler, est un être d'exactitude, il a embauché Passepartout après avoir donné congé à son domestique qui avait eu le malheur d'apporter de l'eau à quatre-vingt-quatre degrés Fahrenheit au lieu de quatre-vingt-six (p. 6). Fogg considère le minimum calculé par le journal comme nettement suffisant pour l'exploit. À qui lui fait remarquer que ce quatre-vingt jours n'est vraiment qu'un chiffre idéal qui ne tient compte d'aucun contretemps, Fogg répond par cette phrase laconique: «Un minimum bien employé suffit à tout» (p. 22).

Les données du *Chronicle* sont reproduites dans le récit:

De Londres à Suez par le Mont-Cenis et Brindisi, railways et paquebots	7 jours
De Suez à Bombay, paquebot	13
De Bombay à Calcutta, railway	3
De Calcutta à Hong Kong (Chine), paquebot	13
De Hong Kong à Yokohama (Japon), paquebot	6
De Yokohama à San Francisco, paquebot	22
De San Francisco à New York, railroad	7
De New York à Londres, paquebot et railway	9
Total	80 jours

(*Le tour du monde en 80 jours*, p. 20)

Si on reproduit ce calcul du temps nécessaire à l'accomplissement des étapes du voyage, c'est que le tableau fournit un canevas général des principales situations narratives du texte. Le tour du monde de Fogg suit en effet cet itinéraire, et le passage d'une situation narrative à l'autre, qui est le cheminement de la lecture, s'y réalise littéralement comme le passage d'une étape du voyage à l'autre. On peut représenter cette succession d'étapes à l'aide de la figure 12. Une situation narrative est présentée comme un rectangle dans lequel on trouve d'abord désigné le temps (T) et le lieu (L), puis l'agent (Ag) et son action ou plan-acte (P.A.).

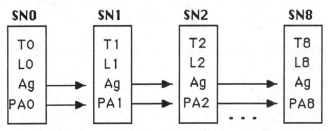

Figure 12. Succession simple des situations narratives

Le passage d'un cadre à l'autre est indiqué par la succession des temps et des lieux (T0, T1, T2, T8; L0, L1, L2, L8), tandis que la permanence de l'intention est indiquée par les flèches qui relient les agents et leurs plan-actes. L'agent, c'est Fogg accompagné de son serviteur, et l'action est ce pari qu'il faut gagner; tandis que les cadres qui se transforment sont, d'une part, les différents lieux traversés et les modes de transport qui ont servi à les parcourir et, d'autre part, à la fois la durée de tous ces déplacements et ces moments isolés par le récit. Le nombre de situations narratives ne se limite pas dans le récit à ces huit étapes. La situation narrative inaugurante du récit prend place à Londres, dans la maison de Fogg. C'est à ce moment qu'il embauche Passepartout. La situation narrative suivante prend place au Reform-Club où Fogg est allé passer la journée. C'est, en fait, le premier trajet de Fogg, son premier déplacement! Le récit, par la suite, dévie souvent de sa route, entraîné par des événements imprévus. Passepartout, par exemple, se met les pieds dans les plats chaque fois qu'il se sépare de son maître et il doit être secouru, et puis il y a le détective Fix, qui poursuit inlassablement Fogg qu'il prend pour un voleur de banque en fuite, ainsi que Mrs Aouda, sauvée *in extremis* d'un satî forcé. Tout personnage qui s'ajoute entraîne avec lui des possibilités de situations qui provoquent des aiguillages du récit, l'ouverture d'enchaînements secondaires.

Il ne s'agit donc là que de la structure de base du récit, structure proposée d'ailleurs pour être mieux déformée par la suite. L'itinéraire comporte huit étapes mais toutes ne sont pas représentées. Le voyage n'est pas raconté au complet, le trajet est segmenté, fractionné. On ne suit pas le héros à travers tous ces kilomètres parcourus, mais on s'arrête à des moments particulièrement importants, les faits saillants. L'arrivée à Suez est racontée en détail, surtout parce que Fix y attend Fogg et qu'il machine quelque plan pour l'arrêter, tandis que les sept premières journées de voyage en train et en paquebot qui ont mené à Suez sont passées sous silence (^{2}). Il faut déjouer l'attente du lecteur, programmée en quelque sorte par le plan du voyage; aussi embûches, intempéries, contretemps de toutes sortes se succèdent pour ennuyer et les voyageurs et le lecteur, pressés d'arriver à leurs fins.

Malgré les ellipses et les détours, le déroulement du récit conserve à sa base cette consécution simple de situations narratives conjointes. Une telle structure est le canevas type de ces récits où le gros de l'aventure réside dans les déplacements entrepris. C'est le cas du *Tour du monde en 80 jours* mais aussi en grande partie du *Michel Strogoff* de Jules Verne,

---

(^{2}) C'est bien, comme le mentionne Simone VIERNE dans son *Jules Verne* (p. 60), parce que cette section du parcours était trop connue du lecteur. On ne dépayse pas avec de l'usuel... La traversée du Pacifique occupe aussi peu d'espace dans le récit, malgré qu'elle soit la plus longue étape avec ses 22 jours. La raison pour cela n'est plus cette fois une trop grande familiarité mais la dissimulation d'un phénomène temporel. Au cours de la traversée du Pacifique, en passant le 180e méridien, le voyageur gagne un jour; cela, Fogg l'ignore tout comme le lecteur qui n'est pas averti. Or ce jour, qu'il faut taire et cacher jusqu'à la fin, est celui qui permet à Fogg de gagner son pari.

qui n'est qu'un long et dangereux périple à travers la Russie, de *Le professeur Flax, monstre humain,* dans les aventures de Harry Dickson, où la poursuite du dangereux criminel emporte le détective aux quatre coins de la planète — New York, Alger, Corfou, Pékin, Dublin, Londres, le Népal, la Saskatchewan —, le voyage l'emporte, et de loin, sur la détection, du *Dernier des Mohicans* de Cooper, où la route est remplacée par le sentier et ses pièges, et les trains et les bateaux par des portages. *La mémoire dans la peau* de Ludlum n'échappe pas à cette règle, l'aventure se déplaçant de Marseille à Paris, en passant pas Zurich, Washington, New York; dans la suite, *The Bourne Supremacy,* c'est toute la Chine, ancienne et moderne, qui sert de champ de bataille au héros: Hong Kong, Macao, Pekin, Kowloon, etc. *Le tour du monde en 80 jours* diffère des autres romans, en ce que l'itinéraire du héros est tout tracé d'avance. L'intérêt du récit n'est donc pas de savoir en quoi consiste l'action et où elle se poursuit, mais comment les étapes du parcours se réalisent. Et contrairement au *Michel Strogoff,* qui utilise aussi un itinéraire pré-établi mais où l'intrigue réside dans le fait qu'on cherche à arrêter par tous les moyens le messager, l'intérêt pour le tour du monde de Fogg porte sur les obstacles et les contretemps qui peuvent retarder et entraver la marche du héros.

L'enchaînement par les moyens

La consécution simple est fondée sur la permanence de l'agent et du but qu'il cherche à atteindre; les moyens mis en œuvre et représentés sont, quant à eux, autant d'étapes pavant la voie à l'obtention de ce but. Il faut distinguer, comme toujours pour chaque plan-acte, son but, pourquoi l'action est accomplie, et les moyens utilisés pour l'obtenir. Buts et moyens jouent des fonctions différentes dans la situation narrative. Le but est le mode d'enchaînement principal des situations, tandis que le moyen est le principe à la base de leur développement. Ainsi, les différents déplacements du récit (à l'aide de paquebots, steamers, trains, traîneaux, éléphants, etc.) sont ces moyens grâce auxquels les situations narratives se développent; et le pari est ce but qui les relie en une succession avant tout linéaire. Mais les moyens, en tant qu'ils sont eux aussi des actions, ont leurs propres buts. Ces but;s sont dits instrumentaux. Leur existence implique, d'une part, qu'il a une hiérarchisation des buts à l'intérieur d'un récit. Cette hiérarchie motive la définition de situations narratives secondaires, qui représentent ces cas d'aiguillage du récit. Elle implique, d'autre part, qu'il peut y avoir un second type d'enchaînement des situations, un enchaînement mineur réalisé à partir des moyens utilisés. Il existe donc deux possibilités d'enchaînement à partir des moyens. Une première possibilité met en jeu des moyens et des buts identiques. C'est le cas des situations narratives *concomitantes* ou conjointes. Si à chaque agent correspond une situation narrative, il faut donc voir dans l'association de Fogg et de Passepartout, son domestique, la conjonction de deux situations partageant les mêmes moyens et buts. Des situations concomitantes partagent nécessairement le même cadre. L'enchaînement des situations narratives représentant les étapes principales du voyage doit ainsi être réécrit:

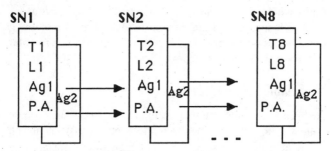

Figure 13. Situations narratives concomitantes

Cette conjonction de situations (où Ag1 désigne Fogg et Ag2, Passepartout) se transforme rapidement dans le récit: l'arrivée de Mrs Aouda ajoute, par exemple, une niveau additionnel au groupe de personnages ainsi créé. On retrouve une telle conjonction de situations narratives dans *Le dernier des Mohicans* de Cooper. Dans la première partie du roman, un groupe s'apprête à faire le trajet entre les forts Edward et

William-Henry, il est composé de Cora et de Alice Munro, filles du commandant du William-Henry qu'elles cherchent justement à rejoindre, du major Heyward, chargé de leur protection, de David la Gamme, un maître de chant qui se joint au groupe et partage la même destination. Il y a aussi Magua, dit le Renard Subtil, le Huron qui sert de guide, mais on comprend bientôt que son association au groupe de personnages est une ruse et que s'il partage les mêmes moyens, ses buts sont tout différents, sinon même contraires à ceux du groupe. De même, dans la *Le professeur Flax*, un groupe de personnages est créé autour de Harry Dickson. Il y a Tom Wills, l'inséparable élève du détective qui participe à toutes ses enquêtes et qui partage ses buts. Ethel Copper se joint au couple de justiciers pour les cinq fascicules consacrés à la poursuite de Flax. C'est elle qui, la première, met Harry Dickson sur la piste du Professeur Flax. Il y a aussi l'inspecteur français Jean Dupois. Il s'associe à Harry Dickson, à Alger dans le second fascicule, mais il est très vite retrouvé mort la tête coupée, à Corfou dans le troisième fascicule. L'intérêt de ces groupes de personnages, pour le lecteur, provient des possibilités de fractionnement de l'action par la dispersion des membres du groupe. Ce fractionnement est créateur de suspense. Les situations narratives peuvent s'anastomoser pendant un certain temps, «à la façon des fibres musculaires ou des brins d'une tresse», suivant l'expression utilisée par Bremond ([3]), et ensuite se séparer. Le récit peut mener à bien sur plusieurs plans des situations narratives toutes issues d'un groupe préalable.

Dans *Le tour du monde en 80 jours* de Verne, l'association du détective Fix au groupe de voyageurs, comme celle de Magua aux filles de Munro dans *Le dernier des Mohicans*, correspond à la seconde possibilité d'enchaînement par une même action. Ce second type d'enchaînement met en jeu des moyens identiques mais une finalité différente. Fix, par exemple, s'il s'embarque avec Fogg et ses gens dans cette randonnée à travers le globe, s'il prend paquebots, trains et steamers,

---

([3]) Claude BREMOND, *Logique du récit*, p. 29.

courant les mêmes dangers, ce n'est pas pour aider Fogg dans son entreprise, mais pour le suivre et le poursuivre. Le détective s'est en effet juré de ne pas laisser s'échapper celui qu'il croit coupable d'un vol; c'est ce but qui l'anime et qui le fait entreprendre le périple. À ces moments où ils font route ensemble, mais dans des buts différents, leurs situations narratives respectives sont dites *accolées.* Pour représenter l'accolement, fondé sur la différence des buts poursuivis et l'identité des moyens utilisés, le plan-acte sera décomposé dans la figure 14 en ses deux parties, le but (B) et le moyen (M). La partie hachurée du dessin désigne l'identité des moyens utilisés par les deux agents.

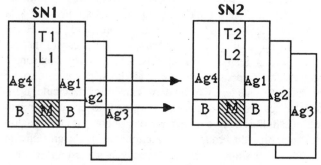

Figure 14. L'accolement de situations narratives

La situation narrative centrée sur Fix (Ag4) est accolée à celle de Fogg (Ag1) à laquelle sont associées celles de Passe-partout (Ag2) et de Mrs Aouda (Ag3). On retrouve un groupe de personnages à peu près identique dans *Le dernier des Mohicans,* où les trois premières situations concomitantes sont celles de Heyward, Alice et Cora (il en faudrait une quatrième pour le maître de chant), tandis que la situation accolée est celle du huron Magua. Tous font route dans la forêt, mais tandis que les Blancs cherchent à se rendre au fort William-Henry, Magua, leur guide, les entraîne plutôt dans un guet-apens. Correspondance des moyens donc, mais écart dans les buts.

L'accolement vaut pour les cas où il y a convergence des situations narratives, où la réunion passe par une concordance des intérêts immédiats ou des buts instrumentaux; mais elle vaut aussi pour représenter des situations de conflit, où les moyens s'opposent les uns aux autres. Une dispute ou même un corps à corps sont des exemples de situations narratives accolées dont les moyens, tout en étant identiques, entraînent la confrontation plutôt que la complémentarité. Ainsi, que ces effets soient positifs ou négatifs ne change rien à l'accolement, qui est simplement identité des moyens.

On désigne par le terme de demi-accolement deux situations narratives réunies par la mise en œuvre des mêmes moyens mais dont les cadres ne correspondent pas tout à fait. La poursuite est un cas où il y a un demi-accolement. Quand Harry Dickson poursuit Flax en voiture à travers les plaines canadiennes, poursuivants et poursuivis partagent les mêmes moyens et traversent à peu près le même territoire mais ne le font pas en même temps. Le poursuivant a un léger retard sur le poursuivi, il ne se situe pas dans le même lieu au même moment. La même chose se produit au début de l'enquête de Fix dans *Le tour du monde en 80 jours*. Avant de s'introduire dans son entourage, le détective suit Fogg à distance; il prend le même paquebot mais se tient sur un autre pont, il prend le même train et s'asseoit dans le wagon suivant. Il ne s'agit donc pas encore d'un accolement car ni le lieu ni le temps ne sont identiques. Il y a pourtant proximité, une correspondance lâche qui empêche de voir là deux situations individuelles. C'est le demi-accolement.

L'accolement requiert donc des moyens communs mais aussi une correspondance du cadre, une identité du temps et du lieu. Cette dernière condition soulève le problème des critères d'identification du cadre. Quand peut-on dire qu'il y a effectivement correspondance de temps ou de lieu? Est-ce que les diverses pièces d'un logement participent d'un même lieu? Et les wagons d'un train? Comment, de plus, établit-on une correspondance temporelle dans un contexte où le continu n'est qu'un effet de sens produit par du discontinu? Il n'y a pas de règle qui permette de trancher dans le fil du temps ou l'espace d'un lieu, il faut laisser au récit le choix d'imposer son ordre, ses distinctions. Un temps ou un lieu est jugé distinct, s'il est ainsi présenté dans le récit, si cette distinction est thématisée par le texte. Pour le décompte du temps, il n'y a identité que si deux événements sont décrits comme étant simultanés ou partageant la même aire temporelle. C'est le traditionnel «Pendant ce temps...», qui permet de mener de front deux situations narratives. On retrouve, pour n'en donner qu'un exemple, un tel marqueur d'identité temporelle à l'œuvre dans *Le tour du monde en 80 jours*. Après avoir assisté au chapitre XIX à la discussion entre Fix et Passepartout, qui s'est terminée sur l'évanouissement de ce dernier, à cause de l'opium que Fix lui a fait fumer, on retrouve dès le début du chapitre XX Phileas Fogg et Mrs Aouda: «Pendant cette scène qui allait peut-être compromettre si gravement son avenir, M. Fogg, accompagnant Mrs Aouda, se promenaient dans les rues de la ville anglaise» (p. 161).

De la même façon, il n'y a pas de règle fixe pour la détermination des limites d'un lieu: ce qui dans un texte n'est qu'un seul et même lieu devient dans un autre un ensemble complexe de cadres. Par exemple, le fort William-Henry dans *Le dernier des Mohicans* n'est qu'une seule et grande unité spatiale, tandis que la maison du 17 rue du Temple, dans *Les mystères de Paris*, contient autant de lieux distincts que de locataires. Rodolphe loue une chambre au quatrième étage de cette maison afin d'obtenir des informations sur François Germain qu'il recherche pour le compte de sa mère. Il n'est pas le seul locataire, il y a de plus, outre M. et Mme Pipelet, les portiers du rez-de-chaussée, Charles Robert au premier, qui utilise le logement pour ses rendez-vous galants, et la mère Burette au second qui prête sur gage à des taux usuraires. Le troisième est occupé par César Bradamanti, qui fait office de dentiste mais que Rodolphe a reconnu comme étant l'abbé Polidori. Il y a au quatrième deux logements: l'un est l'ancienne chambre de Germain que vient de louer Rodolphe et l'autre est occupé par Mlle Rigolette qui a bien connu l'ancien locataire. La mansarde est occupée par la famille du lapidaire Morel, famille pauvre entre toutes et qui attirera rapidement la pitié du prince Rodolphe. Le logement est ainsi

divisé en surfaces qui sont le lieu de situations narratives
distinctes.

L'enchaînement par les buts

Après les moyens, l'autre principal mode d'enchaînement des situations narratives passe par les buts poursuivis par
les plan-actes. Trois grandes possibilités d'enchaînement sont
définies, selon que les agents ou les buts varient d'une situation à l'autre. La première possibilité joue sur une permanence
de l'agent et du but de ses actions. Cet enchaînement a déjà
été rencontré, il s'agit de la consécution simple: d'une situation narrative à l'autre, le lecteur suit le héros dans l'accomplissement des diverses étapes de son action. C'est l'enchaînement le plus fréquent.

Le second type d'enchaînement consiste en une variation des agents mais en une permanence des buts poursuivis.
Deux possibilités surviennent à nouveau, selon que les moyens
employés sont identiques ou non. Si les moyens sont identiques, il y a alors concomitance des situations narratives, lien
qui a déjà été décrit. Sinon, si les moyens sont en effet différents, il s'agit plutôt de *situations concourantes*, de situations
qui tendent vers un même but. Une course, où seraient décrits
tour à tour les agissements des compétiteurs, se développerait
comme un ensemble de situations concourantes. Les récits qui
mettent en jeu des situations concomitantes sont propices à ce
type d'enchaînement. Il suffit que les agents se séparent pour
remplir chacun quelque partie d'un plan et que chaque plan-
acte donne lieu à une narration, pour qu'il y ait situations
concourantes. Ce montage, plutôt rare, se rencontre surtout
dans les récits modernes où la multiplicité des perspectives et
des focalisations, héritée du cinéma, est une stratégie narrative importante de la mise en intrigue. Dans les récits plus traditionnels, la fragmentation du groupe de personnages n'implique pas nécessairement un dédoublement du récit requis
pour qu'il y ait situations concourantes. À la fragmentation,
il n'y a souvent que les agissements d'un seul agent qui donnent lieu à une situation narrative directrice. La narration ne
récupère les agissements des autres agents que sous la forme

de situations subordonnées, quand le travail a déjà été fait. L'action, plutôt qu'être représentée comme ayant lieu, est l'objet d'une discussion, d'un échange d'information où elle est désignée comme ayant déjà eu lieu. On ne présente pas ce qui se fait, on récapitule ce qui a été fait. On retrouve un exemple simple de situations narratives concourantes dans *La morphologie du conte* de Propp, il s'agit de ces contes où il y a deux quêteurs, souvent deux frères. Le dédoublement des situations se présente comme une séparation des deux frères qui vont chacun leur chemin accomplir la tâche et il est opéré à partir d'un disjoncteur, un poteau ou un arbre ([4]). Dans ces cas où il n'y a pas compétition mais complémentarité des agents — Murph aidant Rodolphe dans *Les mystères de Paris*, Tom Wills et Harry Dickson dans *Le professeur Flax, monstre humain*, Fogg et Passepartout dans *Le tour du monde en 80 jours*, Jason Bourne et Marie Saint-Jacques dans *La mémoire dans la peau* —, la narration ne se dédouble pas en deux situations narratives directrices, mais utilise la subordination.

Le dernier type d'enchaînement entre situations joue sur une permanence de l'agent; mais une transformation des buts poursuivis. Il existe de nombreux cas d'un tel enchaînement. Les différentes aventures d'un même héros sont des exemples de ce lien. Les fascicules nous ont habitués à voir réapparaître le même héros dans des situations différentes. Harry Dickson, Buffalo Bill, Nick Carter, l'agent Ixe13; la renommée de ces personnages souvent caricaturaux tient moins à la valeur des récits qui les mettent en scène qu'à leur récurrence dans des histoires faites à leur mesure. Le passage d'un fascicule à l'autre signale habituellement le début d'une nouvelle aventure, et la permanence de l'agent permet au lecteur de ne voir dans ce passage qu'une interruption momentanée. *Le professeur Flax, monstre humain* est un cas particulier, car les fascicules y sont reliés non seulement par la permanence des agents principaux, Harry Dickson, Tom Wills, Miss Copper et le professeur Flax, mais par un projet commun, la poursuite du dangereux criminel.

([4]) V. PROPP, *La morphologie du conte*, p. 114.

À l'intérieur d'une même aventure ou d'un seul récit, cet enchaînement peut donner lieu à des situations narratives parallèles ou à l'ouverture de situations narratives secondaires. Il y a *parallélisme* des situations lorsqu'un agent entreprend de front deux grandes actions. C'est le cas notamment du prince Rodolphe de Gerolstein dans *Les mystères de Paris*. Le prince est animé d'un besoin urgent de faire le bien, qui lui vient de son naturel aventureux. C'est ce besoin qui lui fait dire à Clémence d'Harville qu'il tente de recruter, que

> rien n'est souvent plus curieux, plus attachant, plus attrayant... quelquefois même plus divertissant que ces aventures charitables... Et puis, que de mystères pour cacher son bienfait!... que de précautions à prendre pour n'être pas connu!... que d'émotions diverses et puissantes, à la vue de pauvres et bonnes gens qui pleurent de joie en vous voyant!... (tome II, pp. 112-113).

Ce besoin est à l'origine de toutes ses aventures et des deux projets principaux qui structurent l'ensemble de l'œuvre ([5]). Le premier consiste à retrouver François Germain, pour le compte de Mme Georges, le nom d'emprunt de Mme de Lagny, une cousine de Mme d'Harville, mère du mari de Clémence. Mme de Lagny était la femme de Duresnel, dit le Maître d'école, qui avait décidé de pervertir son fils François afin «de l'employer un jour à de criminelles actions» (tome I, p. 171). François refuse de participer à un complot contre la banque où il travaille et s'enfuit à Paris où le Maître d'école aidé de Bras-Rouge cherche à le retrouver. Quand, au tout début du récit, Rodolphe se trouve dans les rues mal famées du quartier du Palais de Justice, il est à la recherche de Bras-Rouge, propriétaire du cabaret le «Cœur-Saignant», qui détient des renseignements sur François. On connaît le résultat de cette démarche: plutôt que de trouver Bras-Rouge, c'est le Chourineur et Fleur-de-Marie qu'il rencontre. Ému de la triste

---

([5]) Ce sont ces motivations qui sont à l'origine de la virulente critique de Karl Marx à l'endroit du feuilleton de Sue: Rodolphe y est accusé de vanité et d'hypocrisie (critique reproduite à la fin du tome I, pp. 277-84).

histoire de l'orpheline délaissée de tous et forcée de se prostituer, et mis en appétit par les propos de La Chouette, amie du Maître d'école, qui déclare connaître ses parents, ayant été sa première gardienne, Rodolphe décide d'aider Fleur-de-Marie à retrouver ceux-ci et à se sortir de son état. Il ne sait pas que Fleur-de-Marie n'est nulle autre que cette fille qu'il croit morte et que cette quête qu'il entreprend ne peut le mener qu'à sa propre histoire. Mais ces deux projets, Rodolphe les attaque de front et ils définissent deux situations narratives parallèles.

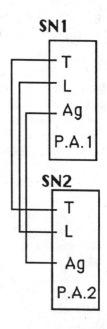

Figure 15. Parallélisme des situations narratives

Les liens qui unissent ces deux situations sont plus complexes que ne le laisse paraître ce parallélisme. La narration ne passe pas de l'un à l'autre dans un mouvement clair et non ambigu mais s'amuse à entrelacer les deux et à les faire se répondre l'un l'autre. De nombreux personnages participent aux deux. Mlle Rigolette, la locataire du quatrième, connaissait bien François Germain qu'elle aimait d'un amour inavoué, et elle avait déjà rencontré Fleur-de-Marie en prison. Le Maître d'école est le père de Germain mais il a aussi joué un rôle dans l'histoire de Fleur-de-Marie, ainsi que la Chouette, sa compagne, à qui on avait donné mille francs pour qu'elle s'occupe de l'orpheline. Bras-Rouge et Tortillard, de même, jouent un rôle dans l'affaire Germain comme dans celle de Fleur-de-Marie. Il ne s'agit donc pas de deux situations éloignées l'une de l'autre et uniquement réunies par Rodolphe et son besoin d'aventures charitables, mais de situations inter-reliées dans leur développement et qui ont même une source commune. En effet, le responsable de bien des maux, celui vers qui tout s'oriente et qui devient au fil des chapitres la source de tous ces drames rencontrés, c'est le notaire Jacques Ferrand. C'est lui qui s'est d'abord occupé de remettre Fleur-de-Marie à la Chouette et c'est lui qui employait François Germain avant de l'accuser injustement d'avoir volé dix-sept mille francs. De personnage périphérique au début, dont la présence répétée dans quelques affaires semblait une coïncidence, il devient, au fur et à mesure que le récit avance, l'ennemi par excellence, le second pôle de cette opposition entre le sang et l'argent qui anime l'ensemble du texte. Sa présence et son influence se font sentir progressivement, et c'est à la lumière de cette influence qu'apparaissent les liens entre les deux situations narratives parallèles. Leur entrelacement est ainsi relié aux multiples complots du notaire et de tous ces personnages auxquels il s'est associé. Cet entrelacement rapproche les deux situations parallèles, ce qui permet de les faire progresser de pair avec une grande économie de moyens, tout en préparant le lecteur à de multiples rebondissements.

L'ouverture de situations narratives *secondaires* est liée à la définition de nouveaux buts, de nouveaux projets différents des situations narratives principales. Elle est le mode principal d'aiguillage des récits. Le héros rencontre en cours de route une nouvelle difficulté qu'il lui faut maîtriser; aux buts principaux s'ajoutent alors des buts secondaires qui forcent le héros à quitter son chemin. Dans *Les mystères de Paris* la narration accumule ce genre de situations. Rodolphe, qui a loué une chambre au 17 rue du Temple afin de retrouver Germain, vient en aide à la famille Morel, après avoir aidé Clémence d'Harville à se sortir d'un mauvais pas. Avec Rigolette, sa voisine qu'il décide de prendre sous sa protection, il se rend au Temple, grand bazar où il espère trouver de quoi habiller les Morel, et là, en fouillant dans un vieux meuble, il trouve une lettre racontant un nouveau méfait du notaire Ferrand. Il aurait, semble-t-il, dilapidé ou volé l'héritage d'une veuve mis en dépôt chez lui. Cela suffit pour convaincre Rodolphe de chercher à voir ce tort réparé; c'est le début d'une situation narrative secondaire. La quête sera cette fois encore plus ardue. La première quête, celle de François Germain, se résumait à la découverte du lieu où il se cache; la seconde, celle de Fleur-de-Marie, consistait à retrouver l'identité de ses parents; pour cette dernière, il faut même trouver l'identité de la victime! La lettre n'est qu'un brouillon non signé et qui, outre le notaire, n'identifie que le destinataire potentiel, Mme la duchesse de Lucenay.

Les situations secondaires permettent de rendre compte des développements inattendus de situations, de l'émergence de nouveaux buts ou de nouvelles actions pour faire face à des problèmes qui demandent résolution immédiate. Une attaque indienne dans les *Buffalo Bill*, l'arrivée d'agents ennemis dans *La mémoire dans la peau*, la tempête qui fait rage entre Hong Kong et Shangaï dans *Le tour du monde en 80 jours* sont autant d'événements inopportuns qu'il faut d'abord régler avant de poursuivre son chemin. Quand, à Bombay, Passepartout (Ag2) s'éloigne du groupe pour visiter la ville, la narration de son périple donne lieu à une situation narrative secondaire. À la situation narrative suivante, Passepartout est de retour avec Fogg, qui prend le train pour aller jusqu'à Calcutta; la narration revient donc à sa ligne principale. À ce moment du récit, Mrs Aouda (Ag3) n'a pas encore été sauvée et le détective Fix (Ag4), qui a fait la traversée de Suez à Bombay sur le même paquebot que Fogg et son domestique, décide de rester à Bombay pour enquêter sur les incidents de la pagode.

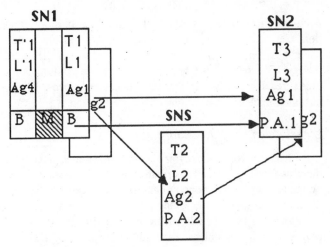

Figure 16. Passepartout à la pagode

Dans la Figure 16, trois situations narratives sont ainsi enchaînées, SN1 et SN2 qui sont les situations principales, et SNS qui est une situation secondaire, dans ce cas-ci un écart narratif tout aussi bien qu'un écart de conduite.

Dans ces représentations, les flèches qui relient les situations narratives ne désignent rien d'autre que la permanence des éléments d'une unité à l'autre. Elles ne renvoient pas à des liens logiques qui permettraient de saisir comment l'action fait passer à travers les situations, elles sont uniquement la marque d'une certaine progression temporelle. Il est difficile, en parlant d'enchaînement par l'action, de ne pas déborder dans le développement des situations narratives ou de ne pas relogifier le récit en fonction du réseau conceptuel des actions en jeu. C'est que l'action est l'élément dynamique de la situation narrative. Elle permet à la situation de se développer, ce qui rend possible son identification, mais en même temps, parce qu'elle est transformation, mouvement, le principe même de la progression, elle la dote de contours flous et estompés, qui favorisent une relogification seule capable souvent d'opérer une segmentation convenable. Ces limites incertaines sont quelque peu stabilisées si l'on remet en pers-

211

pective l'ancrage nécessaire à toute action et à sa représentation. Cet ancrage, c'est celui de l'agent sans lequel l'action
ne peut exister, mais c'est aussi le cadre dans lequel elle prend
place. Le cadre fournit à la situation narrative ses limites les
plus sûres. Il est ce facteur à partir duquel on compense l'indétermination causée par le dynamisme de l'action.

L'enchaînement par le cadre

Il est possible de revoir les enchaînements précédemment décrits à partir de la permanence ou de la variation des
lieux. Les situations concomitantes, identifiées d'abord en
fonction de l'identité des plan-actes entrepris, sont ainsi des
situations qui partagent le même lieu; et il en va de même
pour l'accolement qui est basé sur la co-présence dans un
même lieu d'agents poursuivant des buts différents. Dans la
définition des situations parallèles ou secondaires, on a omis
toute la question du cadre, pour des raisons surtout de simplicité. Il ne s'agit pas ici de reprendre ces distinctions dans la
perspective du cadre, mais de décrire des enchaînements qui
mettent en évidence et qui jouent plus directement sur les
cadres et leur permanence.

Les enchaînements décrits jusqu'à présent étaient basés
sur une permanence de l'intention et une variation du cadre.
Ce sont les cas les plus fréquents dans les romans d'aventures.
L'espace est une dimension à conquérir et l'action principale
consiste à le parcourir, pour une raison ou une autre (pari,
mission, expédition). L'enchaînement par le cadre consiste, au
contraire, en une permanence des lieux et une variation des
agents. L'aventure ne se présente plus comme la traversée
d'un lieu mais son investissement par différents agents et
actions. Technique plus proche du théâtre, où le nombre de
scènes est limité, elle consiste non pas à aller au loin chercher l'aventure et le danger mais à les laisser venir à nous.
Le péril et l'exotisme sont les marques de la périphérie, mais
celle-ci n'est pas uniquement le fait de ces pays lointains, elle
existe à même la ville, dans ses quartiers mal famés, comme
dans *Les mystères de Paris*. Les forêts et leurs sentiers sont
remplacés par ces rues peu éclairées, et les grottes et les

tavernes par tous ces bouges où le vin coûte peu, mais le danger est le même, toujours bien réel.

L'enchaînement par le cadre se présente d'abord comme une contiguïté des lieux investis par les situations narratives. On trouve un exemple de situations narratives contiguës au début des *Mystères de Paris*. Un même endroit, le tapis-franc du «Lapin Blanc», sert d'abord au développement d'une situation narrative mettant en scène Rodolphe, Fleur-de-Marie et le Chourineur. Ils discutent, mangent et se racontent. Mais le «Lapin Blanc» n'est pas désert. Pendant que le héros s'entretient avec ses invités, deux bandits se font capturer par les brigadiers venus les arrêter. Puis le Maître d'école et la Chouette apparaissent à leur tour et se mettent à table. Un même cadre sert de lieu à trois situations narratives contiguës, qui n'ont en commun que de partager le même endroit et le même temps.

On trouve de nombreux cas de contiguïté de situations narratives dans le feuilleton de Sue, mais le plus accompli prend place dans l'étude du notaire Jacques Ferrand. Ce n'est pas un ou deux mais bien cinq personnages qui défilent tour à tour dans le bureau du notaire. Le tout se développe en sept chapitres, des chapitres XIII à XIX de la quatrième partie. Dans les deux premiers, le notaire est introduit ainsi que son étude et les clercs qui y travaillent. Ce qui attire d'abord l'attention, c'est la passion du notaire pour la luxure. Cette passion était des plus fortes et c'est elle qui le perdra :

> Une seule passion, ou plutôt un seul appétit, mais honteux, mais ignoble, mais presque féroce dans son animalité, l'exaltait souvent jusqu'à la frénésie. C'était la luxure. La luxure de la bête, la luxure du loup ou du tigre. Lorsque ce ferment âcre et impur fouettait le sang de cet homme robuste, des chaleurs dévorantes lui montaient à la tête, l'effervescence charnelle obstruait son intelligence; alors, oubliant quelquefois sa prudence rusée, il devenait, nous l'avons dit, tigre ou loup [...] (tome II, p. 227).

Les cinq chapitres suivants décrivent une à une les entrevues accordées par le notaire à ses clients. Ceux-ci entrent et sortent de l'étude comme s'il s'agissait d'une gare. Le premier à entrer est M. le vicomte de Saint-Remy, mandé par le notaire pour une histoire de faux (SN1). Saint-Remy aurait fabriqué de fausses traites pour maintenir son mode de vie de jeune dandy et il lui faut maintenant payer. Le second client du notaire, qui croise à l'entrée le vicomte catastrophé, est une femme, Mme d'Orbigny (SN2). Petite, blonde et mince, elle est la belle-mère de Clémence d'Harville, dont elle a épousé le père à la suite de la mort précoce, et quelque peu étrange, de la mère naturelle. Or, M. d'Orbigny se meurt à son tour et c'est pour régler des questions d'héritage qu'elle vient rencontrer le notaire. M. d'Orbigny aurait à toutes fins pratiques déshérité son unique fille au profit de sa nouvelle femme et il faut faire confirmer les nouvelles dispositions testamentaires... À Mme d'Orbigny succède la comtesse Sarah Mac-Gregor, ancienne épouse du prince Rodolphe et mère de Fleur-de-Marie, qu'elle aussi croit morte (SN3). Sarah cherche à regagner son emprise sur le prince et vient voir le notaire pour lui proposer un marché. Jacques Ferrand est celui qui s'est occupé de Fleur-de-Marie quand, quatorze ans plus tôt, Sarah a cherché à l'éloigner du prince. L'enfant devait être placé dans une bonne maison mais le notaire a fait croire que la petite fille était morte au bout de deux ans, afin de récupérer l'argent qui lui avait été laissé en dépôt pour sa garde. Ignorant ce premier subterfuge et donc l'existence de sa fille, elle vient chez le notaire pour le convaincre de mentir sur le sort de sa fille et d'affirmer à tout venant qu'elle est encore en vie, alléguant que la nouvelle de son décès avait été une erreur maintenant corrigée. Avec le retour de sa fille, Sarah pense ainsi forcer le prince à la remarier afin de rendre légitime l'enfant, Fleur-de-Marie. Jacques Ferrand refusera cependant avec passion car ce serait là mentir pour mieux dire la vérité; et c'en est fait du projet de Sarah. Le client suivant est M. Charles Robert, officier supérieur de l'état-major de la garde nationale de Paris (SN4). M. Robert avait avancé à Jacques Ferrand trois cent cinquante mille francs pour qu'il puisse payer sa charge de notaire et depuis, il partageait avec le notaire le produit de son étude estimé à cinquante mille francs (tome I, p. 170). Ce n'est donc pas tout à fait un client comme les autres. Il se présente chez le notaire pour le prévenir de son désir de retirer ses fonds. M. Robert craint pour son argent car des rumeurs disent le notaire engagé dans de mauvaises affaires. L'entente entre les deux associés stipulait qu'un avis de trois mois était nécessaire avant tout retrait important, mais le notaire, outré, rembourse sur le champ la totalité de la somme. La dernière à se présenter est Mme la duchesse de Lucenay (SN5). Elle y apparaît voilée car sa visite doit rester secrète. Elle vient s'enquérir de ce qu'il faut faire pour effacer la dette de son escroc d'amant, M. de Saint-Remy. La somme s'élève à cent mille francs qui doivent être payés le lendemain avant midi. Incapable d'amasser cette somme en si peu de temps, la duchesse demande au notaire de lui avancer l'argent mais celui-ci refuse.

Chaque client, chaque visite est l'occasion d'une nouvelle situation narrative. Le notaire est bien sûr présent à chaque situation, mais ce sont les lieux qui servent d'abord d'élément unificateur. C'est le *notaire* Ferrand que tous ces gens viennent voir, et non Jacques Ferrand, l'homme. Le statut et le rôle d'un agent, sont toujours fonction du cadre dans lequel ils prennent place (cf. chapitre 2). C'est l'étude qui donne au notaire son statut. Les actions qu'il peut entreprendre sont liées directement au cadre dans lequel elles surviennent. Il s'agit donc avant tout d'un enchaînement par le cadre plutôt que par l'agent.

La progression entre les situations contiguës les unes aux autres peut être représentée à l'aide de la Figure 17.

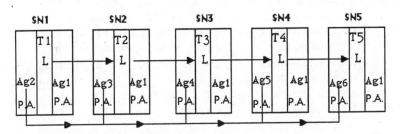

Figure 17. Contiguïté des situations narratives

Dans *Le dernier des Mohicans*, l'introduction d'Œil-de-faucon, de Chingachgook et de son fils Uncas se fait par le biais d'une forme dérivée de contiguïté des situations narratives. Le guide et ses deux amis discutent paisiblement et chassent le daim quand apparaît le groupe qui cherche à rejoindre le fort William-Henry. Ceux-ci, grâce aux bons soins de Magua qui prépare son coup, se sont perdus dans la forêt et c'est par hasard qu'ils rencontrent Œil-de-faucon. Le groupe qui fait route dans le forêt définit une situation narrative où le cadre, tout en étant autonome, communique avec celui de la chasse au daim de Nathaniel Bumppo. La réunion de ces deux groupes se fait donc par l'intersection de leurs cadres, qui sont définis par une relation de contiguïté restreinte.

Des cadres peuvent disposer de coordonnées fixes ou variables. Les récits de voyages, les narrations où les déplacements figurent au premier plan utilisent ces sortes de cadres aux coordonnées variables. Ce sont des cadres pleins, qui permettent à des situations de se développer: le paquebot, le steamer, le train, la diligence sont autant de lieux capables de développements au même titre que les chambres du 17 rue du Temple ou le salon de Mme d'Harville. En tant que contenu, ces cadres ne diffèrent point de toutes les autres scènes, c'est comme contenant qu'ils se distinguent et que de nouvelles possibilités d'enchaînement se manifestent.

Les situations narratives subordonnées

Les situations narratives subordonnées diffèrent des situations narratives directrices du fait qu'elles se développent à partir d'actions déjà réalisées au moment de leur présentation. Elles ne mettent pas en scène des actions dans le processus même de leur accomplissement mais des actions déjà complétées. Leur adjonction aux situations narratives directrices sert à confirmer et à expliquer les particularités d'un déroulement de l'action plutôt qu'à le faire avancer en tant que tel. Elles ne présentent pas ce qui se fait, elles récapitulent ce qui a été fait et qui a mené à la situation directrice.

Dans *Les mystères de Paris*, par exemple, la situation narrative directrice qui se déroule au Lapin-Blanc donne lieu

216

à deux situations narratives subordonnées. Celles-ci se rapportent à Fleur-de-Marie et au Chourineur. Incitées par Rodolphe, ces deux pauvres âmes font le récit de leur vie et des circonstances qui les ont menées à fréquenter les eaux troubles du quartier du Palais de Justice. Fleur-de-Marie raconte sa vie chez la Chouette et en prison, le Chourineur, ses mésaventures au charnier et au régiment. Et ce sont des récits qui sont proposés, pas de simples résumés ou une énumération des lieux visités. Des situations narratives sont développées, des agents sont mis en scènes, une histoire est racontée. On se transporte du Lapin-Blanc où les trois sont à table, au Pont-Neuf où Fleur-de-Marie devait vendre du sucre d'orge le soir. Des chapitres sont impartis à chacune de ces situations subordonnées.

On peut représenter la subordination de ces deux situations narratives par la Figure 18. La ligne directrice du récit est constituée des situations narratives 1 et 2, qui sont en relation de contiguïté. SN1 représente l'ensemble des situations concomitantes de Rodolphe, Ag1, Fleur-de-Marie, Ag2, et le Chourineur, Ag3, qui mangent ensemble au Lapin-Blanc. SN2 est constituée des situations narratives concomitantes du Maître d'école, Ag4, et de la Chouette, Ag5, qui pénètrent dans la taverne pendant que Rodolphe et ses nouveaux amis sont encore à table. À ces situations contiguës s'ajoutent les deux situations subordonnées introduites par les récits de la Goualeuse et du Chourineur.

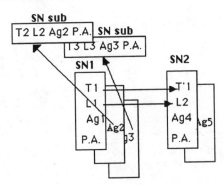

Figure 18. Les situations narratives subordonnées

Ces deux situations narratives subordonnées expliquent les raisons de la présence de la Goualeuse et du Chourineur en ces lieux mal famés. Elles ne décrivent pas des situations en voie de se compléter, elles reprennent des déroulements accomplis. La Goualeuse et le Chourineur sont là et le récit qu'ils font de leur vie permet de saisir pourquoi. Les situations subordonnées servent à compléter l'information nécessaire à la compréhension des forces en jeu dans les situations directrices. Le récit de la Goualeuse permet au lecteur de comprendre la confrontation entre Rodolphe et le Maître d'école ainsi que les mauvaises intentions de la Chouette quand elle reconnaît enfin son ancienne protégée. Celui du Chourineur est à l'origine de sa longue association avec Rodolphe.

Ces deux situations subordonnées prennent la forme de ce qui a été défini, en narratologie, comme des analepses. L'analepse est une rétrospection, soit «toute évocation après coup d'un événement antérieur au point de l'histoire où l'on se trouve», ainsi que le définit Genette ([6]). Il s'agit bien dans les deux cas d'une rétrospection. Cette rétrospection prend la forme de récits méta- et homodiégétiques, des récits dont l'instance narrative est intradiégétique, à savoir des personnages du récit, et qui concernent directement ceux qui les racontent. En fait, si les situations narratives subordonnées sont bien des récits d'événements antérieurs, elles sont un type particulier d'analepse. Elles ne sont pas *«toute* évocation d'événements» mais uniquement celles qui se développent en fonction d'un cadre et qui mettent en jeu un agent et son action. De cette façon, dans *Les mystères de Paris,* le récit de la Goualeuse et du Chourineur sont des situations narratives subordonnées, mais non le récit que Rodolphe fait de sa vie et de son métier. Il s'agit bien d'une analepse, car il est fait référence à des événements passés, sans toutefois constituer une situation narrative. Le récit ne fournit qu'une simple indication des origines de Rodolphe, parents morts du choléra, et de son métier, peintre d'éventail. En fait, le critère de différenciation des situations directrices et subordonnées n'est pas d'ordre tem-

---

([6]) Gérard GENETTE, *Figures III*, Paris, Seuil, 1972, p. 82.

porel, bien que cela joue, mais fonction de la perspective de représentation du déroulement d'actions. Selon que le déroulement est déjà complété ou en voie de l'être au moment de sa représentation, il y a soit une situation subordonnée, soit une situation directrice.

Les situations narratives subordonnées se rapportent à des situations principales, elles se rattachent par conséquent aux quatre éléments de base qui constituent toute situation. Ce sont des développements narratifs mineurs relatifs soit au cadre, soit à l'intention. Un agent, une action ou un cadre peuvent donner lieu à des situations narratives subordonnées. Comme dans *Les mystères de Paris*, où les situations subordonnées étaient reliées aux deux agents, on trouve aussi des exemples de subordination à des actions. Un bon exemple provient d'un autre best-seller de Robert Ludlum, *The Aquitaine Progression* ([7]).

Comme toujours dans les intrigues de Ludlum, il s'agit d'une machination aux ramifications multiples qu'un homme presque seul tente de briser. Cet homme, Joel Converse, est un avocat et il est impliqué bien malgré lui dans un complot d'extrême-droite visant à déstabiliser les gouvernements occidentaux afin de faire passer le pouvoir aux mains des militaires qui sauront replacer l'occident dans le droit chemin. L'action se passe en Europe et, détail pittoresque, le héros ne parle que l'anglais, ce qui entraîne des complications inouïes. Converse tente de débusquer les principaux partenaires de cette conspiration militaire et il parvient à forcer une rencontre avec ces gens à la résidence de Leifhelm, un des conspirateurs, une vaste propriété aux alentours de Bad Godesberg, en Allemagne. La rencontre finit par l'emprisonnement de Converse. Gardé dans une petite maison à la limite de la propiété, il décide de s'enfuir. Et c'est lors de la narration de son évasion qu'apparaît la situation narrative subordonnée. Avant d'être avocat, Joel Converse avait été pilote pendant la guerre du Viêt-nam et il avait été fait prisonnier au cours d'une mis-

---

([7]) Robert LUDLUM, *The Aquitaine Progression*, Toronto, Bamtam Books, 1983.

L'ENCHAÎNEMENT DES SITUATIONS NARRATIVES

sion particulièrement périlleuse. Il avait réussi à s'enfuir, à force de détermination, en descendant le Huong Khe et en se débarrassant de tous les gardes rencontrés. Dans le récit, l'analogie entre la situation en Allemagne et celle du Viêt-nam va être renforcée par la superposition des deux déroulements d'actions. La descente du Rhin rappelle la descente du Huong Khe, la quête d'une arme afin de se débarrasser des soldats vietnamiens est semblable à celle qui lui permettra de semer les sbires de Leifhelm. Ce ne sont pas deux situations concourantes ou parallèles, mais bien une situation principale et sa subordonnée (et pour que le lecteur reconnaisse aisément là situation narrative subordonnée, les événements du Viêt-nam sont présentés en italiques). Les événements du Viêt-nam ne sont pas décrits directement; c'est Converse qui se souvient et qui revoit de façon programmatique les gestes qui l'ont mené à la liberté, afin de les reproduire en Allemagne. La situation narrative de la première évasion informe cette autre en progression près de Bad Godesberg. Tel geste appelle son précédent qui le confirme et le sanctionne. Morcelée, fragmentée comme autant de souvenirs, la situation subordonnée se développe au fur et à mesure que la principale se déroule, dans une superposition adroite.

Outre l'agent et son action, il existe aussi des cas de subordination de situations narratives au cadre, à un accessoire ou un détail quelconque. Telle machine, telle blessure peuvent être l'occasion d'un récit qui en explique les particularités, les origines. Les possibilités sont, à cet effet, illimitées (⁸).

(⁸) L'exemple le plus extraordinaire provient du *Locus Solus* de Raymond ROUSSEL (Paris, Gallimard/Jean-Jacques Pauvert, 1963/1965), et le plus classique de l'*Odyssée* d'HOMÈRE. Dans *Locus Solus*, un savant fait visiter sa somptueuse propriété, dans laquelle se trouvent sept merveilles qu'il a lui-même conçues. Or, chaque merveille est l'objet d'une situation narrative subordonnée qui, introduite après sa description, en explique l'origine et l'histoire. Quant à l'*Odyssée*, il s'agit de la scène où Ulysse, de retour à Ithaque, est reconnu par sa vieille nourrice à la cicatrice qu'il porte à la cuisse. Comme l'explique en détail Erich AUERBACH, dans son chapitre sur «La cicatrice d'Ulysse»: Une série de vers vient interrompre le récit et «intervient à l'endroit exact où la nourrice reconnaît la cicatrice, donc au moment de la crise, (et)

220

Il est aisé de trouver des exemples de subordination de situations narratives. Les deux repérés ici suffisent cependant à faire comprendre le type de relation qui prévaut dans ces cas. Les situations subordonnées sont ainsi, avec les directrices, les deux grandes modalités d'enchaînement des situations narratives. Elles permettent de comprendre quel type d'itinéraire peut être proposé au lecteur dans sa progression à travers le récit. Enchaînement par les moyens, les buts et les cadres, simple consécution, parallélisme, subordination, etc. déterminent les relations établies entre les situations. Les quatre éléments dont les variations sont à la base de ces relations sont les repères qui assurent la progression de la lecture et ce sont sur eux que portent les principales conventions de la portée du contrat de lecture.

Dans le chapitre 3, nous avons décrit les modes de développement de la situation narrative, en regard de la théorie de Schank et Abelson sur les scripts et les plans. Cela a permis de comprendre de quelle façon les deux aspects de l'action, les moyens et les buts qui possèdent des modes d'expression différents, se complétaient pour constituer une situation. Dans le chapitre 4, nous avons cherché à décrire, indépendamment de leurs modes de développement, les mécanismes d'enchaînement de ces situations narratives à travers le récit. Les variations d'un ensemble limité d'éléments ont permis de rendre compte des principales relations établies entre les situations. Dans le chapitre 5, nous voulons, cette fois, tenter une relogification de la situation narrative, c'est-à-dire combiner les deux perspectives et montrer comment les déroulements d'actions permettent aux situations à la fois de se développer et de s'enchaîner les unes aux autres.

---

retrace l'origine de la cicatrice: un accident qui remonte à la jeunesse d'Ulysse, alors qu'il séjournait chez son grand-père Autolycos et chassait le sanglier. [...] Tout cela nous est raconté dans une narration qui, elle non plus, ne laisse rien dans l'ombre et dont les divers éléments se lient exactement. C'est alors seulement que le narrateur retourne dans l'appartement de Pénélope et qu'Euryclée, qui a reconnu la cicatrice avant l'interruption, laisse retomber le pied de l'homme dans le bassin» (*Mimésis. La représentation de la réalité dans la littérature occidentale*, Paris, Gallimard, 1968 p. 12).

Chapitre V

La situation narrative
et les déroulements d'actions

Une situation narrative se développe en fonction de deux principaux types de déroulement d'actions. Les uns sont liés à la représentation des moyens mis en œuvre, ce sont les scripts, les autres à la désignation des buts et leur organisation en une séquence d'étapes, ce sont les plans. Dans ce cinquième chapitre, nous allons expliciter d'avantage la contribution de ces deux types de déroulement au déploiement de la situation narrative. Nous allons ainsi nous arrêter, dans un premier temps, aux rapports qu'entretiennent les scripts avec les situations narratives et, dans un second, à ceux que les plans entretiennent avec ces situations.

Le script et la situation narrative

À travers ses différentes applications, le concept de script a reçu de nombreuses définitions, qui n'ont pas toutes respecté son contenu initial. Ce jeu définitionnel n'a pas seulement été le fait de chercheurs issus d'autres disciplines qui voulaient adapter le concept à leurs exigences; Schank lui-même, dans *Dynamic Memory* ([1]), a jugé bon d'en revoir la portée ([2]). Pour Schank cette redéfinition est le résultat d'un glissement conceptuel survenu bien malgré lui lors de la mise en pratique de son modèle des structures de connaissance.

En développant des scripts pour toutes sortes de situations (afin de dépasser l'étape du restaurant), Schank s'est aperçu qu'il était passé d'une définition théorique du script, comme séquence stéréotypée et prédéterminée d'actions qui définit une situation usuelle, à une définition pratique du script comme structure de données permettant d'effectuer des prédictions. Ce glissement, devenu inévitable, d'une théorie des inférences à une théorie des prédictions a amené Schank à revoir le cadre général de son modèle. Il a ainsi senti le besoin de subordonner ses scripts et ses plans à une structure de connaissance plus générale et malléable (le *knowledge packet*).

Mais l'intégration de ces concepts opératoires à un ensemble plus vaste, de l'ordre cette fois de la compétence, une banque de savoir, a introduit un problème de fond, soit les conditions d'existence d'une telle banque. Où et comment une banque de savoir peut-elle exister? C'est dans le but de répondre à ces impératifs ontologiques que Schank s'est tourné vers le concept de mémoire. Les savoirs existent et on les retrouve en mémoire. Dans les travaux de Schank en intelligence artificielle, le concept de mémoire a toujours été présent. Ce qui change avec *Dynamic Memory*, c'est son rôle: de contrainte pratique (la capacité de mémoire de l'ordinateur), il devient point nodal de la conceptualisation. Du savoir,

---

([1]) Roger SCHANK, *Dynamic Memory; a Theory of Reminding and Learning in Computers and People*, Cambridge, Cambridge University Press, 1982.

([2]) Comme il le dit au début du texte: «En raison d'un certain manque de cohérence, suite aux différentes problématiques en jeu, un certain nombre de structures de haut niveau ont été mal définies. La notion de script surtout, qui a été beaucoup exploitée dans le domaine, a été utilisée à toutes les sauces au point de signifier à peu près n'importe quoi. Le terme a été utilisé pour décrire un ensemble de phénomènes très différents. Ce qu'un psychologue comprenait n'était jamais ce qu'un autre disait, etc. Pour compliquer les choses, à l'intérieur même de notre groupe à Yale, nous avions des usages très différents du terme» (*ibid.*, p. 5).

comme perspective d'analyse, on passe donc à la mémoire et, qui plus est, à une mémoire dynamique, c'est-à-dire une mémoire capable de s'adapter et de modifier ces unités en fonction des expériences. Le script, comme mécanisme d'inférence, était défini uniquement en termes de savoir; sa redéfinition, comme structure de prédiction, le transforme en un processus qui, puisque organisé sur la base d'un savoir préalablement acquis, est maintenant de nature mémorielle.

Cette redéfinition du script entraîne sa recontextualisation: de principale catégorie de connaissance, régissant des unités telles que les actes primitifs, il devient à son tour unité d'une structure englobante. Il est d'abord subordonné à la scène, qui est une séquence d'action définie de façon générale et dont il n'est plus qu'une instanciation particulière. La scène est ainsi: «une structure mémorielle qui regroupe des actions partageant un but identique et survenant à un même moment. Elle fournit une séquence d'actions générales.» ([3]) Mais la scène est à son tour subordonnée à un MOP (ou *memory organization packet*). Le MOP est une structure mémorielle dynamique et générale qui sert à organiser des scènes. On a donc rapidement une structure à trois niveaux, du plus général au particulier (MOP→Scène→Script), censée rendre compte du processus de compréhension d'une situation. Selon cette nouvelle structure, on comprend le script «aller au Hard Times Saloon», par le biais de la scène «aller dans un bar», qui dépend du MOP «débit de boissons» ou encore «établissement commercial avec service».

Nul besoin de suivre Schank dans ces nouveaux développements du modèle des structures de connaissance ([4]). Nous avons déjà pallié l'insuffisance des concepts de scripts et de plans en les intégrant non pas dans une théorie de la mémoire mais dans une théorie de la situation narrative. Plu-

---

([3]) R. SCHANK, *Dynamic Memory...*, p. 95.

([4]) À la différence de Pierre MARANDA, par exemple, qui a travaillé sur les MOP, traduits en POM, «paquets organisés en mémoire», qui se transforment rapidement en POC, «paquets organisés en connotations», qui relèvent des POI, «paquets organisationels de l'imaginaire» («Imaginaire artificiel: esquisse d'une approche», in *RS/SI*, vol. 5, n° 4 (1985), pp. 376-382).

tôt que le couple savoir-mémoire, axé sur le cognitif, c'est le couple savoir-praxis axé sur le narratif qui a été choisi. Le narratif et le mnémonique ont depuis toujours été liés mais, dans leur rapport aux savoirs et aux processus de compréhension en jeu dans la lecture, ils déterminent des niveaux d'analyse et des problématiques tout à fait différents. Pour le couple savoir-mémoire, il importe de décrire comment des savoirs sont retenus, comment ils sont transformés et utilisés dans le processus de compréhension et de lecture d'un récit; quant au couple savoir-praxis, l'important est de définir quels savoirs sont effectivement requis pour la compréhension d'un récit. Il y a complémentarité entre ces deux problématiques — elle se manifeste d'ailleurs par la nécessité dans l'un et l'autre cas d'ancrer les scripts dans des catégories plus générales: la scène et le MOP pour l'un, la situation narrative et le schème intractif pour l'autre — mais à court terme leurs objectifs sont distincts et requièrent des niveaux d'analyse séparés. Quant au concept de mémoire, qui sert de condition d'existence de la banque de savoir nécessaire à la compréhension de tout récit ou déroulement d'actions, nous le remplaçons par ceux de monde du texte et de monde du lecteur. Les savoirs existent et on les retrouve dans ces mondes du texte et du lecteur que la lecture réunit.

Le script et le narratif

La notion de script n'est pas inconnue en sémiotique et en théorie littéraire. L'idée d'une structure événementielle à forte régularité est au cœur même de l'étude des genres et plus particulièrement de la paralittérature. La production paralittéraire — qui comprend tout ce qui est «en marge de la culture lettrée» ([5]), soit roman populaire, policier, rose, d'aventures, etc. — est souvent décrite comme une production standardisée, plus portée sur la répétition que sur l'invention; et on en parle justement en termes de «recette» ou de

---

([5]) Marc ANGENOT, *Le roman populaire*, Montréal, Presses de l'Université du Québec, 1975, p. 4.

formule littéraire (^{6}), qui reproduisent à leur façon cette banalisation des attentes reliées au script. Il y a différentes qualités de paralittérature, de sorte qu'il est difficile de véritablement poser une frontière entre ce qui est littéraire et paralittéraire ou même de généraliser à partir de certaines collections des caractéristiques qui vaudraient pour l'ensemble de la production; mais il semble bien que les productions plus pauvres utilisent des situations narratives stéréotypées ainsi qu'une gamme limitée de procédés littéraires.

La série des aventures de Buffalo Bill est un exemple d'une production pauvre ou «à petit budget», pour reprendre une expression de l'industrie cinématographique. Les moyens narratifs mis en œuvre y sont précaires: dans ces textes surtout axés sur les dialogues, les mêmes héros et ennemis s'affrontent dans des situations toutes plus identiques les unes que les autres. Il y a les Indiens qui ne pensent qu'à attaquer, les chercheurs d'or qui protègent leur magot, les brigands qui dévalisent tout ce qu'ils peuvent et les propriétaires terriens qui cherchent à s'enrichir. Buffalo Bill arrive à la rescousse au moment opportun, aidé de quelques «pards», et il s'en tire toujours indemne. Il serait possible, en colligeant toutes les aventures de la série des fascicules de Buffalo Bill, de dégager une structure narrative générale qui rendrait compte des diverses réalisations particulières composant le corpus; cette narration-type serait l'équivalent d'un «script».

(^{6}) C'est le terme employé par John CAWELTI dans *Adventure, Mystery and Romance* (Chicago, University of Chicago Press, 1976). Pour Cawelti, une formule littéraire est un récit conventionnel, qui se présente comme une synthèse des symboles, thèmes et mythes en usage dans une culture. Il développe l'hypothèse d'une dialectique en quatre points entre littérature à formule (*formulaic litterature*) et la culture qui la produit: 1) une formule confirme l'existence de certaines attitudes et certains intérêts dans une culture; 2) une formule résout les tensions et les ambiguïtés qui résultent des conflits d'intérêts entre les différents groupes d'une culture; 3) une formule permet au public lecteur d'explorer de façon fantasmatique les frontières entre le permis et l'interdit; 4) une formule participe au processus d'assimilation des changements de valeur qui surviennent dans les constructions imaginaires traditionnelles (pp. 35-36).

C'est d'ailleurs une telle analyse qu'a menée le groupe de recherche de Julia Bettinotti sur les romans Harlequin, dans *La corrida de l'amour* ([7]). Travaillant, à la suite de Umberto Eco ([8]), sur la notion de scénario (traduction de *frame*), les auteurs ont lu 650 titres de cette collection de romans d'amour et en ont extrait un scénario général qui vaut, avec ses variantes, pour la plupart des cas. Les auteurs présentent leurs résultats comme un scénario composé de motifs stables, ce qui correspond à ce qu'on entend ici par un script composé d'actes (ou de *scenes*):

Scénario: «Boy meets girl...»

        motifs: 1- rencontre
                   2- confrontation polémique
                   3- séduction
                   4- révélation de l'amour
                   5- mariage

Les auteurs ne le font pas explicitement, mais à la lecture de leur monographie, on peut voir, tout comme pour les scripts de Schank et Abelson, qu'il y a des conditions d'entrée générales au script: la fille doit être disponible; le garçon doit être séduisant, etc.; ainsi que des résultats: ils se marièrent et eurent beaucoup d'enfants... À cela s'ajoutent des accessoires et, plus important, des rôles: il y a ceux essentiels de l'héroïne et du héros, mais aussi ceux mineurs de la rivale ou du rival, de la confidente, de l'héroïne, des enfants et de la gouvernante. ([9])

Les travaux de ce groupe de recherche montrent la pertinence du concept de script appliqué directement en sémiotique littéraire; mais la démonstration de son applicabilité avait déjà été faite il y a fort longtemps. La forme canonique

---

([7]) Julia BETTINOTTI (éd.), *La corrida de l'amour, le roman Harlequin*, Montréal, les Cahiers du département d'études littéraires, n° 6 (1986).

([8]) U. ECO, *Lector in fabula*, Paris, Grasset, 1985.

([9]) J. BETTINOTTI, *La corrida...*, pp. 29 et ss.

dégagée par Propp ([10]), à la suite de son analyse morphologique de cent contes russes, était déjà un proto-script: une séquence fixe d'actions; et les différentes structures narratives en sémiotique, inspirées de ses travaux, sont des unités conceptuelles du même ordre. Le script permet ainsi de décrire des narrations, ou plutôt de dégager des régularités régissant des ensembles de narrations.

Le concept de script développé ici agit cependant à un tout autre niveau, *en deçà* plutôt qu'au-delà du narratif. Il nous sert en effet à déterminer l'endo-narratif, à savoir non pas quelles sont les régularités entre les récits d'un corpus qu'un lecteur apprend à reconnaître et qui viennent former ou déformer son horizon d'attente, mais quelles sont les séquences usuelles d'actions en jeu dans le développement de la situation narrative, qui permettent à un lecteur de progresser dans une narration. Avant de dire qu'un lecteur pouvait s'attendre au mariage entre l'héroïne et le héros s'il connaissait le script «boy meets girl», parce que le mariage est une de ses scènes essentielles, il est important pour nous d'expliquer comment ce lecteur a fait pour savoir que c'était bien un mariage qui était représenté. Le concept de script s'applique indifféremment à ces deux niveaux ([11]) et nous l'utilisons ici uniquement pour définir ce niveau inférieur de la lecture, c'est-à-dire l'endo-narratif.

Une typologie des scripts

Nous avions brièvement esquissé précédemment la typologie des scripts proposée par Schank et Abelson. Trois grands types avaient été définis: les scripts de situation, les scripts personnels et les scripts instrumentaux. Revenons main-

---

([10]) V. Propp, *Morphologie du conte.*

([11]) C'est la raison pour laquelle nous avons conservé le terme de «script», qui est une traduction littérale du terme anglais, pour désigner ce savoir du lecteur spécifique à des activités; le terme de «scénario» aurait été plus juste mais, déjà en usage pour rendre compte des régularités narratives, il aurait introduit des ambiguïtés inutiles dans notre analyse.

tenant sur chacun de ces scripts afin d'en spécifier certaines particularités en fonction du développement et de l'enchaînement des situations narratives. Cette recontextualisation va entraîner nécessairement certaines modifications. Les trois catégories seront respectées mais, d'une part, les scripts d'interaction vont remplacer les scripts personnels, ces derniers n'étant finalement qu'un sous-ensemble des premiers, et d'autre part, le but de la description ne sera pas de détailler des scripts opération par opération mais d'indiquer leur rôle dans la situation narrative.

LE SCRIPT DE SITUATION

Le script de situation est un déroulement d'actions fondé sur le cadre. Puisque le cadre fournit l'environnement spatio-temporel nécessaire à la représentation d'une action (seconde contrainte), il détermine les scripts à la base du développement de la situation narrative. L'introduction d'un nouveau cadre, dans l'enchaînement des situations narratives, est à chaque fois l'occasion d'un ou de nouveaux scripts. Ces scripts confirment la présence du cadre et lui permettent de se déployer à la grandeur de la surface narrative. Que ce soit un saloon du Far-west ou un salon parisien du dix-neuvième siècle, une banque allemande ou un cabinet de notaire, un magasin de haute couture, dans *La mémoire dans la peau*, ou le Temple, ce grand bazar dans *Les mystères de Paris*, une fête russe, une église ou un restaurant, tous ces cadres définissent des déroulements d'actions prévisibles et clos.

Mais il faut faire attention: la mention d'un lieu ou d'un cadre quelconque n'appelle pas *ipso facto* le script de situation qui le caractérise. Si dans la description d'une poursuite, le narrateur nous informe que les personnages ont traversé la salle à manger d'un club, sans que rien ne soit dit ni de la salle à manger, ni de sa clientèle ou du menu, ou encore si un personnage en informe un autre que le salon se situe immédiatement après la salle à manger, dans l'un et l'autre cas aucun script de salle à manger n'a été développé; dans le premier exemple, la salle à manger est utilisée comme cadre, puisqu'on y passe, tandis que dans le second il ne figure que comme mention. Si, par contre, le narrateur décrit comment les fuyards, en passant à travers la salle à manger, ont renversé deux tables dont une était occupée par un vieil original qui y dégustait un rosbif, comment ils ont rudoyé le serveur qui arrivait avec la théière du client; là, même si ce n'est qu'indirectement, un script «aller à la salle à manger» est en jeu. Un script de situation peut ainsi être bien développé dans un texte comme il peut rester à l'état latent.

Le cadre prend donc place dans là narration à l'aide de scripts qui le définissent comme situation. Il faut au moins un script pour qu'il y ait situation narrative, mais une situation peut mettre en jeu plusieurs scripts et leur servir de principe organisateur. Le London Reform-Club est le cadre de la plus importante situation narrative dans *Le tour du monde en 80 jours* — importante bien sûr parce qu'elle est le point de départ de l'aventure de Fogg. C'est un club, c'est donc par définition une «société littéraire, ou cercle plus ou moins aristocratique, où l'on se réunit *pour causer, lire, jouer*» ([12]). Pour le Reform-Club, il faudrait ajouter «manger» à la liste des actes «causer», «lire» et «jouer», mais cette définition reproduit assez bien les différents scripts participant au mode d'accomplissement d'un tel script de situation. Il est intéressant d'ailleurs de remarquer que même le dictionnaire décrit le club comme un script puisqu'il le définit à partir des activités qu'il organise.

Le Reform-Club est ainsi un script de situation, avec ses conditions d'entrée, ses résultats, ses rôles, etc. Mais il est un script de type particulier, qui ne fait pas qu'organiser un déroulement d'actions précis mais qui est aussi le lieu d'un ensemble de scripts plus restreints qu'il organise. «Manger à la salle à dîner», «lire au salon», «jouer au whist», «causer avec ses pairs» sont aussi des déroulements d'actions autonomes et complets qui doivent être décrits comme des scripts ou des procédures d'usage. Ils prennent place au Reform-club mais s'en distinguent, comme des ensembles de niveaux différents.

([12]) *Lexis*, 1979. C'est nous qui soulignons.

Ce ne sont pas tous les cadres qui définissent à un premier degré des scripts. Des cadres tels que la rue, la forêt ou la mer ne mettent pas directement en jeu des scripts, comme le font le restaurant ou le club. Au mieux ces cadres appellent-ils des procédures d'usage, qui sont à mi-chemin entre le script et le plan, ou des compétences particulières: la connaissance de la forêt, par exemple, chez Cooper ou encore Ludlum. Mais quelle que soit leur aptitude à déployer leurs propres scripts de situation, tous les cadres peuvent être le lieu ou l'occasion du développement d'un ensemble complexe de scripts. Parce qu'ils sont habités, et par des agents et par des accessoires, les cadres peuvent donner lieu, à un second degré, à des scripts personnels ou instrumentaux, à des scripts par conséquent issus d'une autre base. Dans le récit de Verne, par exemple, le script de situation du Reform-club enchâsse, à un premier degré, les différents sous-scripts auxquels ses activités donnent lieu mais il permet aussi, à un second degré, le déroulement du script personnel de Phileas Fogg. Ce script consiste en la série immuable des opérations: arriver - manger - lire - manger - lire - causer + jouer au whist - partir, série qui n'existe que dans le cadre du club.

Le cadre participe de deux façons au développement de la situation narrative. En tant que *scène*, il donne lieu à ses propres scripts de situation. Les vastes prairies américaines ne mettent en jeu, au premier degré, aucun script précis; mais quand elles sont traversées par une caravane de marchands, comme c'est le cas dans *La prairie* de Fenimore Cooper avec la famille d'Ismaël Bush partie à l'aventure avec quelques chariots, ou encore quand elles deviennent le territoire de chasse du trappeur Nathaniel Bumppo et de son chien Hector, elles n'en sont pas moins à l'origine d'un certain nombre de scripts: chasser, monter à cheval, conduire un chariot, préparer le campement, faire le guet, etc. Mais, en tant qu'*environnement*, il est cet espace occupé par des agents et des accessoires, susceptible non seulement de déroulements fixes et prévisibles mais encore d'événements hors de l'ordinaire. De la même façon qu'un cadre peut mettre en jeu des scripts à un second degré, il peut être le théâtre d'actions impromptues. La prairie de Cooper est aussi le théâtre d'une attaque de Sioux, d'un duel ou encore de la charge d'un troupeau de bisons affolés. Si le cadre est ouvert à une multiplicité d'actions, il n'en accepte pas toutes les possibilités. De même que le cadre restreint le choix des accessoires d'une situation narrative (c'est la quatrième contrainte du schème interactif), il privilégie certains événements et déroulements d'actions et en écarte d'autres. La prairie de Cooper permet facilement une attaque des Sioux mais on voit difficilement un orchestre de chambre y jouer une fugue. Chaque cadre possède donc son répertoire d'actions ou de plans possibles. C'est d'ailleurs la surutilisation des actions d'un répertoire, dès le départ limité, qui est la base de la stéréotypie d'une production populaire. Les fascicules des aventures de Buffalo Bill, qui ne font que répéter la formule une première fois utilisée par Cooper dans sa *Légende de Bas-de-cuir*, sont avant tout répétitifs parce qu'ils n'utilisent qu'un nombre limité de cadres aux possibilités narratives restreintes: le saloon et les parties de poker qui finissent en duel, les steppes et les attaques indiennes, le cañon et l'embuscade, etc. Tel agent plus tel cadre donnent inévitablement dans ces récits tel déroulement «imprévisible» d'actions. C'est la banalisation de l'action.

Le meilleur exemple, par ailleurs, de la capacité du cadre à provoquer des actions et des plans provient du thriller de Ludlum, *The Bourne Supremacy* ([13]). L'exemple se présente comme un leitmotiv. Dans ce récit, David Webb, alias Jason Bourne, est bien malgré lui de retour en Asie pour une mission de la plus haute importance. Il doit neutraliser un tueur qui perturbe par ses activités l'échiquier politique et économique de la région, et qui y parvient en se faisant passer justement pour Bourne. En effet, dans une mission précédente et pour le compte du gouvernement américain, David Webb avait réussi à se bâtir en Asie une incroyable réputation de terroriste et de tueur à gages; mais son départ pour l'Europe avait laissé un vide qu'un nouveau tueur s'est empressé de com-

---

([13]) R. LUDLUM, *The Bourne Supremacy*, Toronto, Bantam books, 1986.

bler. Webb doit donc revenir dans son ancien fief pour y chasser l'imposteur. Mais, parce que l'opération doit rester secrète, c'est sans armes et presque sans appui que Webb va devoir travailler. C'est dire que sa faculté d'improviser sera grandement mise à contribution. Or le leitmotiv concerne justement cette faculté de Webb à improviser, faculté maîtresse pour tout héros de roman d'aventures: «Des occasions vont survenir. Reconnais-les. Utilise-les» ([14]). Ce précepte — ou plutôt cette pensée, puisque l'italique est utilisé dans ce contexte pour rendre compte du monologue intérieur des personnages — apparaît au moins à six reprises dans l'espace de 200 pages, au moment de l'intrigue où Webb et sa femme, qui a été enlevée et qui a réussi à s'enfuir, sont séparés l'un de l'autre et chacun dans une situation précaire. Il leur faut improviser des stratégies pour se sortir d'embarras et c'est ce qu'ils se répètent pour s'encourager. Savoir utiliser les occasions qui se présentent est une qualité essentielle pour un agent de la narration; mais l'existence même de ces occasions est le signe le plus probant de l'importante contribution du cadre au développement de la situation narrative.

LE SCRIPT D'INTERACTION

Le script d'interaction est un déroulement d'actions standardisé fondé sur l'agent. Il remplace la catégorie du script personnel de Schank et Abelson, qui est une catégorie fourre-tout dans laquelle on retrouve à la fois des rôles, des attitudes, des occupations, des comportements idiosyncrasiques, etc. Les exemples de scripts personnels donnés par Schank et Abelson sont: $-ÉPOUX JALOUX, $-BON SAMARITAIN, $-ESPION, $-AMANT REJETÉ. Ces scripts reposent tous sans

---

([14]) Le texte anglais dit ainsi: «*Opportunities will present themselves. Recognize them. Act upon them*». On le retrouve aux pages 182, 221, 273, 275, 387, 390. Une autre phrase, complémentaire à celle-ci, revient avec la même régularité: «Étudie tout. Tu trouveras bien quelque chose à utiliser» (pp. 183, 501, etc.).

contredit sur l'agent mais ils ne mettent pas en jeu les mêmes composantes. Être un espion, par exemple, est un script de l'ordre de la profession, c'est-à-dire un rôle, qui met en relation un agent avec un cadre quelconque, tandis qu'être un amant rejeté est un script fondé sur la relation — ou dans ce cas-ci l'absence de relation — entre deux agents. Bien qu'ils soient tous deux organisés en fonction d'un agent, ces scripts se distinguent par l'autre terme impliqué dans la relation qui les fondent. Plutôt que de parler uniquement de scripts personnels, nous allons spécifier trois grands types de scripts d'interaction, parmi lesquels on va retrouver les scripts personnels, les scripts d'usage et les scripts d'interaction proprement dits. Ces scripts sont définis en fonction du type de relations qu'ils réalisent: relation de l'agent à lui-même, relation de l'agent au cadre et/ou à un accessoire, relation de l'agent avec un autre agent ([15]).

1° Le script personnel

Le script personnel met l'agent en relation avec ses propres déterminations, ses habitudes, ses façons d'agir privilégiées. Les scripts personnels sont des comportements idiosyncrasiques, qui sont les résultats de coutumes ou de tempéraments, de ces ensembles de tendances qui conditionnent les réactions d'un individu. Le script de l'homme-machine de Phileas Fogg, dans *Le tour du monde en 80 jours*,

---

([15]) La question des scripts d'interaction est importante car, dans le contexte de la situation narrative, elle est reliée à celle du personnage et de ses déterminations. Le personnage a déjà attiré l'attention en sémiotique littéraire. P. HAMON avait déjà, dans ses recherches «Pour un statut sémiologique du personnage (in R. BARTHES et *al.*, *Poétique du récit*, Paris, Seuil, 1977, pp. 115-180) fait un survol assez complet des différentes possibilités d'analyse de cette entité narrative. Plus récemment, un colloque consacré au personnage à l'université de Toulouse-Le-Mirail avait lieu et les actes étaient publiés sous le titre de *Le personnage en question; actes du IVe colloque du S.E.L.* (Université de Toulouse-Le-Mirail, Service des Publications, 1984); on retrouve dans cet ouvrage un texte de M. EZQUERRO («Les connexions du système PERSE», pp. 103-110), qui est une tentative de définition systématique de ce concept.

est l'exemple par excellence du script personnel, de cette propension d'un agent à toujours agir et réagir de la même façon et par conséquent d'amorcer des déroulements d'actions prévisibles puisque répétitifs.

Les personnages à script personnel dominant sont monnaie courante en littérature et leur idiosyncrasie est un procédé comique. Et c'est bien l'effet qui est recherché avec des personnages tels que David La Gamme, dans *Le dernier des Mohicans*, qui ne sait ni tirer du revolver ni se débrouiller dans le bois mais qui entonne à tout moment des psaumes; Mme Pipelet, dans *Les mystères de Paris*, la concierge du 17 rue du Temple dont la figure est censée être à ce point connue du lecteur que l'auteur ne se donne même pas la peine de la décrire:

> L'Hogarth français, Henri Monnier, a si admirablement stéréotypé la portière, que nous nous contenterons de prier le lecteur, s'il veut se figurer Mme Pipelet, d'évoquer dans son souvenir la plus laide, la plus ridée, la plus bourgeonnée, la plus sordide, la plus dépenaillée, la plus hargneuse, la plus venimeuse des portières immortalisées par cet émiment artiste (tome II, p. 186).

Il en va de même, dans *Les mystères de Paris*, de Mlle Rigolette, la voisine de Rodolphe dans cette maison de la rue du Temple, dont le budget et l'horaire journalier sont réglés dans les moindres détails (Il y a même un chapitre intitulé: «Le budget de Rigolette; tome II, quatrième partie, chapitre IV); ou encore d'Alcide Jolivet et de Harry Blount, les deux journalistes dans *Michel Strogoff* qui se livrent une lutte sans merci à la recherche de l'exclusivité journalistique et qui s'opposent comme nuit et jour. Le Français est vif, pétulant, et surtout doté d'un appareil optique «singulièrement perfectionné par l'usage» (p. 8), tandis que l'Anglais est au contraire compassé, froid, flegmatique, et bien sûr doué d'un système auditif «spécialement organisé pour écouter et pour entendre» (p. 8). Ensemble puisque cherchant coûte que coûte à se devancer, ils vont faire route jusqu'aux confins de la Russie, l'un «tout yeux» et l'autre «tout oreilles».

Ce ne sont là que quelques exemples de personnages dont les scripts personnels permettent à un lecteur de prévoir leur comportement dans des situations diverses. Cette prévisibilité est ici intentionnelle et elle est un procédé littéraire, mais elle peut être aussi non-intentionnelle, c'est-à-dire répondre à des objectifs économiques plutôt que littéraires. Ce qu'on entend habituellement par des personnages stéréotypés — et parmi lesquels il faut classer Buffalo Bill ainsi que Harry Dickson et Tom Wills —, ce sont des personnages dont les actions sont prévisibles parce que le résultat de l'application directe d'une formule. Il y a, par exemple, 557 titres américains originaux des aventures de Buffalo Bill, aussi est-il inévitable que d'une aventure à l'autre le héros du Far-west présente les mêmes attitudes et habitudes ([16]), que sa composition actorielle tienne plus de la formule et de la répétition que de l'invention. En fait, à travers ces fascicules mais aussi les pièces de théâtre où il a joué son propre rôle et le «Wild West Show» qu'il a monté, le personnage est à ce point connu, ses motivations de tels lieux communs que, pour le lecteur, et même pour tout américain tant le personnage est populaire, la seule mention de son nom suffit à annoncer des déroulements d'actions héroïques et des gestes justiciers. Il y a véritablement un script «Buffalo Bill». Cowboy sans peur et sans reproche, toujours victorieux quoique humble dans la victoire, joueur audacieux, premier super-héros américain, Buffalo Bill est cette constellation figée de traits qui lui servent de raisons d'agir. L'a-psychologisme des personnages, un des modes de développement du récit selon Todorov ([17]), se manifeste bien par le recours systématique à des scripts personnels.

Les personnages de Harry Dickson et de Tom Wills sont des cas intéressants de scripts personnels empruntés, pour ne pas dire littéralement copiés. Le célèbre détective américain et son fidèle étudiant sont des copies conformes de cet autre

---

([16]) D. JONES, *The Dime Novel Western*, Bowling Green University, Popular Press, p. 65. En fait, cet auteur montre comment le personnage de Buffalo Bill s'affine au fur et à mesure que la série progresse, pour être de plus en plus éloigné de la réalité, imaginaire.

([17]) T. TODOROV, «Les hommes-récits», pp. 33 et ss.

duo de détectives anglais provenant de la plume de Sir Arthur Conan Doyle, Sherlock Holmes et le docteur John Watson. Cela se comprend facilement quand l'on sait que les aventures de Harry Dickson, que l'on surnomme justement le Sherlock Holmes américain, sont des traductions françaises d'une série allemande d'aventures apocryphes de Sherlock Holmes, dont on a dû changer le nom pour des questions de droits d'auteur ([18]). Dickson=Holmes, Wills=Watson; on ne fait que changer les noms pour les besoins de la traduction, les aventures restent les mêmes. Et ce n'est pas que les aventures, les manies, les tics, les idiosyncrasies des personnages sont conservés. Harry Dickson continue à fumer la pipe, il reste plongé lui aussi dans de profondes méditations et son sens de l'abduction est tout aussi extraordinaire que celui de son modèle ([19]). Tout autant que le phénomène de popularité de ces récits, la possibilité même d'aventures apocryphes du détective anglais devient un centre d'intérêt. Sherlock Holmes est suffisamment typé pour être reproduit et intégré à de nouveaux contextes. Comme pour Buffalo Bill, il y a finalement un script «Sherlock Holmes», ce qui le transforme en *bien public*.

À l'inverse des personnages stéréotypés, il y a les Nathaniel Bumppo et les Rodolphe, prince de Gerolstein, qui sont eux des modèles de personnages. Cooper est un des premiers auteurs américains à avoir développé la frontière comme lieu problématique, comme cette ligne imaginaire entre la sauvagerie et la civilisation, et il est considéré comme l'une des

---

([18]) Lire à ce sujet la préface de Gérard DÔLE à la publication, chez Corps 9, de *Harry Dickson: La saga de Flax, monstre humain* (1983). Comme il le mentionne, on changea le titre de la série «par suite d'une mise en demeure des ayant-droits pour la France des Sherlock Holmes écrits par Conan Doyle» (p. 11). La série allemande portait le titre de «Aus den Geheimakten des Welt-Detektivs» (Issu des dossiers secrets du détective de réputation mondiale).

([19]) Avec Jean Ray, cependant, les aventures de Harry Dickson vont bien vite acquérir une indépendance complète «puisqu'il ne s'agit plus de traductions/adaptations/améliorations/réécritures partielles des textes en néerlandais ou en allemand, mais de pures créations» (G. DÔLE, *Harry Dickson...*, p. 15).

sources du western ([20]). C'est dire l'influence du cadre proposé dans *La légende de Bas-de-cuir* mais aussi de son personnage principal qui en symbolise les tensions. Nathaniel Bumppo, dit Œil-de-faucon, le trappeur, Tueur-de-daim, le Bon Guide, la Longue Carabine, Langue Droite, Pigeon, Oreille Pendante ou Bas-de-cuir selon les récits et les circonstances, est plus que le modèle du coureur des bois, il a ouvert la voie au véritable héros américain. Rodolphe de Gerolstein est de son côté le modèle du héros prométhéen. Marc Angenot décrit son apport en termes clairs:

> Ainsi naît un type de héros prométhéen *dont le programme,* que trace Sue, *sera imité par tous ses successeurs*: «secourir d'honorables infortunes... poursuivre d'une haine vigoureuse le vice, l'infamie, le crime.» Héros surhumain, «plus fort, plus riche et plus intelligent que le monde entier», solitaire cependant, investi d'une mission à double face, punir et récompenser ([21]).

Avec Bumppo et Rodolphe, il y a là l'instauration d'un script de personnage, l'invention d'une formule. À la lumière de ceci, il convient de noter le caractère mixte de Buffalo Bill. Si le personnage est son propre stéréotype, il est par ailleurs le modèle qui a donné lieu à toute une série de personnages tels que Deadwood Dick, Joaquin Murieta, Buck Taylor, Ted Strong, Top Notch Tom et autres qui ont peuplé les «dime novels» pendant plus de cinquante ans.

L'idée d'une typologie des personnages existe depuis fort longtemps. Déjà, au début du siècle, Georges Polti avait

---

([20]) Martin LEFEBVRE a bien montré, dans «La représentation de l'Indien dans le cinéma américain», comment l'opposition entre nature et culture, civilisation et sauvagerie que la frontière actualise structurait l'univers du western (*Recherches amérindiennes au Québec,* vol. XVII, n° 3, 1987, pp. 65-78). Pour John CAWELTI, Cooper a tout simplement inventé le western: «En créant un cadre et un type d'intrigue, grâce auxquels les conflits fondamentaux entre les contraintes de la société et les libertés individuelles, entre la civilisation et la violence incontrôlable, pouvaient être résolus dans l'action, Cooper a posé les bases du western» (*Adventure, Mystery, and Romance,* p. 209).

([21]) M. ANGENOT, *Le roman populaire,* p. 46. C'est nous qui soulignons.

proposé, dans *L'art d'inventer les personnages*, une typologie fondée sur la théorie des tempéraments des Anciens, qui permettait de décrire et par conséquent de prévoir des comportements. Quatre grands types étaient isolés: nerveux (1), sanguin (2), flegmatique ou lymphatique (3) et bilieux (4), qui se regroupaient en fonction de grandes oppositions binaires: en actif (2,4) et en passif (1,3), intellectuel (1,4) et corporel (2,3), subjectif (1,2) et objectif (3,4), pour former une logique toute naturelle des scripts personnels [22].

2° Le script d'usage

Le script d'usage met l'agent en relation avec un cadre ou un accessoire. Les scripts d'usage correspondent aux rôles que nous avons définis dans la description du schème interactif par la relation entre l'intention et le cadre. On les retrouve aussi dans les scripts de situation de Schank et Abelson. Ces scripts d'usage sont, par exemple, les «client», «serveur», «cuisinier», «propriétaire» du script «aller au restaurant». Ces métiers et professions définissent en fait les actants de service nécessaires à la réalisation d'un script de situation. Les déroulements d'actions que ces agents actualisent sont fonction de leur statut, qui est déterminé par le cadre. Mais le même type de script est développé à partir des accessoires qui requièrent une manipulation spécifique. L'automobile, la bicyclette, le canon sont des accessoires dont l'utilisation demande une compétence bien précise. On désigne d'ailleurs leurs utilisateurs par cette compétence qui les caractérise: le cycliste, l'automobiliste, le canonnier.

Un agent qui est désigné par un script d'usage est donc introduit dans la situation narrative en fonction de ces actions usuelles qu'il est censé accomplir. Passepartout est le domestique de Phileas Fogg, on s'attend donc à ce que leur relation soit celle du maître et de son serviteur et que Passepartout accomplisse les actions caractéristiques d'un valet. Mais le

---

[22] Georges POLTI, *L'art d'inventer des personnages*, Éditions d'aujourd'hui, pp. 66 et ss.

script d'usage n'est pas restrictif; si Passepartout est le domestique de Fogg, il est aussi un voyageur et, quand il s'aventure de son propre chef à Bombay ou quand il sauve Mlle Aouda en Inde ainsi que le train d'une attaque d'Indiens en Amérique, les actions qu'il accomplit à ces moments débordent du cadre étroit du script initial. Il n'agit plus alors comme domestique, c'est plutôt le titre de héros qu'il convoite.

Le script d'usage a une portée limitée; il est une entité contextuelle puisque fondée sur des rôles qui dépendent directement des cadres en place. L'automobiliste hors de sa voiture n'est plus un automobiliste, de la même façon qu'un serveur qui n'est plus dans son restaurant n'a plus de compte ni d'addition à rendre. On peut se dissocier d'un script d'usage comme on peut être relevé de ses fonctions.

3° Le script d'interaction

Le script d'interation met l'agent en relation avec d'autres agents. Il représente des déroulements d'actions qui sont prévisibles parce que les relations entre individus, bien qu'elles soient multiples, prennent des formes stables, identifiables. De la même façon qu'on a pu dire qu'il existait un script «aller au restaurant», on peut affirmer qu'il y a un script de séduction. Un lecteur qui apprend que tel personnage entend séduire tel autre, peut s'attendre à voir apparaître un ensemble assez restreint et ordonné d'actions ([23]). Les techniques de séduction peuvent varier d'une culture à l'autre ou d'une époque à l'autre et celle-ci être représentée de diverses manières; mais voilà, on en parle comme d'une «technique», d'un savoir bien précis adapté à une praxis.

Sans pour autant rendre compte des idiosyncrasies des agents, qui sont de l'ordre du script personnel, les scripts d'interaction détaillent les façons dont les gens agissent et com-

---

([23]) Comme pour les scripts de situation, on peut définir des conditions d'entrée au script de séduction: une certaine disponibilité, une compatibilité physique, etc.; des résultats: la séduction elle-même; des accessoires: fleurs, parfums, vêtements, etc.; et peut-être même des rôles: le chaperon, le faire-valoir.

muniquent entre eux; ils représentent des types de relation. Ils sont donc composés de ces grandes catégories de l'agir que tout individu, partageant les mêmes conventions sociales, la même culture, est censé connaître. Il y a cependant différents types de scripts d'interaction; ils varient selon que l'interaction est régie par des règles fixes et explicites ou non.

Le *script* d'interaction sans règles précises concerne ce savoir pratique sur les interactions possibles dans une culture. Il se définit ainsi en fonction d'une compétence sociale du lecteur à reconnaître et comprendre les relations établies entre les gens. Ces relations prennent des formes stables que le lecteur peut identifier et auxquelles il peut s'identifier ([24]).

Dans les *Les mystères de Paris*, par exemple, une situation narrative se développe sur l'île du Ravageur, une petite île de la Seine, non loin du pont d'Asnière. L'île est habitée par les Martial: la mère, ses trois fils et ses deux filles; une famille «où se perpétue une sorte d'épouvantable hérédité dar' le crime» (tome 3, p. 49). Un à un, le narrateur nous décrit les membres de la famille, et cela jusqu'aux deux plus jeunes, François et Amandine. Les relations entre la mère et ses deux plus jeunes n'ont rien de bien maternelles. Avec Calebasse, sa plus vieille, elle les fait travailler à démarquer du linge volé, à pêcher dans le fleuve avec des filets illégaux et à toutes sortes d'autres tâches ingrates. Le narrateur nous avertit d'ailleurs dès le début: «En voyant ces deux femmes silencieuses, à l'air méchant, et ces deux pauvres petits, inquiets, muets, craintifs, on devine là *deux bourreaux et deux victimes*»

([24]) Les recherches les plus récentes sur l'interaction ont montré que les interactions pouvaient être décrites comme des systèmes, par qu'elles définissaient des situations à forte régulation. Toutes les recherches issues de ce que l'on a appelé le «collège invisible» de Palo Alto ont maximisé cette analogie entre interaction et système. On trouve des exemples de telles analyses dans P. WATZLAWICK, J. HELMICK BEAVIN et Don D. JACKSON (éds.), *Une logique de la communication* (Paris, Seuil, 1972) ou encore dans Yves WINKIN (éd.), *La nouvelle communication* (Paris, Seuil, 1981). Cette régularité des relations, s'il faut une théorie des systèmes pour la décrire, est une propriété simple à la base de la capacité d'une culture à se reproduire et à maintenir intact son tissu social et elle permet aux individus de s'y retrouver dans la masse des relations humaines.

(tome 3, p. 54) le lecteur est prévenu, la relation entre les aînés et les enfants Martial sera d'un type particulier, une relation bourreau/victime à l'image de la relation maître-esclave, dont Hegel a si justement décrit le «script». Le lecteur ainsi averti peut prévoir que la mère Martial et Calebasse vont maltraiter ces deux enfants, les forcer à faire quelque chose de mal, les utiliser à des fins criminelles. Si le lecteur ne peut prévoir quelle piste sera véritablement choisie, s'il ne peut prévoir dans le détail les actions accomplies dans la réalisation d'une piste possible de ce script, il connaît par contre l'orientation générale de l'interaction que le récit ne manquera pas de développer. C'est d'ailleurs la connaissance même de ce script qui crée une tension de lecture. Parce qu'elles font partie du script, au même titre que l'addition qu'il faut régler dans le script du restaurant, le lecteur redoute ces actions qu'il sait inévitables; et, puisque ce savoir est de nature pratique, qu'il le met directement en jeu dans sa connaissance personnelle des interactions et des relations sociales, le lecteur ne fait pas qu'identifier ces actions et cette situation qu'ils réalisent, il s'y identifie. C'est que ce savoir, s'il est comme tous les autres, épisodique et construit à partir de l'expérience réelle du sujet, est primordial en ce qu'il joue avec des données qui fondent l'identité du sujet comme être social. Ces scripts recouvrent ce qui a été décrit ailleurs en fonction de la catégorie des jeux de rôles ([25]).

Il existe deux types de scripts d'interaction fondés sur des règles fixes et explicites. Ce sont les *scripts à règles normatives* et les *scripts à règles constitutives*. La distinction entre règle normative et constitutive provient de la philosophie du langage. John R. Searle a ainsi proposé que:

> Les règles normatives ont pour fonction de régir une activité préexistante, une activité dont l'existence est logiquement indépendante des règles. Les règles constitutives fondent (et

---

([25]) Gilles THÉRIEN, *Sémiologies*, p. 72. Voir aussi le n° 68 de la revue *Littérature* qui porte sur les «Jeux de rôles» (1987).

régissent également) une activité dont l'existence dépend logi-quement de ces règles ([26]).

Un exemple de script à règles constitutives est la partie de whist qui se joue au London Reform-Club ou encore la partie de cartes disputée au Hard Times Saloon. Il y a une interaction qui est développée entre Fogg et ses confrères, entre Buffalo et Brazos Bill, et son déroulement suit les règles du jeu. Certains gestes sont permis, d'autres non; les opéra-tions doivent suivre une séquence précise; il y a des condi-tions de jeux, des résultats, des rôles. Ce sont des scripts. Tous les jeux — qu'ils soient des jeux de société ou sportifs — se présentent comme des scripts d'interaction à règles norma-tives. Un lecteur qui ne connaîtrait pas tel jeu de cartes repré-senté dans un récit, qui ne saurait pas ce qu'est un contrat, un niveau, un robre, à quoi servent les enchères, comment on remporte une levée dans une partie de bridge, ne pourrait com-prendre le déroulement des actions représentées. Cela peut ne pas empêcher la lecture de se continuer, ni même nuire à la compréhension générale du récit, si la partie de cartes n'est qu'un script secondaire ou mineur dans le développement de la situation narrative et si seul le résultat compte. Mais si, comme avec *La défense Loujine* de Vladimir Nabokov ([27]), le lecteur ne connaît rien au jeu d'échecs, c'est sa compréhen-sion même du récit qui est en jeu car l'intrigue du texte est littéralement fondée sur les règles et les stratégies de ce jeu.

Les scripts d'interaction à règles normatives rendent compte de ces situations régies par des conventions sociales bien établies. À l'encontre des jeux qui instaurent un compor-tement, ce sont des règles qui légifèrent sur une conduite déjà existante. Les règles de politesse et toutes autres formes de bonnes manières sont des exemples de ces scripts normatifs. Ce sont aussi tous les codes et les coutumes qui peuvent valoir dans des endroits publics et par conséquent être intégrés à des scripts de situation. Ce que Passepartout avait enfreint, quand

---

([26]) John SEARLE, *Les actes de langage*, Paris, Hermann, 1972, p. 73.

([27]) Vladimir NABOKOV, *La défense Loujine*, Paris, Gallimard, 1964.

il s'était fait tabasser par les prêtres de la pagode de Malebar-Hill, c'étaient quelques-unes des règles normatives qui régissaient l'entrée à la pagode. Nous les avons d'abord présentées comme des conditions d'entrée, qui n'avaient pas été respectées, mais il faut les spécifier comme des unités d'un script normatif participant au script de situation. Toute conduite réglée, qu'elle prenne place à l'armée, dans un salon parisien, une église ou un wigwam, ou encore la conduite automobile, le code d'honneur qu'un individu s'impose, qu'il soit Rodolphe, Œil-de-faucon ou Buffalo Bill, tous ces comportements sont gouvernés par des règles normatives qui appellent un savoir spécifique représenté par des scripts.

La conversation, en dernier lieu, est un cas intéressant d'interaction dont le script est à mi-chemin entre un déroulement libre de toutes règles et un déroulement fondé sur des règles normatives. La conversation est un phénomène important car le dialogue prend souvent une place importante dans les récits et dans les romans d'aventures ([28]). En fait, la conversation est à la base de cette communication par laquelle les scripts d'interaction se manifestent mais aussi de presque toute planification d'un récit. C'est en se parlant, en communiquant que les agents font savoir quels sont leurs buts, motivations et intérêts.

Il y a différentes façons de mener une conversation. Il y a un art, une rhétorique, une certaine liberté à converser. Babillages, bavardages, entretiens, tête-à-tête manifestent cette diversité. Mais les coutumes, les contextes, les codes utilisés, bref les scripts normatifs, peuvent en transformer le déroulement. Il y a un jeu entre la liberté de jaser et la contrainte du discours requis par le contexte, comme pour le conteur qui peut varier ses personnages et leurs attributs mais qui doit respecter la suite des actions. Pour concilier liberté et contrainte, certains proposent que la conversation soit une activité gou-

---

([28]) On distingue bien ici conversation et dialogue, qui sont comme histoire et récit. Ce n'est donc pas le dialogue et la façon dont il est représenté dans un texte qui nous importe, mais bien ce qui est dit et la façon dont cela est dit.

vernée par un principe général. H. Paul Grice ([29]), notamment, parle d'un *principe de coopération* qui vient imposer des buts et par conséquent des formes précises à la conversation ([30]). Quelle que soit la valeur accordée à ce principe ou les réticences à poser la coopération comme principe premier de la conversation, on ne peut nier l'existence de règles qui viennent en modeler le déroulement et qui permettent à un lecteur d'en prévoir le déroulement. Quand on lit: «— Sire, une nouvelle dépêche. — D'où vient-elle? — De Tomsk. — Le fil est coupé au-delà de cette ville? — Il est coupé depuis hier» (pp. 1-2), au début de *Michel Strogoff*, on n'a aucune difficulté à suivre cet échange de questions et de réponses, parce qu'il suit les règles en usage pour de tels entretiens. On peut ne pas savoir qui parle, ne pas savoir que c'est le tsar et son général Kissoff qui s'entretiennent de l'attaque des Tartares, mais il y a là une véritable coopération entre les deux interlocuteurs. Si l'information est imprévisible, on ne sait ni qui parle ni de quoi ils parlent, la façon dont cette information est proposée est par contre, elle, prévisible. C'est d'ailleurs cette prévisibilité de la forme du message qui permet au lecteur d'oublier que c'est d'un dialogue qu'il s'agit pour ne porter attention qu'à ce qui est dit.

LE SCRIPT INSTRUMENTAL

Le script instrumental est le dernier type de script et il correspond à un déroulement d'actions fondé sur un accessoire. Il se présente donc un peu comme ces modes d'emploi qui avisent l'utilisateur des procédures à suivre pour faire

---

([29]) H. P. GRICE, «Logique et conversation», in *Communications*, n° 30 (1979), pp. 57-72.

([30]) Ce principe s'énonce ainsi: «Que votre contribution conversationnelle corresponde à ce qui est exigé de vous, au stade atteint par celle-ci, par le but ou la direction acceptés de l'échange parlé par lequel vous êtes engagé» (p. 61). Par rapport à ce principe général, il distingue quatre catégories qui définissent des règles et des sous-règles plus particulières; ces catégories sont: la quantité, la qualité, la relation et la modalité (p. 61).

fonctionner correctement un appareil. Il y a des étapes, des opérations essentielles, des conditions d'utilisation. Le script instrumental est la contrepartie du script d'usage fondé sur un accessoire: à l'automobile correspond l'automobiliste. Mais si le script d'usage peut difficilement exister sans son accessoire (ce ne serait plus un script d'usage), le script instrumental, lui, est relativement indépendant.

Dès qu'il y a utilisation d'une machine, d'un instrument ou d'une arme, il y a la présence d'un script instrumental. C'était le cas avec le tir au revolver, présent dans l'aventure de Buffalo Bill. Dans la phrase que nous avions isolée (et qui se lisait ainsi: «Il y eut une brève détonation, suivie d'une autre, comme d'un écho. La balle de Brazos Bill avait percé le bord du sombrero de Buffalo Bill. En réponse celle du scout fracassa le crâne du desperado.»), le script était représenté par quatre éléments: la détonation, l'effet sonore produit par l'explosion de la poudre contenue dans la douille de la balle et qui est le résultat de l'action d'appuyer sur la gâchette; la balle, qui est l'accessoire requis au bon développement de ce script; «percer le sombrero» et «percer le crâne», le résultat de l'impact des balles sur leurs cibles. Dans cet extrait, le mode d'emploi de l'arme est pris pour acquis. Le revolver est chargé, le cran d'arrêt n'a pas besoin d'être libéré: il suffit de tirer et le tour est joué. Le script est réduit à la mention de l'arme utilisée et du résultat obtenu par sa mise à feu. Comme tout script, le script instrumental peut être plus ou moins développé. Ludlum, par exemple, privilégie des représentations plus exactes et à plus hauts degrés de précision, qui attirent l'attention du lecteur sur une meilleure connaissance des instruments. La connaissance des opérations participant au déroulement de l'action fondée sur l'accessoire doit être appuyée d'un savoir sémantique adéquat des différentes pièces en opération et de leur relation au fonctionnement général de cet accessoire. Dans *La mémoire dans la peau*, Ludlum décrit ainsi le meurtre d'un bureaucrate par un tueur-à-gages:

> L'Européen guettait, puis il déboutonna son imperméable et en **tira** *un revolver* long et étroit, au *canon* prolongé par un *silencieux*. Il **abaissa** le *cran de sûreté*, **remit** *l'arme* **dans son**

étui, descendit de voiture et traversa la rue en direction de la limousine. [...] L'Européen s'arrêta un instant à l'abri du coffre, puis d'un geste vif, *la main tendue,* il se précipita vers la portière avant droite, l'ouvrit et déboula à l'intérieur, son *arme* **braquée** par dessus le dossier de la banquette avant. [...] L'Européen **fit feu,** la *détonation étouffée* retentissant brièvement dans l'intérieur capitonné de la limousine. Le fonctionnaire **s'effondra,** son corps **s'écroulant** contre la portière, ses yeux de chouette grands ouverts dans la *mort* (pp. 403-404).

C'est une représentation un peu plus complète qui est proposée au lecteur. Le script intrumental «tir au revolver» comporte au moins trois actes: préparer l'arme pour le tir, mettre une cible en joue et faire feu sur la cible; et un résultat: l'état de la cible une fois le coup reçu. Ce script est présent dans le texte à l'aide des six opérations suivantes:

1-«tirer l'arme de l'étui»;
2-«abaisser le cran de sûreté»;
3-«mettre l'arme dans l'étui»;
4-«braquer l'arme»;
5-«faire feu»;
6-«s'effronder et s'écrouler».

Les trois premières opérations participent de la première étape; la quatrième opération présente la seconde étape; et la cinquième opération, la dernière. L'homme qui s'effondre et son corps qui s'écroule décrivent le résultat de l'action, à savoir la mort de l'homme visé. Mais le script demande aussi pour sa compréhension la connaissance du lexique suivant: revolver, étui, canon, silencieux, cran de sûreté, détonation; termes qui sont directement reliés à l'accessoire utilisé. Rien n'est dit de l'arme utilisée — est-ce un automatique, un Sternlicht Luger, un 357 Magnum, un Colt 45; à lire Ludlum, le lecteur acquiert une connaissance relativement exhaustive des armes portatives sur le marché occidental... — mais ce détail ne doit pas empêcher le lecteur de suivre correctement le déroulement de l'action. Il est à noter que dans cette narration, il n'est jamais dit que l'Européen tire l'arme de son étui en «déboulant» dans la limousine. Il est dit uniquement qu'il tend la main et ensuite que l'arme est braquée par dessus le dossier de la banquette. Quelque part, le tueur a dû mettre sa main dans son imperméable pour saisir l'arme, mais cela le lecteur doit le comprendre de lui-même. Le script instrumental se comprend dans cette narration en conjonction avec le script d'usage «tueur professionnel». Le revolver fait partie de la panoplie du tueur et connaître son mode d'emploi est un élément de la compréhension du déroulement d'actions associé à ce script d'usage.

Les scripts instrumentaux viennent poser avec plus d'insistance la question des savoirs appelés par la narration. Dans le cas des scripts d'interaction ou personnels, des scripts de situation, cette compétence était d'abord sociale et liée à la connaissance du lecteur de sa propre expérience et des manifestations de sa culture. Avec les scripts instrumentaux, il peut s'agir d'un savoir plus technique dont l'accessibilité est par conséquent restreinte. Le cas des revolvers ne fait pas problème vu l'importance prise par les armes portatives dans notre société. Depuis les histoires de cowboys jusqu'aux romans policiers, d'espionnage et autres thrillers contemporains, en passant par tous les récits de guerre et de bandits, tous les drames familiaux où ces armes jouent un rôle décisionnel, il est difficile de ne pas avoir une certaine connaissance de leur maniement et fonctionnement.

Mais ce ne sont pas tous les accessoires qui bénéficient d'une telle exposition. Dans bien des cas, le lecteur ne connaît rien du mode d'emploi des instruments utilisés. Cette situation se résout habituellement en circonvenant cette absence de savoir préalable du lecteur. Il existe deux façons de contourner ce problème. Une première façon consiste à *simuler un savoir*. Quand la représentation de l'utilisation d'un instrument dans un texte est réduite à la mention de l'accessoire et du résultat obtenu, sans autres détails, il y a possibilité de simulation d'un savoir. C'est-à-dire que la représentation *générique* d'une action fondée sur un accessoire prend la connaissance du mode d'accomplissement de cette action pour acquis, puisque ce dernier est alors réduit à sa plus petite expression. Et cela vaut pour tous les cas, que ce savoir soit réel ou non.

Un cas simple de simulation est la partie de cartes que jouent Buffalo et Brazos Bill au Hard Times Saloon. S'il faut gagner deux parties sur trois, il n'est jamais précisé à quel jeu appartiennent ces parties: est-ce au «Poker», au «Black-Jack» ou au whist? Le narrateur affirme qu'un jeu se joue, que des levées sont remportées et même que le vainqueur est Buffalo Bill, mais il y a là simulation parce qu'aucun jeu n'est véritablement défini. Le récit fait comme si un savoir sur le jeu joué était déjà acquis et qu'il était par conséquent superflu d'en donner les détails; et le lecteur qui lit l'aventure sans s'inquiéter de cette absence de précision fait semblant lui aussi de savoir ce qui se fait. C'est la simulation: à moi lecteur, on fait semblant de dire, aussi fais-je semblant de savoir et ma lecture continue comme si de rien n'était.

La seconde façon de contourner l'ignorance du lecteur consiste à *prendre en charge le savoir* du lecteur et à programmer des scripts de façon explicite. C'est souvent le cas en science-fiction et dans la littérature d'anticipation, où les récits ne font pas que raconter que des fusées atteignent des planètes éloignées mais expliquent pourquoi et comment. Il ne suffit pas de mentionner l'accessoire utilisé et le résultat obtenu, il faut décrire le mode d'emploi, spécifier le script instrumental qui prévaut. Dans *De la terre à la lune* ou encore *Vingt mille lieues sous les mers*, Jules Verne explique avant de les faire fonctionner comment sont construits les vaisseaux permettant de réaliser ces prouesses. Le Nautilus du capitaine Némo, par exemple, est présenté de façon assez détaillée: il nous est expliqué comment il fait pour descendre sous les mers, comment il s'approvisionne en air, le principe de sa propulsion et de sa direction, le mode de production de l'électricité qui l'éclaire, etc.

> Monsieur, dit le capitaine Nemo, me montrant les instruments suspendus aux parois de sa chambre, voici les appareils exigés par la navigation du Nautilus. [...] Les uns vous sont connus, tels que le thermomètre qui donne la température extérieure du Nautilus; le baromètre, qui pèse le poids de l'air et prédit les changements de temps; l'hygromètre, qui marque le degré de sécheresse de l'atmosphère; le *storm-glass*, dont le mélange,

en se décomposant, annonce l'arrivée des tempêtes; la bous-
sole qui dirige ma route; le sextant, qui par la hauteur du soleil
m'apprend ma latitude; les chronomètres, qui me permettent
de calculer ma longitude; et enfin des lunettes de jour et de
nuit, qui me servent à scruter tous les points de l'horizon,
quand le Nautilus est remonté à la surface des flots [31].

Mais cette liste des instruments connus est suivie d'un
ensemble d'appareils inhabituels, manomètres marins, sondes
thermométriques et autres cadrans, qui sont à leur tour décrits.
Ce savoir précis, gratuitement décliné, sera mis à contribution
au fur et à mesure que le voyage progresse d'une mer à l'autre. Le récit devient un processus didactique [32].

La prise en charge d'un savoir n'est pas seulement une
stratégie de l'anticipation, il ne sert pas qu'à des fins didacti-
ques, il permet aussi d'apporter des changements à un accessoire ou encore de rappeler les particularités d'un engin déjà
existant, particularités qui seront mises à contribution et dont
il faut avertir préalablement le lecteur pour ne pas encourir
son scepticisme.

Les *Tour du monde en 80 jours* et *Michel Strogoff* de
Verne sont deux longs voyages, l'un à travers la Russie, l'autre à travers le monde. Ils se présentent aussi tous les deux
comme une enfilade de moyens de transport. Parmi ceux-ci,

---

[31] Jules VERNE, *Vingt mille lieues sous les mers*, 1969, pp. 116-117.

[32] Hetzel, l'éditeur de Verne, avait bien compris cette relation entre
le roman d'aventures et l'apprentissage. Le *Magasin d'Éducation et de
récréation*, périodique qu'il avait fondé avec Jean Macé et Jules Verne et
dans lequel ce dernier a publié de nombreux récits, avait une double voca-
tion «Le titre (du périodique) enseigne de lui-même; il proclame sa dualité
et son unité; il relie deux lignes: éduquer c'est-à-dire 'conduire', 'élever', et
récréer [...], c'est-à-dire délasser, reposer de 'l'éducation' ascendante»
(R. BELLET, «L'aventure didactique dans le *Magasin d'Éducation et de récréation* de Hetzel (1864-1869)», in R. BELLET (éd.), *L'aventure dans la littérature populaire au XIXe siècle*, Lyon, Presses Universitaires de Lyon, 1985,
p. 89). Jean CHESNEAU a consacré un chapitre de sa *Lecture politique de Jules
Verne*, à «la science et les machines» (Paris, Maspero, 1971, chapitre 2). Son
exposé est convaincant: «la science n'est nulle part présente, ou plutôt omni-
présente, dans une grande œuvre de la littérature française comme elle l'est
dans les *Voyages extraordinaires* (p. 24).

on retrouve des modes conventionnels mais d'autres qui le sont moins. Dans *Le tour du monde en 80 jours*, un véhicule inusité est proposé en Amérique aux voyageurs: c'est un «traîneau gréé en sloop». Comment cela peut-il exister? Eh bien, c'est simple:

> Là, Mr. Fogg examina un assez singulier véhicule, sorte de châssis, établi sur deux longues poutres, un peu relevées à l'avant comme les semelles d'un traîneau, et sur lequel cinq ou six personnes pouvaient prendre place. Au tiers du châssis, sur l'avant, se dressait un mât très élevé, sur lequel s'enverguait une immense brigantine. Ce mât solidement retenu par des haubans métalliques, tendait un étai de fer qui servait à guinder un froc de grande dimension. [...]
> Pendant l'hiver, sur la plaine glacée, lorsque les trains sont arrêtés par les neiges, ces véhicules font des traversées extrêmement rapides d'une station à l'autre. Ils sont, d'ailleurs, prodigieusement voilés — plus voilés même que ne peut l'être un cotre de course, exposé à chavirer —, et, vent arrière, ils glissent à la surface des prairies avec une rapidité égale, sinon supérieure, à celle des express (pp. 280-281).

C'est sur un tel traîneau que prennent place Fogg et son groupe. L'embarcation est originale et son invention mérite une description importante. Mais le traîneau maintenant décrit, son mode d'emploi enfin assuré, le voyage peut commencer dans le froid et la monotonie la plus complète du script qui ne déraille pas de sa piste. On embarque, on s'asseoit et on gèle en attendant d'arriver à destination. La construction du véhicule a monopolisé toute l'attention, mais une fois que celle-ci a été expliquée, il n'y a plus qu'à le laisser filer sur la plaine. Il n'y a plus rien à dire, sinon peut-être les réflexions qui occupent les passagers pendant la route, ou encore la désolation de la plaine désertée par tous, sauf les loups affamés.

Dans *Michel Strogoff*, il n'y a pas de traîneau hybride, qui sauve d'un retard irrécupérable les voyageurs, mais il y a une *télègue* dont la fabrication offre une particularité étonnante. «La télègue n'est qu'un chariot découvert, à quatre roues, dans la confection duquel il n'entre absolument que du

bois» (p. 119). Véhicule solide, il n'est malheureusement pas
à toute épreuve:

> Quelquefois, il faut bien l'avouer, les liens qui attachent
> l'appareil se rompent, et, tandis que le train de derrière reste
> embourbé dans quelque fondrière, le train de devant arrive au
> relais sur ses deux roues, — mais ce résultat est considéré déjà
> comme satisfaisant (p. 120).

Cette particularité fait donc partie du script instrumental de la télègue; la rupture des liens n'est pas un événement
imprévisible, au contraire, elle fait partie des caractéristiques
du véhicule. Par chance, Michel Strogoff peut se procurer un
tarentass, au train arrière beaucoup plus solide, plutôt qu'une
télègue, lorsqu'il arrive à Perm après avoir remonté la Kama
à bord du Caucase. Il peut faire route l'âme en paix. Or, en
plein orage dans les monts Ourals, qui rencontre-t-il sinon les
deux journalistes, Alcide Jolivet et Harry Blount, «juchés l'un
près de l'autre sur le banc de derrière d'un singulier véhicule,
qui paraissait être profondément embourbé dans quelque or-
nière» (pp. 150-151). Ils avaient acheté bien sûr une télègue...

L'inscription du script instrumental de la télègue permet
de rendre crédible cet accident dans les monts Ourals, mais
elle permet aussi de s'assurer que le comique de la situation
n'échappe pas au lecteur. Prévenu, il ne peut que rire de la
rupture du train arrière. Le procédé comique est introduit par
la définition du script qui sert ainsi d'annonce à l'incident
devenu inoffensif puisque prévisible.

La programmation textuelle

Dans la perspective des savoirs requis pour la compréhension des scripts, la lecture est la réunion du monde du lecteur et du monde du texte. S'il y a union, il y a aussi intersection et celle-ci comprend les savoirs sur les scripts communs
à la fois au monde du lecteur et au monde du texte, et cela
préalablement à l'union de ces deux mondes. Par exemple, la
pré-compréhension du domaine de l'action par le lecteur,
posée au niveau des modalités d'un contrat de lecture, est une
intersection nécessaire à la lecture de tout récit. Au niveau de

la portée du contrat de lecture, cette fois, la conformité des scripts entre les deux mondes est à la base de la compréhension par le lecteur du développement des situations narratives.

Mais l'intersection n'épuise pas l'ensemble des savoirs. Tous les scripts ne sont pas initialement partagés par ces deux mondes. Comme on l'a vu avec la télègue et le traîneau à voile de Verne, des scripts peuvent être inventés, *programmés* dans un récit. Cela s'applique non seulement aux scripts instrumentaux mais à tous les types de scripts, le script «Phileas Fogg», le script «Reform-Club», etc. La lecture est alors l'occasion d'un partage de ces scripts. Cette possibilité de programmation et par conséquent d'acquisition de scripts par la lecture n'avait pas été prise en considération par Schank et Abelson, mais elle joue un rôle important [33].

La lecture d'un récit se fait sur la base de scripts communs, qui se voient par le fait-même confirmés, et permet la communication de scripts inédits, programmés par le texte. Cette dernière composante est la marque de l'originalité d'un récit et de son intérêt pour un lecteur. Si un récit ne programmait aucun script, il y aurait finalement peu de choses à raconter, puisque le script représente ces savoirs déjà partagés qui servent de base à la compréhension et dont le contenu ne requiert nullement d'être explicité. La pauvreté des aventures de Buffalo Bill, par exemple, tient au faible nombre de scripts

---

[33] Le problème a déjà été clairement indiqué par P. JOHNSON-LAIRD: «La principale difficulté avec cette doctrine des scripts, c'est que nous utilisons aussi un savoir pour comprendre des discours relatant des événements qui ne sont pas stéréotypés. Nous pouvons comprendre *Le procès* de Kafka sans connaître le script de persécution d'un individu par une bureaucratie anonyme. On peut même dire, en fait, que ce roman est le "script" original d'une telle situation. De la même façon, si je vous raconte l'histoire d'un instructeur de ski aristocratique se cherchant un permis de travail pour l'Oregon, j'utilise votre connaissance générale des comportements, et non de scripts précis, pour vous amener à produire certaines inférences nécessaires. Schank est sensible à de telles difficultés et au besoin de rendre compte de l'acquisition des scripts; mais il y encore beaucoup de travail à faire, ne serait-ce que pour comprendre comment l'information indispensable à l'intelligence et à la vraisemblance d'un discours est retrouvée de façon automatique» (*Mental models. Towards a cognitive science of language, inference, and consciousness*, Cambridge (Mass.), Harvard U. P., 1983, p. 371).

programmés dans ces textes et à leur utilisation systématique d'un fascicule à l'autre. Cette pauvreté se manifeste par le peu de description dans ces textes, l'utilisation abondante du dialogue et de courtes phrases qui ne fournissent que l'orientation nécessaire au développement de l'action.

Nous reviendrons à cette question de la programmation des scripts selon leurs rapports à l'adhésion du lecteur au monde du texte, au chapitre 6, dans l'analyse du protocole du contrat de lecture. Pour l'instant, ce qui nous intéresse, ce sont plutôt les techniques mêmes de programmation des scripts. Une première possibilité a déjà été présentée. Un script peut être programmé directement dans un récit avant la représentation du déroulement d'actions qu'il régit ([34]). Mais un script peut aussi être programmé par la redondance d'un déroulement d'actions, il peut être produit à partir d'un plan. C'est cette seconde possibilité que nous allons maintenant décrire.

La relation entre script et plan est analogue à la relation entre déroulement d'action prévisible et imprévisible. Ainsi présenté, son trait déterminant est la redondance. Un script est un déroulement redondant. Il est donc possible de construire un script à partir de la répétition d'une séquence, même si celle-ci est d'abord inédite. On trouve un exemple de répétition d'une séquence dans *Le dernier des Mohicans*. Au début du récit, quand le groupe qui escorte les sœurs Munro a rejoint Œil-de-Faucon, accompagné de Chingachgook et de Uncas, son fils, tous décident pour plus de sûreté d'aller passer la nuit au pied d'une chute. Pour se rendre à ce refuge du coureur des bois, il faut cependant descendre la rivière en canot. Il n'y a qu'un seul canot. Œil-de-Faucon décide d'amener d'abord les filles Munro et leur escorte et de revenir chercher ses amis

---

([34]) Comme le dirait HAMON, c'est par du descriptif qu'un script inusité ou unique est programmé (*Introduction à l'analyse du descriptif*, Paris, Hachette, 1981). Descriptif et narratif ne s'opposent pas comme des aires textuelles autonomes mais sont dans une interaction constante. Il y a du descriptif dans le narratif et du narratif dans le descriptif, parce que l'un permet la programmation du script qui sera actualisé par l'autre. C'est la description de la construction du «traîneau à voile» qui fournit les données essentielles à la narration du voyage à travers les plaines américaines; c'est la description de la télègue qui rend la mésaventure des deux journalistes possible et crédible.

ensuite. Le courant est rapide, la descente est dangereuse et le trappeur doit faire acte de bravoure.

> Appuyant une longue perche contre une tête de rocher, le chasseur poussa son embarcation vers le milieu de la rivière. Il eut beaucoup de peine à forcer le courant, très rapide. Lutte terrible, dont il était bien difficile de dire qui en serait le vainqueur, de l'eau tourbillonnante ou du rameur. Les yeux fixés sur les remous, la respiration oppressée, veillant bien à ne provoquer aucun mouvement qui aurait pu faire chavirer la barque, les passagers étaient plus morts que vifs. Vingt fois, ils se crurent précipités à l'eau; vingt fois, l'adresse du pilote les sauva du désastre. Enfin au moment même où Alice, croyant sa dernière heure venue et se cachant la tête dans les mains, se voyait déjà emportée par les flots qui tourbillonnaient au pied de la cataracte, la barque s'immobilisait sur un plan d'eau tranquille, près d'une plate-forme pierreuse (p. 53).

C'est là une expérience intense. Un spectacle qu'on ne se lasserait pas d'admirer: on aime toujours voir ses héros accomplir ces exploits qui font leur réputation. Pourtant dans le texte, quand Œil-de-Faucon repart pour aller chercher ses amis postés au haut de la rivière et qu'il revient par le même chemin, accomplissant les mêmes prouesses, le texte ne répète pas la narration des manœuvres de la descente. C'est à peine s'il est dit que le chasseur repart «avec la rapidité silencieuse d'une flèche» et revient, après s'être évanoui dans l'obscurité, accompagné des deux Indiens. Le récit ne répète rien parce qu'il n'en a pas besoin, le script de la descente vient juste d'être défini et il est connu du lecteur. C'est ainsi que les scripts se forment.

Il est à remarquer en outre que, si la narration semble présenter les hauts faits de cette descente de la rivière, ce n'est qu'un leurre savamment entretenu. La séquence d'actions à laquelle correspond la narration de la descente est en effet réduite aux deux opérations limitrophes: le départ et l'arrivée. Entre les opérations «pousser l'embarcation» et «forcer le courant», pour le départ, et «immobiliser la barque», pour l'arrivée, l'action n'est représentée qu'à l'aide d'une description du danger encouru par l'embarcation et la frayeur que ce danger cause aux passagers, ou plutôt à une passagère, Alice. Œil-de-Faucon «sauve du désastre» le canot à plusieurs reprises, mais cela est une interprétation des actions posées plutôt qu'une représentation de celles-ci. Il n'y a pas en effet de modalités d'accomplissement, c'est un résultat, l'effet d'une action. Et plutôt que de montrer au lecteur comment le trappeur a fait effectivement pour sauver ses passagers du désastre, le texte s'arrête à indiquer leur état: la respiration oppressée, les corps tendus, les yeux fixes, comme si la peur de l'autre suffisait à représenter la situation. Et au moment de la manœuvre ultime, celle qui doit tous les sauver ou les faire périr, le lecteur n'a d'autre choix que de se fermer les yeux, comme Alice, et imaginer ce qui a dû se passer. Entre le départ et l'arrivée, il n'y a rien ([35]). Il y a là une simulation de savoir: le texte fait mine de représenter la séquence et ensuite, par sa répétition, cette séquence est consolidée comme un savoir déjà acquis. Le script de la descente est ainsi construit sur un savoir simulé.

Un exemple plus simple mais tout aussi efficace de transformation d'un plan en script, par la voie d'une répétition, provient des fictions interactives disponibles sur ordinateur. L'exemple est efficace car le script repose cette fois véritablement sur l'expérience personnelle du lecteur, devenu participant.

Les fictions interactives fonctionnent sur le principe d'une participation du «lecteur» au déroulement de la situation narrative. Cette participation prend la forme d'une résolution de problèmes. Placé dans une situation pour laquelle il lui faut trouver une solution, le lecteur est amené à poser certains gestes et à effectuer des déplacements qui lui font participer à la narration. Dans *Déjà vu*, fiction interactive créée par Mindscape ([36]), le récit met en scène un détective tout droit sorti des romans noirs américains et auquel le lecteur est

---

([35]) Les illustrations du texte disponibles dans l'édition Folio, qui datent de 1883 et qui sont l'œuvre de M. Andriolli, suivent le même principe. Il y a deux dessins, et ils reproduisent l'embarquement ainsi que l'arrivée au pied de la chute. L'entre-deux est indescriptible...

([36]) Un produit de Mindscape Inc. et créé par ICOM Simulations Inc., 1985.

sommé de s'identifier. Le cadre général de l'aventure est le Chicago des années vingt, avec ses gansters, ses établissements de jeu et ses meurtres. La situation narrative inaugurante se développe à partir d'un endroit mal famé, le Joe's Bar. Au début de l'aventure, le détective-lecteur se réveille dans le cabinet de toilette du bar. Son imperméable est accroché à la porte ainsi que son revolver et il ne sait ni qui il est ni ce qui lui est arrivé. Comme le texte le lui apprend:

Salut mon p'tit... Ton cauchemar te souhaite la bienvenue...

Comme-ça, tu te réveilles enfin de ton coma et ça ressemble étrangement à une gueule de bois chronique après une bonne semaine à Vegas? T'as une grosse bosse à l'arrière de ta tête, un peu plus grosse et tu battrais un record olympique pour la brosse du siècle? As-tu remarquer que ta main droite était couverte de sang séché? Pourtant tu n'as aucune blessure fraîche, ton corps est intact. Mais tu ressens une petite douleur sur ton avant-bras gauche, oui, là, sous ta chemise... Tu remontes ta manche juste assez pour découvrir une belle petite marque d'aiguille. Et tu te demandes: «Suis-je un drogué?» Mais, c'est rien ça! Sais-tu seulement qui tu es? Ha! j'le savais: Tu ne t'en souviens même pas! [Notre traduction.]

Cela s'appelle se réveiller dans de beaux draps. L'amnésie arrive fort à propos, elle est une stratégie facilitant l'identification au héros. Tout comme le héros amnésique, le lecteur doit tout réapprendre du monde dans lequel il évolue. Pour maîtriser ce monde, le détective-lecteur peut accomplir neuf types d'opérations, huit regroupées dans une fenêtre particulière et une dernière accessible directement à partir du clavier de l'ordinateur, c'est l'opération «Prendre» (^{37}). Le détective-lecteur peut ainsi *Examiner* quelque chose. *Déjà vu* se présente comme un ensemble de tableaux représentant des pièces, des rues, des édifices, et même des égouts, dont il peut

---

(^{37}) Pour représenter ces neuf opérations, nous allons indiquer le verbe et le faire suivre de parenthèses qui désignent l'objet ou la chose sur laquelle porte l'opération. Par exemple, ouvrir la porte est Ouvrir (porte). Dans le cas de l'opération «examiner», nous allons faire suivre la parenthèse de la liste des objets repérés par l'examen, et mettre le tout entre crochets.

examiner les moindres recoins. Ces tableaux sont reliés entre eux par des sorties, que le détective-lecteur peut utiliser à l'aide de l'opération *Aller*. Le détective-lecteur peut décider d'examiner le contenu de chaque tableau, mais aussi le contenu des objets en sa possession ou découverts dans quelque meuble d'une pièce. Pour examiner le contenu d'un objet, tel que son propre imperméable, le détective-lecteur peut *Ouvrir* cet objet et puis après le *Fermer*, comme il peut ouvrir et fermer une porte. Le détective-lecteur a la possibilité de *Prendre* tout ce qu'il juge important (prendre, c'est mettre dans son inventaire): son imperméable, une lettre, etc. Si ce qu'il trouve est un accessoire, un revolver par exemple ou une carte de crédit, il peut Prendre et ensuite *Utiliser* cet accessoire sur quelque chose. Dans le cas d'un téléphone, en plus de l'utiliser, il peut s'en servir pour *Parler*; son message sera enregistré. Si le détective-lecteur est insatisfait, il peut aussi *Frapper* ce qu'il voit; et s'il a faim ou s'il trouve de la nourriture, il peut la *Consommer*. Ces neuf opérations — Examiner, Prendre, Ouvrir, Fermer, Parler, Utiliser, Aller, Frapper et Consommer — sont les seules opérations permises et c'est grâce à elles que le détective-lecteur va pouvoir maîtriser son environnement.

Le détective-lecteur se réveille donc dans un cabinet de toilette. Après avoir pris conscience de son état, plusieurs opérations s'offrent à lui. Il peut ainsi: Examiner (cabinet), Examiner (rouleau de papier de toilette), Examiner (porte), Examiner (imperméable), Prendre (imperméable), Examiner (revolver — qui se trouvait sous l'imperméable —), Prendre (revolver), Ouvrir (porte), Aller (toilette). À ce moment, un nouveau tableau apparaît qui représente cette fois la toilette, avec son lavabo, son miroir, ses murs salis, et sa porte donnant accès au couloir. Le couloir communique avec la toilette des femmes et le bar qui est déserté. Le bar donne accès à la rue, mais le détective-lecteur novice et empressé de quitter les lieux apprend rapidement que la porte est verrouillée et qu'il n'y a pas moyen de sortir. Il peut Examiner(porte), Utiliser (revolver, porte), Frapper (porte), Parler (porte); rien n'y fait, il lui faut trouver la clé pour débarrer la porte ou alors trouver une autre sortie. Commence une période de tâtonnement.

Au bout du bar, il y a un escalier donnant accès au second étage, et une autre porte, fermée à clef elle aussi, qui permet d'atteindre la cave. Le détective-lecteur doit penser à chaque geste qu'il pose, étudier chaque tableau et trouver une façon de solutionner ce problème. Il peut revenir sur ses pas et visiter la toilette des femmes, sinon monter au second où, au bout d'un corridor, il y a un bureau qui en rejoint un autre, dans lequel se trouve la clé de la porte du bar. Le problème, bien entendu, est que ce bureau est à son tour fermé à clef... Pour le détective-lecteur novice, la progression est lente, chaque action de la séquence doit être planifiée. Et le temps presse, car une menace pèse sur le détective-lecteur. Suite à cette injection qu'il a reçue, le détective se doit de trouver au plus tôt un antidote, avant de s'évanouir une nouvelle fois et pour de bon. Quand le détective-lecteur dépasse le temps alloué à sa recherche d'un antidote, il meurt et le jeu s'arrête. Il faut alors tout recommencer à zéro, repartir de la toilette du bar...

À force de faire des erreurs et de les corriger, de mourir et de recommencer toujours les mêmes actions, le détective-lecteur en vient à maîtriser le bar et à connaître la séquence d'actions nécessaires pour en sortir. Cette séquence est fixe. Il y a une possibilité de deux grandes pistes, mais la séquence reste stable. Pour le détective-lecteur maintenant expérimenté, l'accomplissement de cette séquence se fait de façon automatique. Il s'agit alors d'un véritable *script*. On peut représenter ce script comme une suite d'opérations. Une représentation minimale de ce script, qui ne tiendrait compte que des opérations requises pour sortir du bar, donc en éliminant toutes ces opérations qui ont pour but la détection, l'acquisition d'un savoir sur la situation du détective, prendrait la forme:

Script: «sortir du bar»

1- Prendre (imperméable)
2- Prendre (revolver)
3- Ouvrir (porte)
4- Aller (toilette)
5- Ouvrir (porte)
6- Aller (couloir)

6.1- [Examiner (couloir): flaque émanant de la toilette des femmes, porte donnant accès à la toilette des femmes, porte donnant accès au bar]

7- Ouvrir (porte du bar)

8- Aller (bar)

8.1- [Examiner (bar): verre de rye sur le bar, porte fermée à clef donnant accès à la rue, baie vitrée, porte donnant accès à la cave, escalier montant au second et donnant accès à un couloir]

9- Aller (escalier)

9.1- [Examiner (couloir): porte donnant accès à une pièce, trois portraits encadrés]

10- Ouvrir (porte)

11- Aller (pièce)

11.1- [Examiner (pièce): bureau avec téléphone, machine à écrire et lampe, deux fenêtres barrées, porte fermée à clef donnant accès à pièce contiguë]

12- Ouvrir (imperméable)

12.1- [Examiner (contenu de l'imperméable): porte-monnaie, sept jetons de vingt-cinq sous, paquet de cigarettes, briquet, mouchoir, lunettes fumées]

13- Ouvrir (porte-monnaie)

13.1- [Examiner (contenu du porte-monnaie): clé, carte informatisée, billet de vingt dollars]

14- Utiliser (clé, porte fermée à clef): porte déverrouillée

15- Ouvrir (porte)

16- Aller (pièce contiguë)

16.1- [Examiner (pièce contiguë): bureau, cadavre, récepteur de téléphone, téléphone mural, coffre-fort mural, fenêtre]

A) Piste: escalier de secours

17- Ouvrir (fenêtre)

18- Aller (escalier de secours)

18.1- [Examiner (escalier de secours): possibilité de descendre à la rue ou de monter au troisième étage]

19- Aller (ruelle)

20- Aller (rue): le héros se trouve devant Joe's Bar

B) Piste: porte principale

21- Ouvrir (bureau)
21.1- [Examiner (contenu du bureau): clé,
feuille de papier et crayon]
22- Prendre (clé) ⸱
23- Aller (pièce)
24- Aller (couloir)
25- Aller (escalier)
26- Utiliser (clé du bureau, porte donnant
accès à la rue): porte déverrouillée
27- Ouvrir (porte)
28- Aller (rue): le héros se trouve devant
Joe's Bar

Il existe une troisième façon de sortir du bar: il s'agit
d'utiliser l'ascenseur, accessible à partir du troisième étage.
L'ascenseur donne sur la cave, le casino clandestin qui, lui,
permet d'atteindre les égouts... Mais, pour se rendre au troisième étage, il faut passer par l'escalier de secours et monter
plutôt que descendre à la rue.

Ce script est le moyen utilisé pour réaliser un but «sortir de Joe's Bar»; il s'intègre donc dans un plan-acte:

Plan-acte 1: MOYEN: script «sortir du bar»
        BUT: sortir de Joe's Bar
S'il y a un plan-acte, c'est dire qu'il y a un plan. Celui-
ci, le détective-lecteur le découvre en furetant dans le bar et
en découvrant le cadavre dans une des pièces du second étage.
Il semble bien que ce soit le revolver du détective-lecteur qui
ait servi à tuer cet homme. Un double but s'impose donc au
héros de cette aventure: recouvrer son identité et se disculper
de cet homicide. Ce n'est donc que le premier d'une longue
série de plan-actes ([38]).

([38]) Une telle situation endo-narrative reproduit une caractéristique
usuelle du récit contemporain: «Une des caractéristiques de la littérature
moderne est de cacher les relations établies entre les actions simples réalisées

La situation narrative est ainsi traversée par des scripts qui règlent les différentes facettes de son développement. Ces scripts sont déjà partagés ou ils sont programmés dans le récit. Cela se fait soit par la présentation d'un déroulement fixe, soit par la redondance d'un déroulement inusité. Ces scripts prennent diverses formes, ils peuvent être des scripts de situation, d'interaction ou des scripts instrumentaux. Mais, finalement, ils s'enchaînent par la voie des plan-actes, dont il sont les moyens. La représentation discursive de l'action est assurée par leur présence.

Le plan et la situation narrative

Le plan est une entité cognitive. Il est la forme que prend le projet qu'un agent tente de réaliser. Tout récit, puisqu'il met en scène des agents, se présente comme un ensemble de plans en voie de réalisation. L'unité de base du plan est le plan-acte. Le plan-acte est composé d'un but qui assure sa dimension cognitive, sa participation à une planification, et d'un moyen qui permet la représentation de sa réalisation.

L'intrigue se définit habituellement comme le plan de la narration; le plan-acte est donc une unité de l'intrigue [39]. Comme l'indique Ricœur, dans «De l'interprétation»:

---

par les protagonistes (il arrive souvent que le but même de ces actions soit dissimulé) et par conséquent de rehausser l'aspect de «résolution de problème» de l'activité du lecteur. Celui-ci doit retrouver l'intrigue implicite, profondément enfouie sous la structure du texte» (László HALASZ, János LÁSZLÓ et Casba PLEH, «The short story. Cross-cultural studies in reading short stories», in *Poetics*, vol. 17, nᵒˢ 4-5, 1988, pp. 293).

[39] Il est une unité de l'intrigue à deux titres: comme unité du faire des personnages et comme unité du faire de l'auteur. Ce plan de l'intrigue n'est pas celui de n'importe quel agent, il est celui de l'auteur et se présente comme le faire d'un narrateur, l'instance qui est dite prendre en charge la narration dans un récit. Il y a donc deux niveaux de plans dans une narration, celui de l'auteur dans son action de raconter et celui des personnages dans leurs multiples entreprises. Il faut réserver le terme de plan-acte pour le faire des personnages, utilisant plutôt celui de statégie narrative pour désigner le travail de l'auteur dans sa planification du donné narratif.

> [...] l'intrigue est l'ensemble des combinaisons par lesquelles des événements sont transformés en histoire ou — corrélativement — une histoire est tirée d'événements. *L'intrigue est le médiateur entre l'événement et l'histoire* ([40]).

Le plan-acte, comme unité de l'intrigue, est appelé à jouer ce rôle de médiation entre événement et histoire. C'est par la reconnaissance du plan-acte en jeu que le lecteur parvient à recomposer à partir des faits et gestes des personnages un récit. La compréhension d'un récit, parce que celui-ci prend la forme d'un déroulement d'actions ancré dans une situation narrative, passe par l'identification du plan-acte et son insertion dans un déroulement. Cela requiert du lecteur un savoir à la fois sur ce qui peut servir de but et de moyen dans un plan-acte et sur les modes de développement des déroulements d'actions. Dans la suite de ce chapitre, nous regarderons ces trois éléments de la compréhension de l'action: le but, le moyen et le déroulement des actions.

Le but du plan-acte

La connaissance des buts poursuivis par les agents est essentielle à la compréhension de toute action. Un geste ou un moyen quelconque n'est véritablement reconnu comme une action qu'à partir du moment où le but qu'il permet d'atteindre est spécifié. La compréhension d'un plan-acte requiert donc de la part du lecteur une aptitude à la fois à *identifier* les buts poursuivis par les personnages et à *comprendre* leurs nombreuses modifications.

Pour le lecteur de romans d'aventures, la capacité d'identifier des buts est très faiblement mise à contribution puisque, plus souvent qu'autrement, les buts poursuivis sont simples et très clairement indiqués dans le texte. Dans les aventures de Buffalo Bill par exemple, les buts sont posés pour être ensuite réalisés; quand ils ne participent pas aux scripts d'usage ou personnels des agents, ils correspondent à

([40]) Paul Ricœur, «De l'interprétation», in *Du texte à l'action; essais d'herméneutique, II*, Paris, Seuil, 1986, p. 14. C'est nous qui soulignons.

des situations stéréotypées: «se disculper d'un meurtre», «protéger le passage de la diligence», «arrêter un groupe de voleurs ou de chercheurs d'or illégaux», «attaquer les Indiens», etc. La même chose se produit dans les autres romans d'aventures du corpus: les buts poursuivis sont rapidement désignés et leur réalisation occupe tout le récit. Le roman d'aventures est en fait construit sur une correspondance forte entre le temps de l'action et le temps de la lecture. Michel Strogoff doit aller porter un message au frère du Tsar de Moscou à Irkoutsk et c'est sa longue course à travers la Russie qui est racontée. Dans *La mémoire dans la peau*, Jason Bourne part à la recherche de son identité et sa quête l'entraîne à découvrir une machination incroyable avec l'Europe entière comme territoire. Harry Dickson s'élance à la poursuite du dangereux professeur Flax et leur lutte s'étend à la grandeur de la planète. Le héros est celui qui agit et la connaissance de ses buts permet de fondre ensemble en un tout cohérent les différents gestes posés.

Les buts servent ainsi à coordonner des actions; ils sont un principe de cohérence. Quand ils ne sont pas directement désignés, le lecteur doit les recouvrer en interprétant les données disponibles. Il apparaît évident que la désignation des buts ou du moins leur dissimulation, leur non-accessibilité, est une stratégie narrative importante. Elle est un des moyens utilisés pour créer un suspense, une tension au niveau de la lecture. Pourquoi tel agent fait-il cela? Pourquoi ceci arrive-t-il? Pour le lecteur, répondre à ces questions signifie continuer à lire dans sa quête d'une information qui résoudra l'incertitude. C'est dans tel but que ceci ou cela a été fait. Les actions non associées, c'est-à-dire les actions qui ne sont associées à aucun plan au moment de leur présentation, sont des actions incomplètes au plan cognitif: elles donnent accès aux moyens utilisés mais ne disent rien des buts qu'elles permettent d'atteindre. Elles doivent donc être complétées par le plan que leurs moyens actualisent et qui seul permet au lecteur d'identifier le plan-acte en jeu. Nous reviendrons aux stratégies de désignation des buts et des plans dans l'analyse du protocole de lecture.

La connaissance des buts est ainsi essentielle à la poursuite de la lecture. Si les scripts permettent à la situation narrative de se développer, les plans, par le biais des buts poursuivis, servent à faire progresser le récit et à enchaîner les situations (cf. chapitre IV). La compétence du lecteur à manipuler le donné cognitif, à reconstruire et saisir les chaînes de buts forgées dans la réalisation de projets l'aide à suivre la progression des récits.

Cette compétence tient d'abord à un savoir sur les types de buts présents dans un récit ou sur ce qui vaut comme but. Dès les débuts de l'analyse structurale des récits en France, la question des buts et des actions qui les actualisent a été au centre des recherches. Barthes, par exemple, a déterminé deux grands types de buts qui lui ont servi à distinguer les fonctions des actions ([41]). Il y a des buts instrumentaux, ce sont ceux en quelque sorte des fonctions, de ces opérations participant au mode d'accomplissement des actions. Et il y a les buts des actions. Ces buts sont des méta-catégories qui dirigent et orientent des séquences de fonctions. Trois sphères d'actions et de buts sont définies: désirer, lutter et communiquer. Dans cette perspective, tous les buts poursuivis par des agents dans un récit s'intègrent dans les catégories de la quête, de l'épreuve et de la communication. Dans sa sémiotique, Greimas a proposé une version encore plus abstraite de l'action. Au niveau du sémio-narratif, l'action a pour but la jonction avec un objet de valeur ([42]). Il n'y a pas d'autres possibilités, le sujet ne peut vouloir que se conjoindre avec un objet de valeur ou s'en disjoindre. Cette définition spécifie l'action comme un mécanisme d'acquisition et les buts comme des objets de valeur. Faire une typologie des buts revient donc, dans cette théorie, à établir une liste des objets de valeur, puisqu'il y a autant de buts que d'objets. Or, comme tout peut avoir une valeur, la somme des buts est indéfinie.

Schank et Abelson, dans leur attitude plus psychologisante et prosaïque, et somme toute moins «narrativisante», ont cherché à développer des classes et des niveaux de buts. Et

([41]) R. BARTHES, «Introduction à l'analyse structurale du récit».

([42]) A. J. GREIMAS, «Éléments d'une grammaire narrative».

cela justement afin d'éviter l'indétermination complète des buts:

> Si l'on devait dresser la liste de toutes les choses qui pourraient être désirées, ce serait une tâche sans fin. Il faut s'attendre à tout, y compris à ce que quelqu'un veuille se frapper à la tête ou encore faire son patio avec des roches martiennes ([43]).

Ils proposent aussi une taxonomie de sept buts. Ces buts ont comme objet: la satisfaction de besoins physiologiques (telle que la faim, le sommeil), le plaisir, la réussite sociale (possession, travail), la conservation d'un bien quelconque, la résolution de crise qui est une forme aiguë de la conservation, et deux buts instrumentaux — l'un défini en fonction des scripts et l'autre en fonction des procédures d'usage ([44]). Ces buts sont répartis en différents niveaux.

La résolution de crise a préséance, par exemple, sur tous les autres buts. Dans *La mémoire dans la peau*, quand Jason sort de la banque suisse où il est allé retirer d'importantes sommes d'argent, il est à peine sorti du bureau du banquier, impressionné de tout cet avoir, qu'il se fait attaquer par deux hommes dont il ignore complètement les buts. Amnésique, il ne sait ni qui peut l'attaquer ni pourquoi. Mais il n'a pas le temps de poser des questions, il est dans une situation de crise, il lui faut se défendre. On ne discute pas quand on a un pistolet automatique de calibre 38 muni d'un silencieux braqué sur soi, on se sauve; et quand on est déjà dans un ascenseur n'ayant nulle part où aller, on contre-attaque du mieux qu'on peut. C'est ce que fait Bourne en frappant du pied l'homme armé pour l'empêcher de tirer et en attaquant violemment le second, muni d'un émetteur:

> Jason fit pencher la tête de l'homme, lui arrachant à demi l'oreille, tout en lui fracassant la tête contre la paroi. Le Français se mit à hurler en s'effondrant sur le plancher. Bourne

---

([43]) SCHANK et ABELSON, p. 112.

([44]) *Ibid.*, pp. 111-119.

envoya un coup de genou dans la poitrine de l'homme; il sentit le baudrier (p. 84).

Il n'est plus question de banque, d'une certaine civilité, la crise et sa résolution ont pris le dessus. À ce moment du récit, et jusqu'à la fin, l'état de crise va imposer sa loi. De retour à son hôtel, et sans trop savoir pourquoi, Bourne est de nouveau attaqué par des hommes armés de pistolets. Il lui faut se sauver en catastrophe, en prenant une femme comme otage. Cette femme, c'est Marie Saint-Jacques, qui par la suite deviendra son épouse! L'état de crise impose ainsi une catégorie de buts à résolution prioritaire.

Les besoins physiologiques, pour leur part, peuvent être délaissés pendant un certain temps, mais ils doivent être finalement comblés. Si l'agent ne mange pas, ne dort pas ou encore ne soigne pas ses blessures, il perd bientôt toute son efficacité. Bourne le savait bien quand il disait à Marie, dans *The Bourne Supremacy*: «Ne prends pas de décision quand tu est fatiguée ou épuisée. La possibilité d'erreur est trop grande. Le repos est la meilleure arme. Ne l'oublie pas». Prendre en considération les besoins physiologiques du héros est d'ailleurs perçu comme une marque de réalisme. Dans le paratexte de l'édition américaine (Bantam) de *The Bourne Identity*, l'auteur dit lui-même: «Je n'approuve pas la violence, c'est pour ça que je montre la douleur pour ce qu'elle est. *Quand mes personnages sont atteints, ils ont mal. Ils ne se relèvent pas pour sauter dans l'action comme John Wayne*» (p. 537 — Nous soulignons). Malgré tous ses efforts, il y a donc un moment où le héros doit s'occuper de ses besoins physiologiques. De son arrivée en Europe jusqu'à la fin de la première partie de *La mémoire dans la peau*, après s'être tiré indemne de l'attaque à la banque et à son hôtel, après avoir été blessé par des balles à la tête (blessure mineure), à l'épaule (sérieuse) et au côté droit (sérieuse), s'être fait rouer de coups à quelques reprises et avoir les doigts d'une main brisés, après avoir tué cinq hommes, en avoir blessé quelques-uns et abusé de Marie, Bourne enfin se repose et panse ses plaies dans un petit hôtel de village. Cela ne pouvait continuer ainsi!...

Les autres buts n'ont pas cette priorité de résolution. Les buts instrumentaux sont particuliers en ceci qu'ils sont polymorphes et acquièrent l'importance du but auquel ils sont associés. Quand à la recherche de plaisir, la réussite sociale ou la conservation, s'ils tendent à s'exclure l'un l'autre, ils n'occupent aucune position prédéterminée et fixe. Leur hiérarchisation dépend des agents en jeu et des choix culturels opérés par le texte.

Ces buts sont d'un tout autre niveau que ceux proposés par Barthes. Au plan narratif, il faut considérer les sept catégories de Schank et Abelson comme des prétextes d'actions plutôt que des buts, comme ces raisons qui amèneraient un agent à entreprendre un quête, une épreuve ou encore une communication. Il est possible, en réunissant Barthes et Schank et Abelson, de définir trois grandes catégories de buts: des buts *instrumentaux*, qui participent à la planification des modes d'accomplissement d'actions ponctuelles, des *raisons d'agir*, qui sont ancrées dans des déterminations pratiques et qui respectent une logique des comportements, et finalement des buts *généraux* qui représentent les grands axes de l'activité humaine pris en charge par le narratif. La compétence du lecteur dans sa compréhension des buts poursuivis par des agents passe donc d'une part par la connaissance de ce que peut vouloir un agent et d'autre part par un savoir à la fois sur les situations pratiques qui peuvent amener un agent à attribuer une valeur à un objet, initiant un processus de volition, et sur les façons de réaliser ces buts.

Au cours de la lecture d'un récit, les buts les plus directement accessibles sont les buts instrumentaux, puisque ceux-ci sont fonction de la mise en œuvre des moyens représentés dans la situation narrative. Ces buts sont désignés car ils sont nécessaires à la compréhension des opérations effectuées. Dans *Les mystères de Paris*, Rodolphe s'entretient avec Mme Pipelet parce qu'il veut louer une chambre au 17, rue du Temple. Le lecteur n'a aucune difficulté à identifier ce but car il est rapidement désigné.

Les raisons d'agir ne sont pas, pour leur part, toujours explicitées et le lecteur peut devoir les inférer. La résolution de crise et la satisfaction de besoins physiologiques sont les raisons d'agir les plus simples à repérer car leurs buts sont les plus pressants. La réussite sociale, le plaisir ou la conservation d'un bien quelconque, qui sont les autres raisons invoquées par Schank et Abelson, ne sont pas des buts aussi urgents et leur identification, de la même façon, n'est pas immédiate. Une corrélation doit être tracée: plus un but est important, plus sa portée cognitive est grande, et plus son identification est lente. Les buts généraux sont, par conséquent, les plus ardus à déchiffrer. Si, par exemple, il est aisé pour un lecteur de comprendre pourquoi Rodolphe veut louer une chambre au 17 rue du Temple — il recherche Germain et il loue son ancienne chambre dans l'espoir de retrouver sa trace (chap. VIII, deuxième partie) —, il est plus difficile de savoir quel but général pousse Rodolphe à entreprendre cette action et toutes les autres qu'il accomplit en même temps. Il faut attendre, en fait, une conversation avec Clémence d'Harville (chap. XVII, troisième partie), pour une première partie de la réponse, et une conversation avec Sarah Mac-Gregor (chap. III, neuvième partie), pour la seconde partie. Le lecteur y apprend que Rodolphe agit par aventure charitable et afin de se punir de son intention de parricide. La hiérarchie entre les buts est fondée sur leur portée cognitive et sur la facilité d'un lecteur à les identifier.

Ce qui est intéressant par ailleurs dans la proposition de Schank et Abelson, ce sont les types de modifications de buts qu'ils développent. Selon ces auteurs, des buts peuvent être soit spécifiés, soit redéfinis, mis en suspens, réalisés ou tout simplement abandonnés. La modification la plus simple au niveau cognitif mais la plus complexe au niveau pratique consiste en la *réalisation* du but. Cette réalisation correspond à sa disparition en tant que but. Un objet ou un état est recherché, il est posé comme but; son obtention résout le manque et fait disparaître le but. Michel Strogoff doit se rendre à Irkoutsk porter un message au frère du tsar; et quand cette mission est finalement accomplie, il est enfin libéré de ce devoir. À moins qu'il n'y ait aucun obstacle, la réalisation d'un but demande une planification. Cette planification se présente comme un ensemble de sous-buts organisés qui en *spécifient* le mode d'accomplissement. Ces sous-buts, dans leur rapport au but principal qu'ils permettent d'obtenir, se définissent comme les moyens mis en œuvre. Le plan-acte se définit donc, au niveau cognitif, comme l'unité de spécification des buts.

Mais les buts ne font pas que se réaliser ou se spécifier; ils peuvent être mis en suspens ou abandonnés. Cela survient, soit par lassitude ou manque d'intérêt, soit parce qu'un but plus pressant survient. L'état de crise est une situation où le jeu des priorités réorganise de façon définitive ou temporaire les buts poursuivis. L'attaque de la banque suisse change définitivement les plans de Bourne. Le voyage de Fogg à travers le monde, par contre, ne fait que mettre en suspens sa vie routinière londonienne; il se marie peut-être avec Mlle Aouda à son retour, mais il ne semble pas que cela change quelque chose à la partie de whist laissée en suspens au Reform-Club.

Les buts peuvent aussi être *redéfinis*. Dans *La mémoire dans la peau*, par exemple, on assiste à une redéfinition progressive du but principal recherché par le héros. Suite à l'explosion de son bateau, David Webb est devenu amnésique. Recueilli et soigné par un médecin dans un petit village insulaire, il part bientôt à la recherche de son identité. Cette quête ne sera pas simple, elle va lui faire découvrir un réseau complexe d'identités, où il est tour-à-tour Jason Bourne, Caïn, Delta et David Webb. Avant son accident, Bourne était à la solde du gouverment américain et impliqué dans une mission secrète fondée sur un simulacre. Ancien soldat membre d'un groupe d'attaque d'élite appelé «la Méduse» pour lequel il portait le nom de code «Delta», David Webb avait été recruté pour une opération de grande envergure, couvrant l'Asie d'abord et l'Europe ensuite, et qui avait pour but de traquer et de mettre hors de combat Carlos, le terroriste international. Le plan élaboré consistait à créer de toutes pièces un rival à Carlos, au nom de Jason Bourne, un tueur-à-gages de la même envergure, aux talents tout aussi meurtriers, défiant le terroriste sur son propre territoire, afin de le forcer à se compromettre, à prendre des risques inutiles, pour finalement se faire attraper ou tuer. C'était la théorie des frères ennemis, d'où le nom de Bourne pour cette opération: «Caïn». Celui qui parle est un des dirigeants de l'opération Threadstone Seventy-One et il tente d'expliquer à un membre du gouvernement comment Jason Bourne a été créé (c'est à un moment du récit où l'action s'est résorbée au profit de la planification; on n'agit plus mais on tente d'expliquer la planification qui a amené la situation en cours):

> Créer un homme vivant, qui devient vite légendaire, doué apparemment d'ubiquité, parcourant tout le Sud-Est asiatique, l'emportant partout sur Carlos, surtout sur le seul plan des chiffres. Chaque fois qu'il y avait un meurtre, une mort inexpliquée ou un personnage connu qui périssait dans un accident mortel, il y avait Caïn. Nous fournissions ces noms à des sources généralement bien informées — des informateurs à notre solde connus pour la qualité de leurs renseignements; on ne cessait de fournir aux embassades, aux postes d'écoute, à des réseaux entiers des rapports qui se concentraient sur les activités en rapide croissance de Caïn. Le nombre de ses «coups» augmentait chaque mois, parfois chaque semaine, semblait-il. Il était partout... et il existait. À tous égards (*La mémoire dans la peau*, p. 390).

Partir à la recherche de son identité, c'est donc chercher à dénouer les fils étroitement tissés d'une extraordinaire machination dont la légitimité est censée convaincre le plus acharné des terroristes. C'est passer d'un nom à l'autre, chaque nom correspondant à un niveau de vérité toujours plus difficile d'accès. Jason Bourne est Caïn, qui est Delta qui est David Webb, celui-ci pris en plein centre d'une énorme toile d'araignée (web). Dans *La mémoire dans la peau*, l'aventure devient véritablement une recherche de la vérité, une quête herméneutique. Aussi, au fur et à mesure que l'on avance dans le roman, que l'on se déplace d'un niveau de vérité à l'autre, les buts se transforment, se précisent. Au «Qui suis-je?» du début, on passe avec le héros rapidement au «Qui est Jason Bourne?», qui possède cinq millions en dollars américains cachés dans un compte spécial d'une banque suisse? Mais l'émergence d'un état de crise, l'attaque au sortir de la banque, *met en suspens* cette aire d'investigation pour forcer le héros à répondre à des buts plus pressants: comment sortir vivant de ce guet-apens. Si l'état de crise met en suspens cette recherche d'identité, il provoque aussi sa redéfinition. Au «Qui est Bourne?» s'ajoute un plus impératif «Pourquoi veut-on tuer Bourne?».

Pour Bourne mais aussi pour le lecteur, cette attaque est imprévue. Il s'agit bien là d'une action non associée, d'une action qui au moment de son déroulement n'est liée à aucun plan, aucun but particulier. L'attaque à la banque survient assez tôt dans le récit, à un moment où Bourne, toujours amnésique, vient à peine d'apprendre son nom. Il ne sait donc pas qui veut le tuer ni pourquoi. Et ce qui trouble le plus le héros est la compétence guerrière qu'il démontre au plus fort de la crise. Quel genre de compétence est-ce donc qui comprend le maniement des armes, l'art de blesser et d'estropier, et une extraordinaire faculté d'improvisation?

L'attaque à la banque et la suivante à son hôtel sont, au moment de leur déroulement, des actions non associées. Ces actions ne vont prendre tout leur sens pour le lecteur que lorsqu'elles seront intégrées dans un plan et qu'il saura que ces agents sont les hommes de Carlos. Avertis de la réapparition de Bourne, de cet ennemi mortel de Carlos, dont ils pensaient s'être débarrassé une fois pour toutes lors de l'explosion de son bateau, ils n'ont d'autre choix que d'essayer à nouveau de le tuer. Cette action sera dûment comprise quand elle sera intégrée dans ce contexte et comme moyen mis en œuvre pour réaliser le plan qui y est associé. Pour Bourne, comprendre la pleine signification de ces attaques passe nécessairement par la découverte de sa propre identité. Or, cette recherche s'avère éprouvante. D'abord, parce que la route est parsemée de pièges et de meurtriers, ensuite parce que cette identité qu'il met à jour est celle, insupportable, d'un impitoyable tueur à gages.

Quelle est la réaction d'un homme qui se découvre être un des terroristes les plus recherchés de l'occident? Une grande confusion... Aidée de Marie, qui finit par croire en lui et ne pouvoir accepter qu'il soit autre que ce qu'elle voit, à savoir une victime quelque peu désemparée, il part à la recherche non plus de son identité, parce que celle-ci est irrecevable, mais de la vérité! Convaincu qu'il n'est pas ce qu'il paraît être, que cette réalité vers laquelle tout converge est une fiction, il part à la quête de son passé et de tous ces noms qui permettent d'en retracer l'histoire. Ce but — négatif car il s'agit de prouver qu'il n'est pas ce qu'il est dit être — se spécifie dans la recherche de son employeur, «Threadstone Seventy-One». Cette compagnie dont le siège social est aux États-Unis, il en découvre assez rapidement le nom et l'importance: elle est le seul lien avec son passé, la seule à pouvoir distinguer l'être du paraître et lui indiquer sa véritable identité.

Le héros ne suit donc pas un but qui aurait été défini au départ et qui serait resté stable tout au long du récit; il passe d'un but à l'autre, le récit de sa quête étant une redéfinition constante de ces buts. Cette transformation des buts est analogue à celle qui survient dans *Déjà vu*, la fiction interactive. Tout comme Jason Bourne, le détective-lecteur souffre d'amnésie et ne connaît à son réveil ni son identité ni la raison de sa présence au Joe's Bar. Il doit, lui aussi, reconstruire le déroulement d'actions qui l'a amené jusqu'ici et trouver une façon de se sortir de ce mauvais pas. Les buts du détective-lecteur se redéfinissent donc au fur et à mesure qu'il progresse et qu'il accumule de l'information sur sa situation. Par exemple, si au départ le détective-lecteur ne cherche qu'à sortir du bar, la découverte du corps et le fait que c'est son arme qui a servi à tuer cet homme le forcent bientôt à chercher un moyen de se disculper. Cela est même pressant car la police est déjà à ses trousses; il lui faut donc rechercher seul celui qui pourrait être le véritable meurtrier.

La situation est différente avec *Michel Strogoff, Le tour du monde en 80 jours* ou même *Le professeur Flax, monstre humain*; dans ces récits, des buts principaux sont fixés dès le début du texte et ils ne varient pas jusqu'à la fin. Ils se spécifient d'une situation narrative à l'autre, sont mis en suspens le temps de régler quelque crise; mais ils restent indemnes tant qu'ils n'ont pas été réalisés. La fin de ces récits coïncide d'ailleurs avec la réalisation de ces buts. Le récit s'arrête quand Irkoutsk ou Londres ont été rejointes, quand Flax est enfin mort. Dans *Les mystères de Paris*, Rodolphe poursuit également à travers les quelque onze parties du récit de ses aventures, les deux mêmes buts principaux: retrouver François Germain pour le compte de sa mère, Mme Georges, et retrouver l'identité et la famille de Fleur-de-Marie. La fin du récit ne coïncide pas dans ce cas-ci avec l'obtention de ces buts. C'est qu'en chemin de nouveaux buts ont vu le jour, des situations narratives secondaires se sont ouvertes qui demandent résolution. À la recherche de Germain, Rodolphe s'est rendu à la rue du Temple, lieu de convergence d'une multitude de drames tous plus pressants les uns que les autres. La découverte de l'identité de Fleur-de-Marie, qui n'est autre que la fille disparue de Rodolphe, entraîne aussi une redéfinition complète, une amélioration des buts poursuivis par celui-ci. Il ne s'agit plus d'aider une misérable mais de sauver sa propre fille. Les conditions matérielles du roman feuilleton sont telles que le texte peut n'avoir jamais de fin puisque, selon les commandes, un nouvel épisode peut toujours être ajouté.

À travers toutes leurs modifications, les buts sont à la base de la compréhension des actions d'un agent; ils sont un principe de cohérence du récit. Comprendre un récit, c'est comprendre minimalement pourquoi ses personnages agissent de la façon dont ils le font, ce qui doit s'effectuer par l'identification de leurs buts et motivations. L'absurdité d'une situation narrative ou d'un récit est souvent provoquée, pour un lecteur, par l'incapacité de recouvrer les buts poursuivis par les agents. Regardons deux exemples.

Dans *Welcome to Hard Times* de E. L. Doctorow ([45]), le lecteur assiste à une situation où les actions d'un agent échappent à la compréhension des autres personnages. Une petite ville des territoires du Dakota (Hard Times), qui sert d'étape aux diligences, est complètement détruite par une brute qui ne faisait qu'y passer. En quelques heures, la brute détruit ce qui avait pris toute une vie à construire. Il met le feu à la ville, détruit le saloon, tire sur un homme, viole et brûle une femme et puis disparaît une fois le fête terminée. Et cela sans raison, simplement parce que c'est une brute et que c'est ce

---

([45]) E. L. DOCTOROW, *Welcome to Hard Times*, Toronto, Bantam Books, 1960.

que font les brutes. Pendant tout le récit, les rescapés vont essayer de reconstruire la ville, en cherchant à comprendre pourquoi cette brute a fait cela. La destruction ne se suffit pas en elle-même, elle doit avoir une raison, un but, une signification; elle doit être ne serait-ce qu'un signe de la providence. Mais non, pour les habitants, le lecteur et encore le narrateur qui écrit l'histoire de sa ville dans des livres de comptabilité sauvés de la destruction, cette action demeure tout aussi incompréhensible à la fin qu'au début. Et, quand la ville est enfin reconstruite et redevient prospère, la brute réapparaît animée des mêmes intentions destructrices...

Dans ce récit, héros et lecteur ensemble ne peuvent comprendre les actions d'un protagoniste. La recherche de la signification de ces actions est un des buts du texte. Même si les déroulements d'actions qu'il contient ne le sont pas, le récit est lui tout à fait cohérent. La situation est bien différente avec certains textes de Raymond Queneau, où c'est le texte lui-même qui donne l'impression d'être incohérent et cela parce qu'il est impossible au lecteur de saisir les buts réellement poursuivis par le héros à partir des actions qu'il accomplit. Les courts récits «Un jeune Français nommé Untel, I, II», tirés des *Contes et propos* ([46]), sont d'extraordinaires exemples de textes dont l'absurdité provient d'une incompatibilité entre les buts inférés par les actions proposées et les résultats effectivement atteints. Dans le second court récit, il est impossible de reconstruire un déroulement d'actions cohérent. Untel et les deux frères Smith reviennent des courses. Ils ont gagné, il est probable qu'il ait perdu. Ils prennent un taxi pour aller boire un verre:

> Le taxi, payé, disparut dans la direction du Palais-Royal. C'est alors que l'aîné des frères Smith, il se nommait Arthur, constata qu'il n'avait plus son portefeuille. Son frère cadet, il se nommait également Arthur, suggéra qu'il l'avait sans doute oublié dans le taxi. Un inspecteur de la Sûreté qui se trouvait là comme par hasard se mêla de cette histoire, témoigna de ses fonctions et se vanta de retrouver en très peu de temps le portefeuille perdu.

([46]) Raymond QUENEAU, *Contes et propos*, Paris, Gallimard, 1981.

— Retrouver un portefeuille perdu dans un taxi, c'est l'enfance de l'art, affirma-t-il.

— Permettez, dit Untel. Avant de commencer vos recherches je désirerais que vous me fouilliez. Je veux qu'aucun soupçon ne pèse sur moi.

— Mais personne ne vous soupçonne, dirent en cœur les frères Smith.

— Je désire être fouillé, affirma Untel d'un ton déclamatoire.

— C'est bien pour vous faire plaisir, dit l'inspecteur, qui retrouva dans les poches du jeune homme non seulement le portefeuille de Smith aîné, mais encore celui de Smith cadet. Tout le monde était stupéfait. Untel détala. ([47])

Les Smith se font voler, à la Dupond et Dupont, leur portefeuille; Untel veut se faire fouiller. Le lecteur, bien innocemment, en conclut que Untel n'a pas leurs portefeuilles. On ne réclame la fouille, surtout quand personne ne le demande et que tous insistent même sur l'inutilité de la chose, que dans ces cas où l'on se sait innocent. Se faire fouiller est le moyen pris pour être disculpé de tout crime; on peut représenter cette conclusion provisoire du lecteur comme un premier plan-acte.

Plan-acte 1: MOYEN: se faire fouiller
BUT: être disculpé

Le résultat escompté de ce plan-acte est l'innocence d'Untel. Pourtant, le résultat atteint est tout autre: Untel a les portefeuilles. Défiant toute logique, il demande de se faire fouiller, quand il sait bien que cela va entraîner son arrestation. Le lecteur qui a fait la première inférence s'est trompé. Il peut ne rien faire comme il peut réévaluer la situation narrative et réinterpréter les actions d'Untel en fonction des nouveaux événements. Le lecteur peut faire l'hypothèse qu'Untel ne veut peut-être pas se faire disculper mais bien arrêter. Le vol serait ainsi une occasion idéale de se faire mettre en prison, pour un délit mineur. Et pourquoi pas? On mange trois

([47]) R. QUENEAU, *Contes et propos*, pp. 49-50.

fois par jour en prison, on est logé et à l'abri du vent. Untel qui n'a pas un sou pourrait entrevoir la prison comme un refuge idéal. Le lecteur qui réinterprète de cette façon la situation narrative arrive à un nouveau plan-acte:

Plan-acte 1.1: MOYEN: se faire fouiller
BUT: se faire arrêter

Mais cette fois encore le résultat escompté n'est pas celui atteint. Le lecteur s'est trompé à nouveau. Untel ne veut pas se faire arrêter, il détale aussitôt son délit connu. Mais alors pourquoi demander de se faire fouiller, si on ne veut ni être disculpé ni être arrêté? Ni le premier ni le second but inféré par le lecteur n'expliquent le comportement d'Untel. Peut-être s'agit-il d'une blague comme seul Untel peut les jouer? Il se fait fouiller et c'est pour se moquer de la loi et de la société:

Plan-acte 1.2: MOYEN: se faire fouiller
BUT: faire une blague

Si tel est le cas, la farce tourne rapidement au vinaigre car, dans sa fuite, Untel saute dans une voiture qui passait et, sortant de sa poche un revolver, que le policier n'a pas eu le temps de confisquer, il se suicide. Ce suicide est le comble de l'absurde. Il n'est pas motivé, il ne remplit aucune fonction. Ce n'est pas pour échapper au policier, ce n'est pas dans un moment dépressif — Untel sourit béatement en se tuant. Il semble qu'Untel se suicide de la même façon qu'il demande à se faire fouiller: parce que c'est la meilleure façon d'être 'inconséquent.

Le récit semble n'avoir ni queue ni tête: voici l'histoire d'un gars qui se suicide après avoir pris la fuite au moment où un policier le poursuivait pour avoir volé des portefeuilles qu'il avait retrouvés sur lui après l'avoir fouillé à sa demande pressante. Le récit est difficile à relogifier parce que les raisons qui font agir Untel sont impossibles à déterminer. Il semble agir dans le sens contraire de ses intentions et sa mort prématurée élimine toute possibilité de résolution de l'irrationnalité de son comportement.

Mais un lecteur habitué aux récits de Queneau ne s'inquiète pas outre mesure de ces inconséquences, de ces aberrations narratives. Au contraire, il apprend à apprécier cette absurdité du texte qui provient de sa propre incapacité à prévoir et comprendre les déroulements d'actions mis en scène. Aussi, plutôt que de chercher à rendre cohérent, par des inférences inutiles, ce qui ne peut l'être, il laisse le texte le mener là où bon lui semble. Mais de telles stratégies narratives surviennent rarement dans les romans d'aventures. Si l'action d'un personnage est à un moment ou un autre inexpliquée, si ses intentions ou ses buts sont voilés, cela ne dure que le temps de créer une tension, un *suspense*. Dans ces romans, la planification respecte les conséquences et les conditions de réalisation des actions, permettant au lecteur de recomposer sans peine la chaîne du déroulement de l'action.

Le moyen du plan-acte

Tout peut servir de moyen: une action complexe, désignée par une action générique et qui se développe comme un script ou une procédure d'usage, des opérations plus simples ou même l'immobilité la plus complète. Un tir au revolver, un tour du monde, une longue course à travers la forêt nord-américaine peuvent servir de moyen aussi bien qu'une lettre à la poste ou un haussement des épaules. Plutôt qu'énumérer tout ce qui peut servir pour parvenir à un but, nous préférons illustrer la complète polymorphie des moyens en présentant un cas extrême de ce qui vaut comme moyen.

Ce cas est celui des fictions interactives, le *Déjà vu* dont nous avons déjà parlé, mais aussi cette collection de textes pour jeunes adolescents «Un livre dont **vous** êtes le héros». Dans ce type de récit, il y a une correspondance nécessaire entre ce que fait le lecteur — tourner les pages du livre, manipuler les commandes de l'ordinateur — et ce qui se passe dans le récit. Comme exemple principal, nous allons utiliser le récit de Ian Livingstone *Le labyrinthe de la mort*, issu de la série «Un livre dont **vous** êtes le héros» ([48]). Cette fiction interactive est construite sur le même principe que le *Déjà vu*; il s'agit d'un récit virtuel dont le déroulement est pris en charge par le lecteur. Le récit est actualisé à partir d'un ensemble de possibilités de déroulement et en fonction des opérations effectuées par le lecteur participant.

La situation narrative qui se développe dans *Le labyrinthe de la mort* se déroule dans la ville de Fang, de la province de Chiang Mai. Il y a de cela bien des années, le baron Sukumvit décida d'attirer l'attention sur sa ville et «construisit, dans les profondeurs de la montagne qui surplombe Fang, un labyrinthe ne possédant qu'une seule issue. Le labyrinthe fut rempli de toutes sortes de pièges et de chausse-trappes mortels et peuplé de monstres répugnants»([49]). Le labyrinthe sert de cadre à une «Épreuve des Champions», dont le prix à celui qui survivra à tous ces périls est fait d'une somme de 10 000 pièces d'or et de la liberté pour la province de Chiang Mai. Le prix est important, mais jamais jusqu'à présent un champion n'est parvenu à sortir du labyrinthe. Une fois l'an, au premier mai, six champions sont choisis pour pénétrer dans le labyrinthe; le lecteur, du fait qu'il lit le récit, est un de ces champions.

L'aventure commence quand le lecteur-champion pénètre dans le labyrinthe du baron Sukumvit. Le labyrinthe se présente comme un ensemble de 400 paragraphes numérotés de 1 à 400. Ces paragraphes ne doivent pas être lus les uns à la suite des autres mais dans un ordre non linéaire et à partir des indications fournies à la fin de chaque paragraphe. Quand le lecteur-champion s'engage dans le premier paragraphe, il lit:

1

Derrière vous les clameurs des spectateurs enthousiastes s'éloignent peu à peu tandis que vous vous enfoncez dans les

---

([48]) Ian LIVINGSTONE, *Le labyrinthe de la mort*, Paris, Gallimard, 1984.

([49]) *Ibid.*, p. 28.

ténèbres. [...] Après avoir marché lentement pendant cinq minutes environ, vous arrivez près d'une table de pierre dressée contre le mur de gauche. Six boîtes sont posées dessus, et sur le couvercle de l'une d'elle on a peint votre nom. Voulez-vous ouvrir la boîte pour voir ce qu'elle contient (rendez-vous alors au **270**), ou préférez-vous poursuivre votre chemin en direction du nord (rendez-vous au **66**)? (p. 35).

Le lecteur-champion se méfiant des tours du baron Sukumvit décide de ne pas ouvrir la boîte et de continuer directement son chemin. Il se rend donc au paragraphe **66** (quelque 32 pages plus loin):

66

Après avoir marché le long du tunnel pendant quelques minutes, vous arrivez à un croisement. Une flèche blanche est peinte sur le mur, et elle indique la direction de l'ouest. Sur le sol humide, vous remarquez les empreintes de pas laissées par ceux qui ont pénétré ici avant vous. Il est difficile d'en être certain, mais il semblerait que trois d'entre eux aient suivi la direction de la flèche, alors que le quatrième aurait choisi de prendre vers l'est. Irez-vous vers l'ouest (rendez-vous alors au **293**), ou vers l'est (rendez-vous au **119**)? (p. 67).

Et ainsi de suite jusqu'à la fin de l'aventure, qui correspond soit à la victoire du lecteur-champion, soit à sa mort à la suite d'un combat ou d'un piège quelconque (voir tableau III, pour une représentation des possibilités de déroulement de la première partie du récit). Passer d'un paragraphe à un autre revient donc à déambuler à travers les dédales du labyrinthe. Mais voilà, passer à travers les paragraphes c'est ici véritablement agir! Progresser dans le labyrinthe signifie décider d'ouvrir une boîte, combattre des monstres, etc. Il y a une correspondance directe entre les moyens représentés dans le jeu et ceux effectivement mis en œuvre par le lecteur. Marcher, c'est tourner des pages. Lire, c'est décider et résoudre des énigmes. C'est même combattre, au moyen d'un rituel plutôt compliqué qui requiert des dés et qui est fondé sur un rapport entre les points d'habileté, d'endurance et la force d'attaque des protagonistes.

TABLEAU III

Possibilités de déroulement dans *Le labyrinthe de la mort*

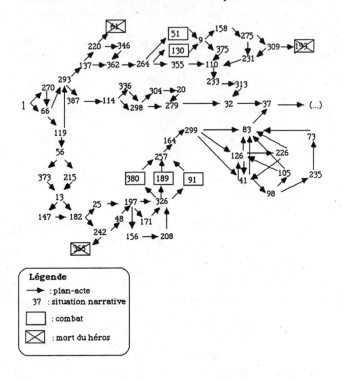

Légende

→ : plan-acte

37 : situation narrative

☐ : combat

⊠ : mort du héros

Les différents moments de la progression à travers les dédales du labyrinthe, thème judicieusement choisi pour un tel cadre d'aventures, peuvent être décrits à l'aide d'un processus en trois étapes. Ce processus, inspiré des propositions de Bremond ([50]), comprend une situation narrative, un plan-acte et un résultat atteint.

Dans un premier temps, il y a une situation narrative initiale appelant le lecteur-champion à inaugurer une action quelconque. Dans le paragraphe **1**, le lecteur-champion doit décider s'il ouvre la boîte ou continue son chemin. Dans un second temps, il y a le passage à l'acte du lecteur-champion; c'est un plan-acte dont le but général est de gagner l'épreuve des champions et dont le moyen consiste à tourner des pages en simulant que cela correspond à se déplacer dans les dédales ou à ouvrir une boîte de ses mains. Dans un dernier temps, il y a le résultat atteint par l'action, la conséquence du plan-acte. Selon la décision du lecteur-champion, cela implique lire le paragraphe **270** ou **66**.

1	2	3
Situation narrative initiale	Plan-acte	Résultat atteint
	but: gagner l'épreuve	
Paragraphe 1	moyen: tourner des pages= ouvrir boîte	paragraphe **270**
	moyen: tourner des pages= continuer la route	paragraphe **66**

La correspondance entre les moyens mis en œuvre par le lecteur et ceux représentés dans le récit est établie par le biais de l'activité de prise de décision proposée au lecteur. Un

---

([50]) C. BREMOND, *Logique du récit.*

problème est présenté au lecteur et celui-ci doit le résoudre. Cette opération de réflexion ou de prise de décision est la même quels que soient les moyens effectivement pris pour en actualiser les résultats. Qu'il s'agisse de marcher à travers un labyrinthe ou de tourner les pages d'une fiction interactive, c'est le même type de raisonnement qui est exigé et qui permet de relier ces deux activités ([51]).

Les résultats atteints par le plan-acte ne sont pas nécessairement ceux escomptés. Le lecteur-champion avance un peu à l'aveuglette, ne sachant jamais trop où il va arriver après chaque déplacement dans le livre. Les surprises abondent. Il peut aussi bien découvrir après quelque tournant un trésor, une arme magique ou un lutin menaçant. Après seulement cinq plan-actes, le lecteur-champion peut très bien se retrouver dans une situation des plus fâcheuse. Au paragraphe **220** (après un court déroulement d'actions: 1-66-293-137-220), une cloche se met à tinter et les vibrations sont si fortes qu'elles menacent les forces du lecteur. Si celui-ci se met à crier aussi fort qu'il le peut, il se rend au paragraphe **61** et voici ce qui survient:

61

Malgré l'atroce bourdonnement qui résonne dans vos oreilles, vous entendez, dans le tunnel, des pas qui viennent vers vous. Vos hurlements ont attiré l'attention d'un garde. Bientôt un LUTIN se dresse devant vous. Un sourire mauvais au coin des lèvres, il presse la pointe de son épée contre votre cou. Vous ne pouvez vous défendre, et le Lutin vous passe son épée au travers du corps. Ainsi s'achève votre aventure (p. 65).

([51]) *Le labyrinthe de la mort* propose au lecteur-champion environ 625 décisions en 375 paragraphes — 25 paragraphes signalent la mort du lecteur héros. L'itinéraire minimal est composé de 69 plan-actes, qui appellent 5 combats. La séquence est composée des paragraphes suivants: 1-66-119-293-387-114-298-279-32-37-239-344-107-267-68-271-237-100-87-381-128-35-124-81-136-78-142-338-282-22-63-194-369-288-221-60-365-191-121-354-55-40-163-363-379-213-108-59-283-109-43-316-241-291-90-357-332-53-370-104-134-247-364-31-376-62-177-243-400. Les combats prennent place dans les paragraphes: 387, 124, 369, 40, 247.

L'aventure aura été de courte durée. Il faut croire que le lecteur-champion n'était pas très habile. En fait, quelle que soit l'aventure, la question de la compétence de l'agent est directement reliée à celle des moyens utilisés. Tout héros possède une compétence qui lui permet d'agir. Le concept de compétence a une longue histoire en sémiotique littéraire, il ne s'agit pas ici d'y revenir de façon détaillée. Dans la sémiotique de Greimas, par exemple, elle est une des quatre phases du programme narratif; elle joue donc un rôle central, permettant de définir la capacité du sujet à réaliser son programme.

Dans les romans d'aventures, la compétence des héros est généralement non problématique. Ils ont souvent des moyens financiers illimités — Bourne a cinq millions de dollars américains; Fogg possède vingt mille livres; Rodolphe, prince de Gerolstein, gère une fortune —, sinon la question ne se pose même pas. Œil-de-Faucon n'a pas besoin d'argent en forêt, ni Buffalo Bill dans son Far West; Michel Strogoff est un militaire et n'a pas à se préoccuper de questions monétaires; Harry Dickson est au-dessus de tout cela. Ces héros possèdent aussi une force extraordinaire, ils sont passés maîtres dans le maniement des armes, ils ont un sens aigu du devoir et une capacité d'improvisation hors du commun. En fait, leur compétence est toujours suffisante, quelle que soit la tâche.

Les fictions interactives mettent en jeu de façon immédiate et pratique la compétence du héros, car celle-ci est reliée à la capacité réelle du lecteur-participant à compléter le récit. Que ce soit le Chicago des années 20 (*Déjà vu*) ou le labyrinthe du baron Sukumvit, le parcours proposé ne peut être complété que si le lecteur-participant possède la compétence suffisante. Dans *Le labyrinthe de la mort*, cette compétence est même quantifiée! Elle est définie comme des points d'habileté, d'endurance et de chance, points qui rendent compte de la capacité du lecteur-champion à combattre et vaincre ses adversaires et à faire face aux nombreux dangers qui guettent sur sa route.

> Vos points d'habileté reflètent votre art dans le maniement de l'épée et votre adresse au combat en général; plus ils sont éle-

vés, mieux c'est. Vos points d'endurance traduisent votre force, votre volonté de survivre, votre détermination et votre forme physique et morale en général; plus vos points d'endurance sont élevés, plus vous serez capable de survivre longtemps. Avec vos points de chance, vous saurez si vous êtes naturellement chanceux ou malchanceux (pp. 16-17).

La compétence du lecteur-champion est cependant liée au hasard. Ces points sont calculés à l'aide d'un lancer des dés. Ils varient donc d'un lecteur-champion à l'autre et encore à l'intérieur d'une même aventure. On peut perdre des points d'endurance en combattant, comme on peut en regagner en mangeant ou en se reposant; et quand il ne reste plus au lecteur-champion de points d'endurance, c'est la mort.

La mise en œuvre des moyens est donc directement liée à la compétence du héros. Quand celle-ci vient à flancher, c'est le récit lui-même qui s'arrête, l'aventure terminée.

Les déroulements d'actions

Bremond l'a montré de façon décisive, le déroulement d'une action est un processus qui comporte trois étapes: une virtualité, un passage à l'acte et un résultat. La virtualité est la possibilité de l'action, c'est la situation narrative en tant qu'elle met en scène un agent qui s'apprête à agir et lui offre la possibilité de le faire. Le passage à l'acte est l'actualisation du projet de l'agent, il correspond au plan-acte en tant que l'ensemble des moyens mis en œuvre afin d'obtenir un but qui se présente comme un résultat escompté. Le résultat est ce qui est atteint à la suite de l'accomplissement du plan-acte, et qui ne correspond pas toujours à ce qui était escompté.

1- situation narrative
2- plan-acte
3- résultat atteint

Il est important, dans un dernier temps, de montrer comment ces trois éléments sont imbriqués les uns dans les autres et d'illustrer comment s'effectue le passage de la planification

286

à la réalisation d'une action et le rapport entre cela et le développement et l'enchaînement des situations narratives.

Nous allons utiliser comme exemple la situation narrative qui se développe dans la huitième partie des *Mystères de Paris* (tome 4). Cette situation narrative prend place à la prison de la Force, et ce qui nous intéresse se passe plus particulièrement dans une de ses cours, surnommée la fosse aux lions. C'est là que l'on retrouve François Germain (Ag1), le fils de Mme Georges que veut retrouver Rodolphe et qui a été arrêté à la suite d'une fausse accusation de vol portée par le notaire Ferrand. Germain avait fui à Paris après avoir dénoncé des bandits affairés à préparer un vol de banque. Or, qui retrouve-t-il inopinément à la prison, sinon certains de ces bandits qui sautent sur l'occasion de se venger et de le tuer. Lors d'une rencontre, un plan est rapidement défini par le Squelette et ses complices (Ag2):

> — Écoutez-moi bien, reprit le prévôt [le Squelette] de sa voix enrouée, il n'y a pas moyen de faire le coup pendant que le gardien sera dans le chauffoir ou dans le préau. Je n'ai pas de couteau; il y aura quelques cris étouffés; le mangeur [Germain] se débattra.
> — Alors comment...
> — Voilà comment: Pique-Vinaigre nous a promis de nous conter aujourd'hui, après dîner, son histoire de Gringalet et de Coupe-en-Deux. Voilà la pluie, nous nous retirerons tous ici, et le mangeur viendra se mettre là-bas dans le coin, à la place où il se met toujours... Nous donnerons quelques sous à Pisse-Vinaigre pour qu'il commence son histoire... C'est l'heure du dîner de la geôle... Le gardien nous verra tranquillement occupés à écouter les fariboles de Gringalet et Coupe-en-Deux, il ne se défiera pas, ira faire un tour à la cantine... Dès qu'il aura quitté la cour... nous avons un quart d'heure à nous, le mangeur est refroidi avant que le gardien soit revenu... Je m'en charge... J'en ai étourdi de plus roides que lui... Mais je ne veux pas qu'on m'aide... (tome IV, pp. 47-48).

Voilà le plan. Une séquence d'actions a été définie, la suite du récit devra montrer si celle-ci se réalise telle que prévue (cela ressemble en fait à la programmation informelle d'un script: une séquence d'action est définie et désignée au lecteur et la suite du récit va consister en une actualisation de cette séquence, en l'exécution du plan). Cette planification procède d'abord par l'établissement d'un but général: il faut se venger du mangeur, il faut tuer Germain. On le recherchait déjà, on l'avait presque attrapé au 17, rue du Temple, mais maintenant que l'on sait où il se trouve et qu'il ne peut plus s'enfuir, il s'agit de trouver un moyen de s'en approcher suffisamment pour le tuer. Il n'y a planification que quand des obstacles empêchent l'obtention immédiate du but. Dans ce cas-ci, les obstacles sont introduits par la spécificité du cadre. La prison institue une série de contraintes: aucune arme n'est accessible et ne peut être utilisée, il faut donc qu'il y ait contact entre le tueur et sa victime, ce qui limite les possibilités; il y a aussi une liberté d'action restreinte, résultat de la surveillance des gardiens. Il s'agit de trouver une occasion où à la fois les gardiens relâchent leur attention et la victime se trouve à portée de la main, incapable de se sauver. L'occasion idéale se présente donc quand Pique-Vinaigre (Ag3) consent à conter son histoire de Gringalet et Coupe-en-Deux (Ag5). Pique-Vinaigre n'est pas de la partie — il est, semble-t-il, trop poltron — mais il se laisse convaincre de conter son récit au chauffoir à midi pour vingt sous. Un plan assez simple est élaboré, que l'on peut représenter de cette façon:

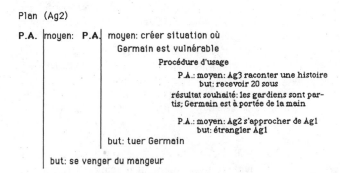

Plan (Ag2)

P.A. moyen: P.A. moyen: créer situation où
Germain est vulnérable
Procédure d'usage
P.A.: moyen: Ag3 raconter une histoire
but: recevoir 20 sous
résultat souhaité: les gardiens sont partis; Germain est à portée de la main

P.A.: moyen: Ag2 s'approcher de Ag1
but: étrangler Ag1
but: tuer Germain

but: se venger du mangeur

Et c'est bien ce plan qui est mis à exécution. Au début de l'après-midi dans le chauffoir, Pique-Vinaigre commence à raconter son histoire de Gringalet et de Coupe-en-Deux. Germain s'y trouve, il est même assis tout à fait en avant, privilège que lui confèrent les dix sous donnés au conteur; mais il y a aussi le Squelette, Gros-Boiteux et les autres complices. Le récit commence et pendant deux chapitres le lecteur va devoir, tout comme les autres détenus, suivre les aventures de ces deux personnages. Le texte va osciller en fait entre la situation narrative de Gringalet et de Coupe-en-Deux et celle en progression dans le chauffoir où le Squelette vérifie le bon déroulement des opérations. Le plan progresse normalement mais il faut attendre, pour agir, que le gardien s'en aille. Or, le père Roussel tarde à partir pour la cantine, intéressé lui aussi au récit de Pique-Vinaigre. Mais enfin, à quatre heure moins dix, presque à la toute fin du récit, il part enfin manger sa soupe et quitte la cour. C'est le moment tant attendu. Le Squelette se précipite sur Germain si brusquement que celui-ci ne peut faire un mouvement ni pousser un cri. Le plan a fonctionné. Pourtant au dernier instant, Germain est sauvé. Un homme vêtu d'un bonnet bleu s'élance d'un bond furieux, renversant quelques prisonniers, attaque le Squelette et lui assène «sur le crâne et entre les deux yeux une grêle de coups de poing si précipités, qu'on eût dit la batterie sonore d'un marteau sur une enclume» (p. 79). C'est le Chourineur (Ag4) venu à la rescousse de Germain. Il ose faire face au Squelette et à ses complices. La bataille se transforme en rixe bientôt mâtée par les soldats.

Quand Germain, presque étranglé par les doigts de fer du Squelette, reprend enfin conscience, il veut aller remercier le Chourineur. Il le retrouve quand ce dernier sort du bureau du directeur. Là, le Chourineur lui explique que son aide et sa présence à la prison ne sont pas le fruit du hasard mais le résultat d'un plan. Rodolphe lui avait demandé quelques jours auparavant de s'occuper de Germain qu'il savait injustement emprisonné. Le Chourineur avait déjà été en prison à la Force, il connaissait donc peut-être encore des détenus qui pourraient aider Germain en attendant qu'il puisse être exonéré. Rodolphe voulait que le Chourineur aille visiter ses anciens camarades et par des promesses d'argent les engager à protéger ce malheureux innocent. Plutôt que de déléguer, le Chourineur, qui voue à Rodolphe une admiration sans borne, décide de prendre les choses en main, de se faire emprisonner afin de surveiller lui-même Germain. On n'est jamais mieux servi que par soi-même.

Pour se faire arrêter, il faut commettre un délit; le Chourineur imagine donc de voler un logement. Mais voilà, le Chourineur est incapable du moindre vol. Il avait déjà expliqué à Rodolphe, lors de leur rencontre première au Lapin Blanc, qu'il était incapable de voler. Même dans les grands moments de famine, par exemple, après avoir jeûné pendant deux jours, il avait été incapable de voler de quoi se nourrir. Et il n'avait pas volé, non pas par peur de la prison mais parce qu'il était foncièrement honnête: «Oh! C'te farce! [...] J'aurais donc pas volé du pain par peur d'avoir du pain?... Honnête je crevais de faim; voleur, on m'aurait nourri en prison!... Non, je n'ai pas volé parce que... parce que... enfin parce que ce n'est pas dans mon idée de voler» (tome I, p. 41). Comment peut-il alors commettre un vol? En le simulant...

Le Chourineur relate alors à Germain, qui n'en croit pas trop ses oreilles, les détails de son vol simulé. Il commence par se déguiser, avec une perruque noire, des lunettes bleues et un oreiller dans le dos pour imiter une bosse. Sous un faux nom, il se trouve un logement qu'il meuble et garnit. Il part et revient la nuit du lendemain rôder devant son logement. Enfin, sur les deux heures du matin, il entend une patrouille s'approcher. Il finit d'ouvrir le volet laissé entrebaillé, casse deux ou trois carreaux pour faire du bruit, enfonce la fenêtre, saute dans la chambre, empoigne la boîte d'argenterie qu'il y avait laissée et se fait pincer par la garde au moment où il ressort par la fenêtre. Le tour est joué: il est capturé et amené au commissaire: «J'avoue tout, on m'arrête, on me conduit au dépôt, du dépôt ici, et j'arrive au bon moment, juste pour arracher des pattes du Squelette le jeune homme dont M. Rodolphe m'avait dit: "Je m'y intéresse comme à mon fils"» (tome IV, pp. 88-89). Le plan élaboré par le Chourineur a donc bien fonctionné:

PLAN (Ag4)

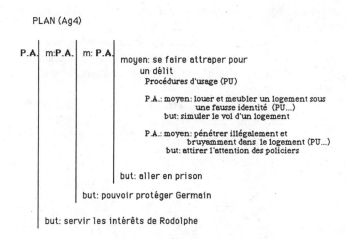

P.A. | m:P.A. | m: P.A.
moyen: se faire attraper pour
un délit
Procédures d'usage (PU)

  P.A.: moyen: louer et meubler un logement sous
         une fausse identité (PU...)
  but: simuler le vol d'un logement

  P.A.: moyen: pénétrer illégalement et
         bruyamment dans le logement (PU...)
  but: attirer l'attention des policiers

but: aller en prison

but: pouvoir protéger Germain

but: servir les intérêts de Rodolphe

Deux plans sont ainsi conçus dont les actions décisives sont opposées l'une à l'autre: l'action du Chourineur contre celle du Squelette. Dans le texte, cette confrontation se développe en trois temps. Dans un premier temps la planification du Squelette est présentée. Elle prend la forme d'un dialogue entre celui-ci et ses complices. Dans un second, son action décisive est présentée, suivie immédiatement de l'action contraire du Chourineur. Dans un dernier temps, lors de la discussion entre Germain et le Chourineur, le plan réalisé par celui-ci est à son tour expliqué. Le déroulement de l'action se compose ainsi de la suite: plan - [action - action contraire] - plan. Le plan d'abord détaillé ne se réalise pas tel que prévu et il est empêché par une action dont le plan, lui, n'est présenté qu'après coup, une fois le but dûment obtenu.

Au moment de sa présentation, par conséquent, l'attaque du Chourineur est une action non associée. Germain est en effet défendu par un mystérieux et anonyme «homme au bonnet bleu». Tout en indiquant sa présence, il faut taire le nom du défenseur de Germain jusqu'au moment fatidique, car le nom même du Chourineur suffirait au lecteur pour prévoir ce qui va se passer. Ce nom est en effet synonyme d'allégeance à Rodolphe, qui cherche justement à retrouver et protéger Germain. Pour créer un suspense, un effet de surprise quand à la dernière seconde Germain est sauvé de l'emprise mortelle du Squelette, il faut donc taire ce nom et user d'un expédient, d'une description définie. L'utilisation d'actions non associées, comme ici, est une stratégie narrative usuelle, créatrice de tension.

Ces trois moments du déroulement de l'action prennent place chacun dans une situation narrative. L'enchaînement de ces trois situations principales peut être représenté par la Figure 19:

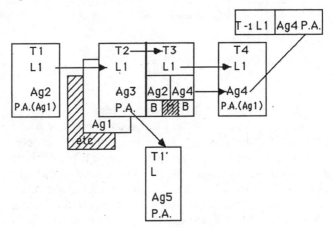

Figure 19. Situations narratives dans la fosse aux lions

Le cadre général de ces situations est la prison de la Force (L1), et plus particulièrement la cour surnommée la fosse aux lions. Dans ce cadre, quatre moments précis peuvent être définis. Le premier (T1) correspond à la discussion entre le Squelette (Ag2) et Gros-Boiteux, Nicolas et les autres, dialogue qui donne lieu à la planification (puisque ce plan porte sur Germain, on représente ce rapport par le terme P.A.(Ag1), soit une action portant sur Ag1). C'est la première situation narrative. La seconde s'étend du moment où Pique-Vinaigre (Ag3) commence son récit (T2), jusqu'à l'attaque du Squelette et la contre-attaque du Chourineur qui surviennent peu avant la fin du récit (T3). Cette situation narrative est complexe. Elle est déterminée d'abord par le récit de Pique-Vinaigre. Une situation de communication particulière, l'acte de raconter, prend place en effet dans le chauffoir. Mais, en tant qu'histoire cette fois, ce récit est aussi l'occasion d'une situation narrative secondaire, mettant en jeu Gringalet et Coupe-en-Deux (Ag5). Des situations narratives concomitantes sont aussi reliées à la situation de communication développée par le récit; elles désignent l'action des différents détenus qui viennent écouter le conte de Pique-Vinaigre. Ils sont réputés participer à la même action. C'est le cas de Germain et des autres détenus. À cette situation narrative principale est accolée la situation narrative centrée sur les agissements du Squelette. Il s'agit d'un accolement car, si ce dernier assiste bien au récit de Pique-Vinaigre, c'est dans des buts tout à fait différents. Cette situation est pour lui le moyen de tuer Germain. Au temps T3, il entreprend d'ailleurs d'exécuter son plan et c'est là qu'apparaît le Chourineur. La situation narrative de ce dernier est à son tour accolée à celle du Squelette; ils partagent bien le même moyen: ils sont engagés dans un corps à corps; mais dans des buts différents: l'un veut protéger plutôt qu'étrangler Germain. La situation narrative complexe est ainsi composée d'un ensemble de sous-situations concomitantes, accolées et secondaires.

La dernière situation narrative survient au temps T4 et met en scène le Chourineur qui explique à Germain comment il est parvenu à le sauver. Cette explication donne lieu à une situation narrative subordonnée retraçant les différents moments du plan couronné de succès du Chourineur. Il s'agit bien d'une situation subordonnée car elle présente l'action comme déjà complétée et elle sert surtout à compléter l'information sur l'action survenue dans la situation précédente.

Le déroulement de l'action peut donc être représenté à l'aide de trois situations narratives directrices: deux situations enchâssantes, qui fournissent la planification développée par les agents pour atteindre leurs buts et une situation enchâssée qui présente les résultats de cette planification. Cette situation enchâssée complexe est ainsi composée de sous-situations accolées dont l'enchaînement représente la succession des trois principaux plan-actes:

Plan-acte 1: MOYEN: Ag3 conte son histoire [de T2 à T3]
      (Ag2) BUT: créer une situation favorable pour tuer Ag1

Résultat atteint: Ag1 est assis tout près de Ag3
      Le gardien disparaît pour aller manger
      Tout est prêt pour l'attaque.

Plan-acte 2: MOYEN: attaquer Ag1
      (Ag2) BUT: tuer Ag1

Résultat atteint: attaque contrée par **P.A.3**

Plan-acte 3: MOYEN: tabasser Ag2
      (Ag4) BUT: protéger Ag1

Résultat atteint: Ag1 est sain et sauf

    P.A.1, P.A.2 et **P.A.3** sont les principaux éléments du déroulement de l'action. Produits d'une planification, elle-même thématisée, ils prennent place dans une situation narrative et les résultats obtenus font progresser le récit.

*

* *

    C'est ainsi que situation narrative, plan-acte et résultats sont reliés les uns aux autres. Le plan-acte est l'élément dynamique de cet ensemble. Il est le lien entre développement de la situation narrative, sa planification et son enchaînement aux autres situations d'un récit. Si lire un récit c'est passer à travers des situations narratives, cette opération passe par le plan-acte qui s'impose, par la conjonction des moyens et des buts qu'il actualise, comme unité de la médiation entre événement et intrigue.

III

LE PROTOCOLE DE LECTURE

Chapitre VI

Les mécanismes d'adhésion

> La question de la lecture se rétrécit donc de la manière suivante: comment un texte nous conduit-il à la construction d'un univers imaginaire? Quels sont les aspects du texte qui déterminent la construction que nous produisons lors de la lecture, et de quelle façon?
>
> Tzvetan Todorov,
> «La lecture comme construction»,
> in *Poétique de la prose*

Le protocole du contrat de lecture décrit la manière selon laquelle le récit doit être lu. On a défini précédemment la lecture d'un récit comme la réunion de deux mondes, le monde du lecteur et celui du texte. L'analyse des modalités du contrat de lecture a donné lieu à une définition des conditions minimales de cette réunion. L'analyse de la portée a permis de décrire ce sur quoi portait cette réunion, c'est-à-dire les éléments de la situation narrative. L'analyse du protocole de lecture offre maintenant la possibilité de rendre compte de la forme que prend cette réunion.

Le protocole concerne ainsi les directives fournies au lecteur sur ce qu'il lui faut connaître ou inférer, sur les «gestes de lecture» qu'il lui faut poser pour participer à la situation textuelle que sa lecture actualise. Cette dimension du contrat de lecture est celle qui a été le plus exploitée en études littéraires et dans les théories de la réception ou de la lecture. Narrataire, lecteur modèle, lecteur implicite, pour ne nommer que ceux-là, sont des concepts qui permettent de décrire et de définir ce travail requis du lecteur. À défaut d'une analyse sociologique ou psychologique d'une lecture déjà effectuée, il faut prévoir et chercher à tracer, sur le mode de la virtualité, les formes de la lecture telles que pré-définies ou programmées par le texte lui-même.

Dans notre perspective, le protocole régit essentiellement l'accès du lecteur au monde du texte. Ce monde du texte se spécifie en un univers narratif constitué de l'enchaînement des situations narratives développées. L'adhésion du lecteur à cet univers narratif est une des conditions de base du développement de la situation textuelle. Cette adhésion est souvent décrite en termes d'illusion référentielle et de transparence langagière ([1]). Ici, elle est bien conçue comme le fait d'*adhérer*, comme on dit «adhérer à quelque chose», soit y être fixé d'une manière telle qu'il est difficile d'en être séparé (*Lexis*, 1979). Cette adhésion est le résultat de l'union du monde du lecteur et du monde du texte.

Un ensemble de procédés textuels et narratifs favorisent l'adhésion du lecteur. L'étude du protocole de lecture va être

---

([1]) Dans les théories de la réception, il en est question en fonction de la lecture «quasi pragmatique». Le terme proposé par Karlheinz STIERLE décrit ces situations textuelles où le lecteur cherche à créer une illusion référentielle, une projection qu'il alimente à partir des données du texte et par laquelle il actualise et s'assure de la signification des énoncés rencontrés. Pour Stierle, «dans un premier temps, celui d'une lecture «naïve», tout texte de fiction s'expose à une forme de réception élémentaire, apprise et réglée pragmatiquement. Mais il existe des formes de fiction qui spéculent exclusivement sur une réception quasi pragmatique, et qui s'y adaptent. La possibilité de détacher l'illusion de la fiction s'y marque dans l'organisation linguistique du texte; la fiction s'y donne sa propre pragmatique, qui vise à fondre la fiction en illusion par une réception quasi pragmatique. Ce qui vaut avant tout pour un type de littérature de consommation qui n'a d'autre fonction que de produire chez son récepteur l'illusion d'une réalité. («Réception et fiction», in *Poétique*, n° 39 (1979), pp. 300-301).

exclusivement consacrée à leur description. Dans un premier temps, nous nous arrêterons aux dispositifs d'entrée dans le récit. La couverture, l'illustration, le mode d'emploi et l'incipit sont des composantes du paratexte qui engagent à la lecture et qui en pavent, pour ainsi dire, l'entrée. Dans un second temps, nous examinerons trois mécanismes qui assurent l'entrée dans le monde de l'action et l'adhésion du lecteur à l'univers narratif, soit l'identification au héros ainsi que la représentation des scripts et celle des plans. Enfin, nous allons décrire des stratégies narratives de représentation des modes d'accomplissement d'actions. Ce sont des jeux sur l'action qui influencent le lecteur dans son adhésion à l'univers narratif.

L'entrée dans le récit

Le protocole agit tout au long de la lecture d'un texte. Au fur et à mesure que le récit progresse, des indications sont données au lecteur sur ce qu'il doit savoir, croire ou penser de telle situation narrative. Le protocole opère à deux emplacements privilégiés: le paratexte et l'incipit.

Le paratexte

Le terme de paratexte, proposé par G. Genette, désigne avant tout «ce par quoi un texte se fait livre et se propose comme tel à ses lecteurs, et plus généralement au public» ([2]); soit un nom d'auteur, un titre, une préface, des illustrations, toutes ces choses,

> «dont on ne sait pas toujours si on doit ou non considérer si elles lui appartiennent, mais qui en tout cas l'entourent et le prolongent, précisément pour le *présenter*, au sens habituel de ce verbe, mais aussi en son sens plus fort: pour le rendre présent, pour assurer sa présence au monde, sa «réception» et sa consommation» ([3]).

---

[2] Gérard GENETTE, *Seuils*, Paris, Seuil, 1987, p. 7. Le terme a été proposé une première fois par Genette dans *Palimpsestes* (Paris, Seuil, 1982).

[3] Gérard GENETTE, *Poétique*, n° 69 (1987), p. 7.

Le paratexte fournit la présentation première du texte, ce par quoi le lecteur entre en contact avec le texte avant de le lire. Parmi les différentes fonctions qu'il joue, il y a celle de prédisposer le lecteur au contrat de lecture qu'il s'apprête à engager. Le titre, le nom de l'auteur, la désignation du genre auquel le texte appartient servent ainsi à préciser l'horizon d'attente du lecteur ([4]). Le lecteur qui s'apprête à lire un roman d'aventures, et qui le sait, s'attend à ce qu'un univers narratif lui soit proposé et qu'il soit construit principalement sur l'action et ses déroulements. C'est le protocole que lui propose le paratexte.

Plutôt que de passer un à un chaque roman de notre corpus en fonction de ses éléments paratextuels, nous préférons faire ici quelques remarques générales sur les particularités de ces paratextes ([5]). L'hétérogénéité et la diversité des romans d'aventures de notre corpus, soit du premier grand roman feuilleton français au dernier bestseller américain, ainsi que le parti-pris de travailler non pas sur les éditions originales mais sur des éditions populaires accessibles à tous, ne permettent de donner qu'un aperçu sommaire des pratiques

---

([4]) Cette désignation peut être le résultat d'une appellation directe: «roman», «récit», «novel» ou encore «bestseller», termes présents sur la couverture du texte, comme elle peut être implicite. Certaines collections sont à ce point identifiées à des genres qu'elles n'ont pas à spécifier pour chaque publication le type de texte présenté. L'édition du *Dernier des Mohicans*, dans Folio Junior, ne spécifie jamais qu'il s'agit d'un roman d'aventures, mais cela est inutile, car c'est la collection elle-même qui est identifiée comme collection de romans pour la jeunesse.

([5]) Nous ne nous arrêterons pas dans le présent essai à l'analyse des titres et de leurs rapports aux textes qu'ils introduisent. Le titre fournit souvent des informations nécessaires à la compréhension d'un texte mais les rapports qui les lient sont multiples et leur étude est très complexe. Ces rapports vont, par exemple, dans les romans d'aventures qui nous occupent, de l'identification du ou d'un des personnages principaux du texte (*Michel Strogoff, Le professeur Flax, monstre humain* et d'une certaine façon *La mémoire dans la peau*) ou d'un trait particulier (*Le dernier des Mohicans*), aux buts poursuivis (*Le tour du monde en quatre-vingt jours*), en passant par le cadre général de l'aventure (*Les mystères de Paris, Le labyrinthe de la mort, La prairie*).

qui prévalent pour ce genre. On peut identifier cependant une tendance dans l'édition contemporaine des romans d'aventures, et elle consiste en une «autonomisation» du livre. L'amélioration des procédés de publication et de diffusion, en ouvrant la voie à un public lecteur de plus en plus vaste, a forcé le livre à devenir le véhicule de sa propre publicité et présentation. À prendre l'édition américaine du livre de poche en exemple, au résumé de l'intrigue s'ajoutent extraits d'éloges qui vantent les mérites du texte, illustration, courte biographie de l'auteur, liste des ouvrages précédents et quelquefois même une publicité pour un produit. Tout est mis en œuvre pour qu'un lecteur puisse, uniquement par son étude du paratexte, être renseigné sur l'instance de production du récit, sa valeur et sa position dans le marché de la littérature.

Les éditions modernes des romans d'aventures intègrent ainsi leur propre publicité. Celle-ci prend la forme souvent d'un résumé ou d'un extrait du récit, présenté en quatrième de couverture. Ces courts textes vont d'une description générale de la période couverte par le récit, quand celle-ci diffère comme avec *Le dernier des Mohicans*, à la mise en situation du héros, comme dans *La mémoire dans la peau*:

> Au XVIIᵉ siècle, les Anglais et les Français se disputent «Le Nouveau Monde»: les premiers ont des vues sur le Canada, colonie française depuis 1608, les seconds sur la Louisiane anglaise. Le commandant français, Montcalm, menace le commandant Munro retranché dans son fort, situé sur les rives du lac Sacré. Munro demande de l'aide: on lui envoie 1 500 hommes. Parmi ces renforts se trouvent Alice et Cora, les propres filles de Munro. Magua, chef des Hurons, est chargé de conduire au plus vite la troupe anglaise vers le fort. Quel curieux raccourci le guide indien leur fait-il prendre? Mais, Uncas, le dernier des Mohicans, veille... (*Le dernier des Mohicans*, quatrième de couverture de l'édition Folio junior, 1974) [6].

---

[6] Comme nous le verrons par la suite, ce résumé nuit au récit parce qu'en désignant explicitement les deux filles Munro, il détruit une des stratégies narratives du début du texte qui consiste à taire leur identité.

Et:

> Il court pour sauver sa vie. Un homme avec un passé inconnu et un futur incertain. Un homme que l'on a sauvé de la mer — et aimé par la femme qu'il a prise comme otage, une femme qui refuse de voir en lui un tueur. Jusqu'à ce que des bribes de son passé refassent surface. L'une d'elles, c'est le nom «Carlos», celui de l'assassin le plus dangereux du monde (*The Bourne Identity*, quatrième de couverture de l'édition Bantam, 1981).

Le héros est posé et le cadre général de ses actions est défini. Le lecteur en sait suffisamment pour décider s'il veut maintenir son intention de lire le récit. Dans *La mémoire dans la peau*, s'il ouvre le livre, le lecteur a droit à un second résumé beaucoup plus complet qui décrit l'amnésie de Bourne, son compte de banque à Zurich, le fait qu'il est pourchassé pour des raisons qu'il ignore: «Qui est-il? [...] Jason Bourne. Il n'a pas de passé. Il n'a peut-être pas de futur» (p. i). Dans l'industrie de l'édition populaire américaine, la pratique va encore plus loin, la jaquette des livres de poche sert véritablement de placard publicitaire au livre lui-même. Dans l'édition de 1987 de *The Bourne Supremacy* (Bantam), la quatrième de couverture n'est pas seulement le lieu d'un résumé engageant, d'un leurre narratif savamment composé, mais encore d'un commentaire élogieux où sont énumérées les qualités du récit, parmi lesquelles on trouve la forte concentration d'actions du texte. Le commentaire, en forme d'éloge, sur la quatrième de couverture de *The Bourne Supremacy* est dit provenir du *Publishers Weekly* et proclame en majuscules:

> Ludnum nous arrive avec son meilleur suspense, le plus étourdissant, électrisant, mystifiant, infernal, bref: ludlumesque... Les chapitres sont menés à un train d'enfer et regorgent d'assassinats, de tortures, de corps-à-corps, de surprise et d'intrigues à tiroir. C'est un bestseller garanti!

Qui d'autre que Ludlum pourrait être «ludlumesque»?... Le texte est présenté comme si l'action était une quantité qui pouvait être mesurée. Cet éloge, cependant, n'est pas le seul dans l'édition de *The Bourne Supremacy*. Les deux premières pages sont réservées à la publication d'extraits des différents éloges publiés dans les «magazines» américains sur cette dernière production de l'auteur (*The Washington Times Magazine, Booklist, Library Journal, Philadelphia Daily News, The Pittsburg Press, USA Today, Associated Press, Best Sellers*, etc.). Ils confirment tous la même chose: «Un autre bestseller assuré» (p. i). Ce n'est plus une simple présentation, c'est de la vente sous pression... L'augmentation de la publicité est liée à la disparition de tout appareil critique. Les préfaces, les avant-propos, les introductions ont disparu. Il faut laisser la place à l'aventure.

En fait, sur ce sujet de l'aventure et de l'action, il semble que les horizons d'attente aient beaucoup évolué depuis les premiers romans d'aventures. On considère habituellement que *Le dernier des Mohicans* fait partie des premiers romans d'aventures (⁷). Dans ce récit pourtant, le rythme de l'action est assez lent. Les séquences de combats avec les Hurons ou les dangereuses randonnées dans les forêts ennemies sont entrecoupées de discussions philosophiques et de digressions de toutes sortes. Si ces discussions étaient monnaie courante dans la littérature du XIXᵉ siècle et ne nuisaient nullement à l'aventure, elles deviennent rapidement au XXᵉ siècle un poids dont il faut rapidement se délester. Il semble évident, par exemple, pour l'éditeur de *La légende de Bas-de-cuir* (les Éditions Robert Laffont, 1960), que ces discussions nuisent au rythme du récit. Dans un court avertissement de l'éditeur, il explique:

> Mais pour des lecteurs de 1960, la légende de Bas-de-Cuir aurait sans doute pâti d'une reproduction trop rigide des controverses philosophiques dont est émaillé le texte américain: ces

---

(⁷) Avec *Robinson Crusoe* de Daniel DEFOE, *Ivanhoe* de Sir Walter SCOTT, *Les trois Mousquetaires*, de A. DUMAS, etc. Dans son article «Roman d'aventures» dans l'*Encyclopédie Universalis*, P. VERSINS, qui, comme bien d'autres, fait remonter la tradition occidentale du roman d'aventures à l'*Odyssée* d'HOMÈRE, inclut *Le dernier des Mohicans* dans sa liste des premiers romans de ce genre (p. 933).

> débats, fort à la mode au début du XIXe siècle, n'intéressent plus guère que les sociologues; *aussi les avons-nous élagués pour que le rythme du récit prenne son véritable souffle, celui de l'aventure* (⁸).

Il y a donc des différences notables entre les horizons d'attente (ou la définition de ces horizons) des premiers lecteurs de romans d'aventures et des lecteurs contemporains. Une accélération du rythme des séquences narratives, une disparition de tout commentaire qui ne soit pas assujetti au développement de l'intrigue. Il y a en fait la définition d'un genre. *La légende de Bas-de-cuir* n'est pas un roman d'aventures, on veut en faire un. Cela demande quelques aménagements, que l'éditeur de Laffont s'empresse d'effectuer, en ajustant le rythme du récit aux normes en vigueur pour les romans d'aventures. Pour Gérard Genette, par exemple, la situation est claire: «La notion même de «roman d'aventures» est en grande partie un artefact éditorial, un effet d'élagage» (⁹).

Le paratexte contient aussi, outre le résumé, les remarques de l'éditeur et les commentaires des critiques, des données bibliographiques sur l'auteur. Celles-ci vont de quelques lignes, comme celles sur James Fenimore Cooper dans l'édition Folio du *Le dernier des Mohicans*, aux six pages sur Jules Verne, dans la collection du Livre de Poche. La palme revient cependant aux éditions Bantam qui ne se contentent pas de fournir des indications biographiques sur son auteur mais qui vont jusqu'à offrir, dans *The Bourne Supremacy*, un enregistrement sur bande magnétique de «Ludlum sur Ludlum». Pour la modique somme de 7,95 $ (au Canada), le lecteur peut passer une heure à écouter le maître:

> Sur cette cassette audio d'une durée de 60 minutes, Robert Ludlum vous emmène «derrière la scène» de ses bestsellers les plus spectaculaires, révélant ses sources d'information pri-

---

(⁸) Avertissement de l'éditeur dans *La légende de Bas-de-cuir* (Paris, Robert Laffont, 1960, tome I, p. 10). C'est nous qui soulignons.

(⁹) Gérard GENETTE, *Palimpsestes*, p. 266.

vilégiées et des anecdotes fascinantes sur ses histoires et ses personnages favoris. (p. 648; notre traduction)

Un élément plus traditionnel du paratexte est l'illustration. Toutes les éditions modernes des romans d'aventures de notre corpus sont pourvues d'illustrations en page couverture ([10]). Les illustrations sont des éléments incitatifs, qui engagent le lecteur à «visualiser» ce qu'il s'apprête à lire. La visualisation est une opération ou une attitude cognitive souhaitée car elle permet à l'univers narratif de s'imposer plus facilement par le biais d'une illusion référentielle. Pour qu'il y ait illusion, il faut qu'il y ait vision, même si le simulacre consiste en l'existence même de cette vision. Parce qu'elle est objet de regard, l'illustration influence le lecteur à entamer sa lecture sur le mode de la vision.

Les illustrations les plus fascinantes proviennent des fascicules des aventures de Buffalo Bill et de Harry Dickson. Ces fascicules sont des périodiques hebdomadaires ou bimensuels longs de trente-deux pages et présentés avec une couverture illustrée. L'illustration, imprimée souvent en quadrichromie, occupe les trois quarts de la couverture et est complétée par une légende. Dans ces illustrations, les actions sont croquées sur le vif. Pour le fascicule «Sur la piste de la terreur du Texas» des aventures de Buffalo Bill, l'illustration de la page couverture représente la situation narrative du Hard Times Saloon, quand le scout confronte Brazos Bill. Les deux cowboys sont debout autour de la table, sur laquelle on voit deux as, l'as de cœur et l'as de pique (lequel désigne le méchant?), et une douzaine de clients observent les événements. Au bas de l'illustration, on peut lire la légende: «J'accepte le défi, dit froidement Buffalo Bill, et vous êtes un lâche si vous refusez». Le lecteur est donc transporté au cœur de l'action, en pleine situation narrative. Avant même le début

---

([10]) Thomas L. BONN a publié un court historique, heureusement illustré, des couvertures et de leurs illustrations dans l'industrie américaine des livres de poche, des «dime novels» à nos jours (*Under Cover: an Illustrated History of American Mass Market Paperbacks*, New York, Penguin, 1982).

de sa lecture, il a déjà un *aperçu* du cadre de l'aventure, des deux principaux agents et de la situation qui va les réunir. Souvent dans ces fascicules, l'illustration de la page couverture est d'une qualité supérieure au récit lui-même...

La même technique de la scène croquée sur le vif est utilisée pour les fascicules des aventures d'Harry Dickson ([11]). Dans l'un, «Le repaire aux bandits de Corfou», Dickson et Flax s'affrontent sur une mer déchaînée, tous deux accrochés à la même épave d'un bateau qui a sombré. Flax a un revolver et il tient Dickson à sa merci. Dans un autre, «Une poursuite à travers le désert», c'est du haut de leurs chevaux et au cours d'une violente attaque que les deux hommes cette fois s'affrontent. Dickson a l'avantage, il saisit Flax d'une main ferme. Dans «Le rajah rouge», l'illustration montre un combat violent sur un navire. Comme l'indique la légende: «Des Chinois petits et répugnants, des coolies à moitié nus, se jetèrent sur Miss Copper et Harry Dickson; et pendant que celui-ci parvenait à esquiver l'attaque de Tom Flax, cinq ou six jaunes lui sautèrent sur le dos». Comme pour les extraits de comptes rendus dithyrambiques sur les livres de Ludlum, ces illustrations servent à prédisposer le lecteur au contrat de lecture à venir, fondé sur l'action et ses déroulements, et à engager en quelque sorte son horizon d'attente. Quand le récit va-t-il rejoindre l'illustration?

Les illustrations jouent un rôle en page couverture mais souvent aussi tout au long du récit. *Michel Strogoff, Le tour du monde en 80 jours, Le dernier des Mohicans, Les mystères de Paris* et même *Le labyrinthe de la mort* sont abondamment illustrés. La présence des illustrations favorise le maintien de la «visualisation» de l'univers narratif présenté.

([11]) Les Éditions Corps 9 ont reproduit, à juste titre, les illustrations des six fascicules de «La saga de Flax». Chez Dargaud, aux éditions Art & B.D., on a publié en 1985 un volume composé de dix fac-similés de fascicules des aventures d'Harry Dickson écrits par Jean RAY.

Le mode d'emploi

La présence et la force d'un protocole de lecture dépendent du degré de précision de la réaction escomptée du lecteur ou encore de l'exotisme de la demande.

L'incipit est habituellement le lieu de l'entrée en fonction du protocole. La conventionnalisation des situations textuelles fondées sur des récits est telle que ses règles n'ont pas à être explicitées à chaque fois. Un lecteur «compétent» sait en général à quoi s'attendre en commençant un récit et il n'a pas besoin d'indications précises sur ce qu'il lui faut faire. Son horizon d'attente le prédispose à s'engager de façon spontanée et adéquate dans la situation textuelle et, dès l'incipit, un ensemble de procédés narratifs s'assurent de son adhésion rapide à l'univers narratif. Sa connaissance des protocoles généraux en usage pour tel genre lui permet de s'adapter rapidement au protocole particulier présenté par le texte lu.

Inversement, un protocole est explicite, il doit être formulé complètement, quand ses injonctions échappent aux normes et aux conventions d'usage. Cela survient, entre autres, quand le contrat de lecture requiert une participation accrue du lecteur. Le protocole se présente alors littéralement comme un mode d'emploi, détaché du récit et qui l'introduit. On retrouve de tels modes d'emploi dans les fictions interactives car ces récits ne se lisent pas de la façon habituelle. Il faut s'assurer de la participation du lecteur, le forcer à prendre en charge la résolution des problèmes posés au fur et à mesure que le héros progresse dans le récit, et pour cela il faut l'initier à son rôle.

Dans des aventures comme *Le labyrinthe de la mort*, le protocole de lecture cherche à atteindre deux objectifs. Il faut d'abord expliquer au lecteur-champion quels gestes de lecture sont recevables dans cette situation textuelle. Le lecteur n'est pas libre d'agir ou de lire à sa guise. S'il a le droit de décider du cours de l'histoire, liberté toute nouvelle, il est cependant contraint de suivre un protocole de lecture beaucoup plus rigide, qui précise les modes d'accomplissement de ces décisions et leurs limites. Ensuite, puisque le contrat de lecture demande pour se développer une très grande identification au héros et une adhésion à l'univers narratif — il s'agit pour le lecteur de prendre en charge le déroulement de l'action — il faut s'assurer que cette identification ait bel et bien lieu. Dans *Le labyrinthe de la mort*, le protocole va être présenté de façon à atteindre ces deux objectifs simultanément. C'est en expliquant les règles du jeu au lecteur-champion qu'on l'amène à s'identifier au héros. Pour cela, le procédé le plus simple et le plus efficace consiste à présenter le jeu en conjuguant le tout à la deuxième personne du pluriel. Le texte est ainsi présenté:

> *Le labyrinthe de la mort* n'est pas un livre comme les autres. [...] Moitié roman, avec sa passionnante histoire, moitié jeu, avec ses méthodes de combats très sophistiquées, ce livre *vous* réserve de nombreuses surprises. À chaque page, *vous* aurez à relever de nouveaux défis, et les choix que *vous* ferez *vous* mèneront sur des chemins divers où *vous* aurez toutes sortes de batailles à livrer. [...] Mais *prenez garde*: la magie et les monstres que *vous* rencontrerez sur le chemin de cette chasse au trésor *sont aussi vrais que nature*. Aventure, sorcellerie, cette chasse *vous* tiendra en haleine des heures entières! (pp. 6-7). [C'est nous qui soulignons.]

On ne peut échapper à cette rhétorique inclusive. Le texte de présentation parvient à travailler sur trois fronts. Il y a une première explication générale du jeu auquel est convié le lecteur-champion, une description de ce qui l'attend et de ce qu'on attend de lui. Il y a aussi la mise en marche de la première étape du processus d'identification du lecteur-champion. Par la voie de la personne, du «vous», mais encore de la promesse, le futur des «vous aurez», «vous ferez», etc., le texte cherche à inclure le lecteur dans le jeu. Il n'y a encore aucun héros auquel s'identifier, mais il y a une aventure à laquelle participer. Enfin, parce que cela doit aussi aider à la participation et à l'identification, le texte cherche à persuader de la véracité des ennemis et des obstacles. Afin d'établir une tension, il faut augmenter les enjeux, convaincre que ce n'est pas un simple jeu mais la réalité.

Avant d'atteindre le jeu-récit, le lecteur doit passer à travers quelques vingt pages d'instructions diverses, qui vont servir à assurer trois composantes de la situation textuelle: connaissance des règles du jeu, identification du lecteur au héros, authenticité de la situation narrative. Une première section décrit «comment combattre les créatures du labyrinthe»; une seconde consiste en un large tableau, intitulé «La feuille d'aventure» et qui sert à indiquer les qualités que possède le lecteur-champion. C'est sur cette feuille que le lecteur inscrit ses points d'endurance, d'habileté et de chance qui lui servent de compétence pour combattre et affronter les nombreux pièges du labyrinthe; il y inscrit aussi les accessoires — équipements, provisions, potions, or et bijoux —, qu'il aura à utiliser en cours de route.

> Au début de votre aventure, vous ne disposerez que d'un équipement minimum, mais vous pourrez trouver d'autres accessoires au cours de vos voyages. Vous êtes armé d'une épée et vêtu d'une armure de cuir. Vous portez sur vos épaules un sac à dos dans lequel vous rangerez vos provisions et les trésors que vous ramasserez. Vous avez également une lanterne pour vous éclairer (p. 24).

La feuille d'aventure représente donc le tableau synoptique des qualités et caractéristiques du lecteur-champion; c'est par cela qu'il se reconnaît et qu'il se distingue des autres participants. La suite du texte explique au lecteur comment remplir cette feuille, comment se déroulent les batailles, comment fuir, combattre avec plus d'une créature, rétablir son habileté, son endurance et sa chance, etc. Un assez long texte qui sert de mise en situation suit ces indications. C'est là que le lecteur apprend non seulement l'origine du labyrinthe de la mort, mais encore ses propres motivations pour participer à l'épreuve: «[...] il se trouve que vous-même avez vu un jour, cloué à un arbre, un avis annonçant le défi lancé par Sukumvit et vous avez décidé que le moment était venu pour vous de tenter "La Marche"» (p. 29). Il semble que le lecteur-champion y songeait depuis cinq ans déjà, moins pour la récompense que par goût de l'aventure. Il se rend donc à Fang où a lieu l'épreuve, s'inscrit auprès des officiels, profite pendant trois jours des festivités offertes aux concurrents, et enfin au lever du soleil, devant une foule venue acclamer ses champions, il pénètre dans le labyrinthe. L'osmose, on espère, est réussie... ([12]).

La fiction interactive *Déjà vu* présente un protocole de lecture à peu près identique. Il s'agit, de la même façon, de convaincre le lecteur d'occuper le place du détective amnésique et de résoudre, comme lui et pour lui le meurtre. Le logiciel est vendu dans un boîtier format livre avec couverture illustrée et courte mise en situation narrative, de style direct libre:

> Alors, mon p'tit, tu t'en est mis plein la gueule cette fois! Ou bien ce meurtre est un coup monté ou bien tu l'as vraiment descendu, mais si j'tais toi, j'quitterais la ville. 'Sûr, j'parle pour moi pis t'as pas trop de jugeotte. Comme que t'es, tu vas essayer de tout résoudre. [C'est nous qui traduisons.]

La remarque est lancée dans un jargon tout droit sorti des *Hard Boiled* américains, pastiche de discours des Sam Spade et autres Lew Archer. Ces paroles adressées au lecteur l'identifient *de facto* comme ce détective accusé de meurtre. La distance entre le lecteur et le narrataire, le destinaire de ce texte, s'est évanouie sous l'effet de ce discours direct. Lorsque le lecteur ouvre le boîtier, il trouve d'un côté les disquettes contenant le logiciel, et de l'autre un petit cahier de quatorze pages, qui est le livre d'instruction. Ces instructions sont données sur le même ton que la remarque initiale, à coups d'ironie et de remarques savantes: le lecteur est sûrement un détective qui en a vu d'autres... Ce livre d'instruction joue le même rôle que celui présent dans *Le labyrinthe de la mort*, à la fois assurer la connaissance du lecteur du mode d'emploi

---

([12]) Ce mode d'emploi ne diffère pas tellement dans les autres aventures de la série. Les cadres varient, les héros, leurs buts et accessoires ainsi que les possibilités d'actions mais les jeux fonctionnent tous à peu près de la même façon. Là aussi, par conséquent, il peut y avoir conventionnalisation du protocole de lecture. Chaque aventure contient un mode d'emploi, mais un lecteur habitué à leurs instructions peut facilement ne plus en tenir compte.

des fonctions du logiciel et poursuivre le processus déjà amorcé d'identification au détective.

Déjà vu est une aventure graphique interactive. Cette aventure interactive est particulière en ce qu'elle fonctionne sur un mode analogique plutôt que numérique, à l'inverse de la plupart des fictions interactives ([13]). Dans les fictions interactives numériques, les problèmes sont posés par un texte et doivent être résolus sous forme de texte, tandis que dans *Déjà vu*, c'est d'abord une illustration qui fournit l'information nécessaire: répondre, c'est opérer des fonctions présentes sur cette illustration. L'utilisation d'une illustration plutôt que d'un texte favorise, par le biais de cette immédiateté de la visualisation, l'adhésion et l'incorporation du lecteur à l'univers narratif et son indentification au détective. Les illustrations sont d'ailleurs dessinées en fonction de la position du détective dans l'espace dépeint. La première illustration, par exemple, représente l'intérieur d'un cabinet tel que vu de la position du détective, vraisemblablement assis sur le siège de la toilette. Les murs, les graffiti, l'imperméable accroché à la porte, le rouleau de papier de toilette à la droite, voilà ce que le détective aperçoit quand enfin il se réveille et ce qui est présenté au lecteur.

Le jeu est représenté sur l'écran à l'aide de six fenêtres (cf. Figure 20). La fenêtre principale est l'illustration, elle est au centre de l'écran. Elle est entourée des autres fenêtres qui lui sont subordonnées et qui la complètent. En bas, il y a

---

([13]) Dans une fiction interactive telle que *The Hitchhiker's Guide to the Galaxy* (Infocom, 1984), basée sur le roman de Douglas Adams, c'est à partir d'un texte que le lecteur doit réagir. Une situation narrative est présentée, le héros se réveille au moment où sa maison va se faire détruire pour laisser la place à une autoroute inter-galactique, et le lecteur essaye de se tirer de ce mauvais pas en agissant du mieux qu'il peut. Agir se présente, dans ce jeu, comme un ensemble de verbes et de courtes phrases: «Dans Hitchhiker's, vous utilisez des phrases dans un anglais simple [...]. Hitchhiker's fait comme si toute phrase commençait par "je veux...", bien que vous n'ayez pas à écrire ces mots» (p. 14 du manuel d'instruction). Le jeu a un lexique limité; agir c'est donc non seulement fournir la bonne phrase au bon moment, c'est aussi utiliser les bons mots. Le lecteur passe plus de temps à trouver les bons mots et les bonnes phrases qu'à solutionner les problèmes posés par le texte.

une fenêtre «texte», qui contient les légendes nécessaires à la contextualisation de l'illustration. En haut, il y a la fenêtre des opérations possibles dans une illustration. Le détective-lecteur peut ainsi déclencher la fonction «Ouvrir (porte)» en actionnant à l'aide du pointeur la case «open» puis en pointant sur la porte; une nouvelle illustration du cabinet apparaîtra avec cette fois la porte ouverte. À la gauche de l'illustration se trouve la fenêtre «inventaire», qui contient les différents accessoires recueillis. Au début du jeu, l'inventaire est vide, on le remplit avec l'imperméable, le revolver et les autres accessoires trouvés dans les illustrations. À la droite de l'illustration centrale, une fenêtre désignant les sorties offre une perspective différente de la pièce où se trouve le détective-lecteur, une représentation schématique et spatiale fondée sur les issues possibles de cette pièce. Dans notre exemple, le cadre en pointillé représente le cabinet de toilette et le petit carré blanc, la porte du cabinet. Une telle fenêtre est nécessaire pour ces illustrations où, compte tenu de la perspective limitée du détective-lecteur, certaines issues ne sont pas directement accessibles au regard. Le lecteur peut ouvrir ou franchir une porte simplement en pointant vers un des petits carrés de cette fenêtre. De cette façon, si notre détective-lecteur pointe dans le petit carré blanc, après avoir ouvert la porte, il se retrouve dans la toilette des hommes (cf. Figure 21), devant un évier et un miroir (dans lequel il peut toujours se regarder et, amnésie oblige, ne pas se reconnaître...). De la toilette, il peut atteindre un couloir, qui donne sur le bar, et progresser ainsi jusqu'à la résolution de l'énigme.

Figure 20. *L'environnement du* Déjà vu

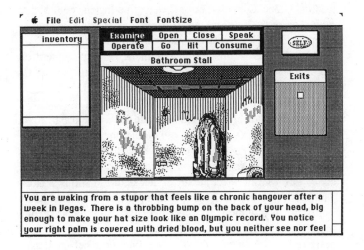

Figure 21. *La toilette des hommes*

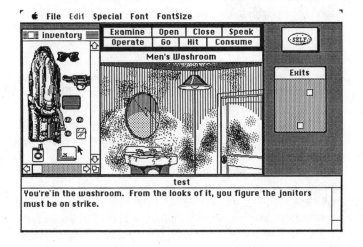

La dernière fenêtre (*self*), peut-être la plus extraordinaire, représente cette entité complexe qu'est le détective-lecteur. Grâce à cette fenêtre, le détective-lecteur peut s'examiner, se parler à lui-même, se fermer, s'ouvrir et même se frapper! C'est l'équivalent analogique du «vous».

Il est intéressant de voir comment l'environnement du jeu distribue les composantes du schème interactif. Toutes les composantes des deux plans s'y retrouvent en effet représentées. Il y a bien sûr le cadre, qui occupe trois fenêtres: l'illustration, qui présente les lieux de la situation narrative; la fenêtre des issues possibles, qui donne une perspective verticale, plutôt qu'horizontale comme pour l'illustration, de ces lieux et de leurs relations aux autres lieux; et finalement le texte, qui fournit le contexte et les déterminations spatio-temporelles de cet environnement, ainsi que des éléments de l'intrigue. L'intention est présentée par deux fenêtres: une première, qui identifie l'agent (*self*), et une seconde, qui désigne les différentes opérations possibles pour cet agent dans l'univers narratif. Quant aux accessoires, ils sont les éléments contenus dans la fenêtre «inventaire». Il y a donc là tous les éléments nécessaires à une représentation efficace de l'action.

Les éléments du jeu sont ainsi disposés de façon à favoriser l'identification. Mais le procédé le plus important et efficace de ce processus réside bien dans la définition du personnage principal. Un amnésique, une case vide que le lecteur peut occuper à sa guise, combler de ses propres expériences. Le détective, on le sait, ne se souvient plus de rien à son réveil, suite à l'injection d'une drogue quelconque. Il lui faut tout recommencer à zéro, tout réapprendre, y compris sa propre identité. Le détective-lecteur qui entreprend le jeu est irrésistiblement amené à injecter sa propre intentionnalité dans cette entité qui souffre justement d'un manque intentionnel complet. Il n'a pas le choix car il faut bien qu'il pense pour lui, mais l'absence de tout souvenir le convie tout autant à s'imaginer être lui. Leur situation est au départ similaire: aucun des deux ne sait qui il est, ce qu'il fait là, quand tout cela se passe, et toutes ces autres questions qui font partie de l'identification générale d'une situation narrative. Tout invite le lecteur à se faire détective ou encore à faire le détective à son image; et la procédure est simple, il suffit d'enfiler l'imperméable, de saisir le revolver et de sortir du cabinet de toilette. Si l'identification au héros est une façon d'assurer la transparence, celle-ci doit être à toute épreuve quand le lecteur peut reconstruire à sa guise l'identité du héros!

Le protocole de lecture des fictions interactives prend ainsi la forme d'un mode d'emploi distinct et séparé du texte. Ses règles et injonctions sont explicitées car il s'agit d'instruire le lecteur sur ce qu'il lui faut faire pour mener à bien la situation textuelle qu'il s'apprête à engager. Dans les récits et les romans d'aventures plus traditionnels, le protocole est implicite, parce que ses règles sont déjà connues, et il se met en marche dès l'incipit.

L'incipit

L'*incipit* est le lieu privilégié du protocole de lecture car c'est là que le contrat de lecture se met véritablement en marche. Les protocoles sont implicites car conventionnalisés ([14]). Plutôt que de se présenter comme une entité autonome, un livret d'instructions, ils prennent la forme de procédés narratifs intégrés au texte.

([14]) On assiste, par exemple, depuis les débuts du roman, à une conventionnalisation des protocoles de lecture. Iser interprète cela comme une transformation de l'esthétique et de la définition du rôle du lecteur dans son processus de découverte du plaisir esthétique: «De critique qu'il était, dans les romans du XVIIIe siècle, le rôle du lecteur s'est transformé et complexifié, dans les romans du XXe, car le processus de découverte n'y concerne pas seulement l'esprit critique de l'individu mais la connaissance même de ses facultés de perception. Le roman ne fait pas que raconter une histoire, il révèle de plus, délibérément, ses propres techniques narratives, amenant ainsi le lecteur à saisir le rapport entre ses perceptions, liées à une forme narrative précise, et ses pensées» (*The Implied Reader*, Baltimore, The Johns Hopkins University Press, 1974, pp. xiii-xiv). Quelle que soit la volonté esthétique à l'origine de ces transformations, on assiste bien dans un premier temps à une conventionnalisation du protocole (fiction), et dans un second temps à une remise en question de cette conventionnalisation (ce sont les métafictions — voir à ce sujet l'essai de Linda Hutcheon, *Narcissistic Narrative, the Metafictional Paradox*, New York, Methuen, 1980)). Avec les romans d'aventures, la conventionnalisation du protocole n'est pas remise en question, elle est plutôt poussée à l'extrême, naturalisée.

Les procédés utilisés dans les romans d'aventures correspondent, à peu de chose près, à ceux utilisés dans le roman réaliste. Romans d'aventures et romans réalistes partagent en ce sens le même type de situation textuelle ([15]). Leurs incipits cherchent de la même façon à amener le lecteur à croire au «toujours-déjà-là» de l'univers narratif. Jacques Dubois a montré, en fonction des romans réalistes, comment ces procédés parvenaient à minimiser la transition entre le texte et le paratexte:

> Pour donner figure à la contiguïté qu'il prétend entretenir avec le réel, le récit réaliste s'évertue à se présenter comme une simple intervention dans le continu des «choses» et des «faits», intervention qui en prolonge le mouvement, sans en briser le cours. Son entrée en matière va donc tendre à se dénier en tant que commencement et vouloir s'instituer comme si l'action était déjà engagée, preuve que la narration adhère au flux vital. De cet «avant», l'entrée en matière se distingue en ce qu'elle est l'actualisation par le récit; mais, par ailleurs, elle s'y confond comme au sein d'un seul et même déroulement ([16]).

([15]) Philippe HAMON, dans son texte de présentation au numéro de la revue *Poétique* sur «Le discours réaliste» («Un discours contraint», in *Poétique*, n° 16 (1973), pp. 411-445), propose ainsi une définition du réalisme comme *situation communicative globale*. Le réalisme est pour Hamon de l'ordre de l'acte de langage et se définit avant tout comme une situation de communication, décomposable en un certain nombre de présupposés: «1-le monde est *riche*, divers, foisonnant, discontinu, etc.; 2-je peux *transmettre une information* au sujet de ce monde; 3-la langue peut *copier* le réel; 4-la langue est *seconde* par rapport au réel (elle l'exprime, elle ne le crée pas, elle lui est «extérieure»); 5-*le support* (le message) doit s'effacer au maximum; 6-*le geste* producteur du message (style) doit s'effacer au maximum; 7-mon lecteur doit croire à la *vérité* de mon information sur le monde; etc.» (p. 422 — l'italique est dans le texte). Il s'agit là de présupposés d'une poétique du roman réaliste, d'un contrat d'écriture plutôt que d'un contrat de lecture; mais il faut supposer que ces présupposés sont partagés de part et d'autre.

([16]) Jacques DUBOIS, «Surcodage et protocole de lecture», in *Poétique*, n° 16 (1973), pp. 491-492. Sans jamais en donner une définition précise, Dubois réserve, dans «Surcodage et protocole de lecture», le terme de protocole de lecture pour l'analyse de l'incipit; l'un et l'autre semblent être, dans

Le roman d'aventures n'est pas à proprement parler un roman réaliste — il est quelquefois trop invraisemblable pour qu'il en soit ainsi —, mais il partage avec ces romans le même protocole de base. Tous deux doivent faire en sorte que le lecteur porte le moins possible attention au message qu'il lit ainsi qu'au geste producteur de ce message, et qu'il croie à la vérité de l'information fournie par le narrateur sur le monde présenté ([17]). Ils partagent de plus le même besoin d'atténuer la différence entre «l'avant» et le «pendant» du texte. Parmi les procédés textuels utilisés dans les textes de notre corpus, il y a, nous l'avons remarqué précédemment, l'identification rapide du cadre, qui permet d'ancrer l'illusion référentielle. La mise en situation sans présentation préalable des personnages est un autre procédé efficace. L'incipit de *Le professeur Flax, monstre humain* dit ainsi: «Depuis peu Harry Dickson se trouvait de nouveau dans sa patrie chérie, l'Amérique [...]». L'utilisation, dès l'entrée en matière, de ce nom propre laisse supposer que l'identification a déjà eu lieu, que le lecteur est familier avec cet univers narratif. C'est un fascicule, il est donc possible que le lecteur soit déjà familier avec le héros et qu'il n'ait pas besoin d'une nouvelle introduction. Mais ce caractère anaphorique de l'identité du personnage, présenté comme déjà identifié, joue même dans ces cas où il n'y a pas de précédent, où le personnage est mis en scène pour la première fois.

Une entrée en matière *in media res* ou *ex abrupto*, en présentant l'action comme déjà engagée, permet aussi de faciliter l'adhésion du lecteur à l'univers narratif. Ce qui est en jeu cependant, c'est un procédé moins textuel que cognitif. Un procédé qui joue sur la connaissance du lecteur du réseau conceptuel de l'action et de ses modes de développement. Prenons l'entrée en matière des *Mystères de Paris*. Le lecteur

---

cette perspective, des synonymes. L'objectif de Dubois dans cet essai est de vouloir «interroger sur leur fonctionnement quelques-uns des procédés textuels qui permettent au roman réaliste d'entretenir cet artifice de la transparence» (p. 491).

([17]) Ce sont les cinquième, sixième et septième présupposés de P. HAMON («Un discours contraint»).

y apprend qu'un homme, d'allure suspecte, traverse le pont au Change et s'enfonce dans l'île de la cité. Le cadre est rapidement identifié, mais le personnage reste dans l'anonymat. Le procédé utilisé pour assurer l'illusion n'est pas l'anaphorisation de la désignation, mais l'utilisation d'une action non associée. C'est, de toute évidence, une action dont le lecteur ignore tout. Il ne sait ni quel est son agent ni de quel mode d'accomplissement elle est l'opération. À quel plan appartient-elle? Quel but cette entrée dans la cité permet-elle d'atteindre? Le lecteur ne peut obtenir réponse à ces interrogations que s'il continue à lire, que s'il progresse plus avant dans le développement de la situation narrative. Il apprend très tôt que c'est du Chourineur qu'il s'agit. Celui-ci accoste une femme, Fleur-de-Marie, afin de lui soutirer de l'argent pour boire un verre. Celle-ci refuse et quand le Chourineur s'apprête à la maltraiter, un inconnu surgit et prend sa défense. Un violent combat s'ensuit que l'inconnu gagne de main de maître. Mais voilà un nouveau mystère! Qui est cet inconnu? Que vient-il faire dans la cité? Pourquoi défend-il cette fille qu'il ne connaît même pas? Le lecteur assiste impuissant à cette scène. Là encore, il lui faut continuer à lire s'il veut véritablement comprendre ce qui s'est passé. Des actions non associées lui ont été présentées (entrer dans la cité, harceler, défendre, se battre), des opérations auxquelles il manque ces données nodales qui seules permettent d'identifier l'action: l'identité de l'agent, ses buts poursuivis, ses raisons d'agir, le plan élaboré, etc.

Le lecteur qui ressent ces lacunes et qui cherche à remplir les blancs, vient de mordre au leurre de l'action. Parce que sa lecture devient une recherche des éléments nécessaires à la compréhension des opérations initialement présentées, il accepte *de facto* l'univers narratif qui était à la base de leur représentation. Le lecteur est pris au piège par sa propre cognition; c'est sa connaissance du réseau conceptuel de l'action, et du schème interactif qui en structure les composantes, qui l'amène à accepter le protocole de lecture afin de résoudre ces énigmes.

Si cette dimension cognitive de l'action agit dès l'incipit, son influence s'étend à l'ensemble de la situation textuelle. L'identification du lecteur au héros, de même que les déroulements d'actions et la dispersion à travers le texte des composantes du réseau conceptuel de ces actions favorisent le maintien de l'adhésion du lecteur à l'univers narratif. Celle-ci ne se présente pas comme une relation stable, un équilibre qui, une fois instauré, reste constant tout au long de la lecture du texte. Elle peut être plus ou moins forte, selon le degré d'implication du lecteur. Parmi les indicateurs du degré d'implication, il y a, d'une part, l'identification du lecteur au héros et, d'autre part, les exigences du texte en matière de connaissances pratiques et en matière de savoir général sur les déroulements d'actions. C'est-à-dire que les stratégies de représentation des scripts et des plans dans un récit fournissent des indications sur le degré d'implication du lecteur.

Les scripts et les plans participent d'une mémoire épisodique, d'une mémoire par conséquent qui renvoie à des expériences personnelles. Comme ils engagent directement le sujet dans ses connaissances pratiques, l'identification des scripts et des plans se présente donc comme une projection de l'expérience personnelle du lecteur dans la situation textuelle, projection qui assure son adhésion à l'univers narratif. C'est parce qu'il reconnaît un plan ou un script, et que cette reconnaissance le met directement en cause, que le lecteur ne porte plus attention à ce qui représente mais à ce qui est représenté. Les scripts et les plans, cependant, ne font pas appel à ce savoir de la même façon. Les scripts renvoient à un savoir sur des déroulements d'actions particuliers, tandis que les plans renvoient à un savoir plus général sur la façon dont des buts peuvent être atteints. Ils commandent donc des opérations cognitives distinctes et leur représentation fait varier différemment l'adhésion du lecteur. Dans la suite de ce chapitre, nous allons surtout décrire ces deux mécanismes de l'adhésion du lecteur. Nous nous arrêterons d'abord à l'identification au héros, premier mécanisme d'adhésion.

L'entrée dans le monde de l'action

L'identification au héros, les scripts et les plans sont trois mécanismes qui assurent l'adhésion du lecteur à l'univers narratif. Les deux derniers nous intéressent plus particulièrement, puisqu'ils traitent du déroulement même des actions, mais l'identification joue aussi un rôle important et il convient d'en parler en premier lieu, même s'il faut le faire brièvement.

L'identification au héros

On a vu avec les fictions interactives, le *Déjà vu* et *Le labyrinthe de la mort*, quels procédés textuels pouvaient être utilisés pour favoriser l'identification au héros. Cette identification, bien qu'elle soit le résultat d'un simulacre, est un élément important de leur protocole de lecture et elle est à la base du développement de leur situation textuelle. Quand le lecteur se reconnaît dans le héros, quand il identifie certains éléments de son portrait comme les siens et que, tout comme pour les scripts et les plans, son savoir pratique et personnel est mis en jeu, sa participation à l'univers narratif est renforcée. Cela est vrai non seulement pour les fictions interactives mais pour tous les récits.

Indépendamment de toute idiosyncrasie de lecture, un lecteur s'identifie à un personnage par le biais surtout de son *portrait intentionnel*. Le lecteur identifie en premier les buts poursuivis par les agents, leurs motifs et mobiles, leur statut et rôle; et ceux-ci lui servent à adhérer à l'univers narratif. Quand Bourne se fait attaquer au sortir de la banque suisse et qu'il doit se défendre, ses raisons d'agir sont de l'ordre de la résolution de crise. Il lui faut sauver sa peau. Si le lecteur reconnaît ces raisons comme étant valides, il les reconnaît comme celles qu'il pourrait ou voudrait avoir dans pareille situation et la correspondance des buts devient une base de l'identification. Le héros fait ce que le lecteur ferait et cette sympathie des raisons d'agir favorise le rapprochement. Ainsi, malgré les différences dans leurs traits, dans les cadres où ils opèrent et leur situation générale, le lecteur peut s'identifier à des héros à partir de leur portrait intentionnel. Ce portrait contient six éléments (cf. chapitre 2, deuxième contrainte):

Portrait intentionnel:

> Agent
> Action
> Motif
> Mobile
> Statut
> Rôle

Ces six éléments sont autant de données qui servent à l'identification. La relation du lecteur au personnage est une question complexe qui ne peut être épuisée en quelques remarques. Nous voulons, en décrivant ces éléments, indiquer uniquement leur mode de participation aux mécanismes d'adhésion du lecteur.

L'agent, par exemple, participe au processus d'identification par sa composition actorielle. Celle-ci peut prendre la forme d'un script personnel plus ou moins élaboré, que peut reconnaître le lecteur et qui peut lui plaire. Dans les romans de Jules Verne, les personnages sont souvent fortement typés et leurs scripts clairement identifiés. Il y a le script «Phileas Fogg», mais aussi le script «Passepartout» et les scripts «Alcide Jolivet» et «Harry Blount» dans *Michel Strogoff*. Harry Dickson, Œil-de-Faucon, Buffalo Bill, Rodolphe sont aussi fortement typés et leur composition actorielle facilite l'adhésion.

Le récit met en scène par ailleurs des actions de toutes sortes, héroïques, romantiques, sociales, policières, etc. Dans les romans d'aventures, les actions sont avant tout de nature héroïque. Faire le tour du monde, traverser la Russie en pleine invasion tartare, habiter la frontière, rechercher le plus dangereux criminel que la terre ait jamais porté, s'engager dans des «aventures charitables» dans les bas-fonds de Paris sont toutes des actions héroïques. C'est leur plus petit commun dénominateur. Le lecteur qui rêve d'aventures peut s'identifier à l'agent à partir des actions entreprises si elles correspondent à sa compréhension de l'héroïsme et de l'aventure. Lecteur et agent partagent alors essentiellement la même intention; c'est l'élément le plus important de l'adhésion.

Les motifs et les mobiles recouvrent, pour leur part, la question des buts poursuivis par les actions et des raisons d'agir de l'agent. Ils viennent expliquer et compléter l'intention exprimée par l'action entreprise et participent de la même façon aux mécanismes de l'adhésion. Dans *Les mystères de Paris*, Rodolphe veut sauver François Germain et Fleur-de-Marie, le fils et l'orpheline, et cela, parce qu'il veut faire le bien. Le lecteur reconnaît là une action charitable à laquelle il fait bon s'associer, ne serait-ce qu'en pensée. Ce projet prométhéen tire sa source cependant d'un remords profond, le parricide raté. Ce mobile n'est pas de nature à renforcer l'identification au héros mais, au contraire, à la briser. Il n'est pas surprenant d'apprendre aussi que ce mobile n'est dévoilé qu'à la toute fin de l'aventure, quand tout est joué depuis longtemps (c'est ainsi, peut-être, que le lecteur comprend la distance entre l'identification et l'identité).

Le statut et le rôle sont, pour leur part, les éléments périphériques du portrait intentionnel. Ils sont périphériques car ils ne permettent de comprendre l'intention de l'agent que d'une façon indirecte. Ils assurent cependant l'ancrage de l'agent à un cadre et figurent parmi les premières indications fournies sur son identité. Dès la première phrase du *Tour du monde en 80 jours*, le lecteur apprend que Phileas Fogg n'est pas un membre de la noblesse mais un roturier. Il est cependant un membre actif du Reform-Club de Londres. Dans *Michel Strogoff*, avant même de savoir son nom, le lecteur connaît la fonction sociale du Michel Strogoff. Il est officier au corps spécial des courriers du tsar. Ce statut ne fait pas que lui attribuer une position dans cet univers narratif, il lui fournit aussi un but, une mission. Son rôle est d'obéir au chef suprême de l'armée et l'ordre qui lui est transmis veut qu'il se rende le plus tôt possible à Irkoutsk.

Le statut permet au lecteur de classer rapidement le personnage, de lui attribuer une position sociale à laquelle il peut faire correspondre son propre système de valeur. Gentleman, officier de l'armée, journaliste, coureur des bois, détective privé et, encore plus, prince héritier sont des positions à connotations sociales positives. Cette connotation positive peut être le résultat d'une action héroïque, comme celle de Rodolphe qui vole au secours de la Goualeuse au tout début du feuilleton de Sue, mais bien souvent elle provient de la définition d'un statut et d'un rôle marqués de façon positive socialement. Ainsi, dans les différents «bestsellers» de Ludlum, le statut des héros est conforme aux aspirations d'un public américain mâle, blanc et professionnel. Les récits de Ludlum sont à la limite des romans d'aventures et des romans d'espionnage et la différence tient au fait que le héros n'est jamais un véritable espion mais un amateur. C'est souvent un non-professionnel qui est lancé seul dans la mêlée et qui doit se débrouiller pour contrer une conspiration machiavélique. Au début de *The Bourne Supremacy* (1986), David Webb est professeur dans une université américaine. Dans *The Aquitaine Progression* (1983), Joel Converse est un avocat en droit international, vétéran du Viêt-nam. Dans *The Parsifal Mosaic* (1982), Michael Havelock est un ancien espion qui a pris sa retraite et qui se cherche un poste à l'université. Dans *The Chancellor Manuscript* (1977), Peter Chancellor est un jeune universitaire qui s'est fait refuser sa thèse de doctorat en histoire. Ce sont tous des universitaires et, comme le lecteur, ils ne connaissent rien de la conspiration.

L'adhésion du lecteur au monde du texte passe par son identification aux éléments du portrait intentionnel de l'agent. Ce portrait est habituellement déjà investi et l'adhésion varie selon les réactions du lecteur à ses éléments. Le processus le plus efficace d'identification consiste à présenter un portrait intentionnel quasi vide, de façon à laisser le lecteur l'investir à sa façon. C'est la stratégie utilisée dans les fictions interactives. Dans le *Déjà vu*, par exemple, l'agent n'a même pas de nom. Tout ce qui est connu du lecteur, c'est le statut et le rôle de l'agent: un détective privé chargé d'une enquête. Tout le reste manque et c'est au lecteur de le trouver au fur et à mesure qu'il progresse dans le monde du texte, s'identifiant à l'agent.

À peu près le même procédé, et pour les mêmes raisons, est mis en place dans *La mémoire dans la peau* de Ludlum. Là aussi, le héros est amnésique, suite à de multiples blessures survenues à la destruction de son navire, et la découverte par le lecteur du portrait intentionnel du héros coïncide avec la redécouverte par ce dernier de ses propres motivations et intentions. Au début du récit, le lecteur en sait autant que le héros sur sa propre situation et cette absence de différence de savoir facilite l'identification. L'agent n'a pas d'identité, il n'a qu'un statut temporaire, celui d'être un naufragé, et, outre son intention de retrouver son identité, nul motif ou mobile ne l'habitent. Le lecteur peut facilement investir dans le portrait intentionnel de Bourne, remplir les places vacantes, mais cela n'est pas sans danger.

De même que pour la fiction interactive qui ne décrit jamais l'aspect physique de son détective, Jason Bourne n'a pas de traits caractéristiques. Au contraire:

> Vous êtes le prototype de l'Anglo-Saxon blanc qu'on voit tous les jours sur les meilleurs terrains de cricket et sur les courts de tennis. Ou bien au bar du Mirabel's. Ces visages deviennent presqu'impossibles à distinguer les uns des autres, vous ne trouvez pas? Les traits bien en place, les dents droites, les oreilles collées — rien de déséquilibré, chaque chose là où il faut, et avec un tout petit peu de mollesse (p. 26).

Il ne s'agit donc pas d'un super héros au physique sur-développé et à la beauté spectaculaire, mais d'une personne ordinaire aux traits tout aussi ordinaires, semblables peut-être à ceux du public lecteur. En fait, ce qui est exceptionnel, c'est l'énergie dépensée à transformer les traits de Bourne, car cette banalisation de son visage est le résultat d'une chirurgie plastique complexe. Il n'est donc pas ce qu'il paraît être. À vrai dire, Jason Bourne est le résultat d'un jeu complexe entre l'être et le paraître. S'il ressemble au commun des mortels (américains, blancs et professionnels...), il cache sous cet aspect bénin un être d'une volonté et d'une force herculéenne, qui sait se battre, manier les armes et se défendre dans les pires situations. Mais ces talents ne sont pas apparents au départ; Bourne est le premier surpris quand ils surgissent au plus fort de la crise, quand sa vie est en jeu. La crise sert ainsi de révélateur à ses talents cachés, elle le transforme en machine à tuer, ce qui est peut-être un motif supplémentaire d'identification pour un lecteur qui ne se sait aucun talent spécial et qui ne peut qu'imaginer réagir comme Bourne aux dangers qui menacent.

Comme tout personnage romantique, Bourne devient héros bien malgré lui; il est entraîné dans l'action. Il n'attaque pas, il se défend. Sur le bateau, à la banque, dans son hôtel, ce n'est pas lui qui pose le premier geste. Ses réactions sont peut-être violentes, elles sont cependant légitimes. Il est avant tout une figure positive, mais la situation se dégrade rapidement. Bourne passe soudainement, à la lumière de certaines informations, du côté du mal. D'abord victime, pauvre naufragé blessé de toutes parts, puis héros-quêteur lorsqu'il part à la recherche de son identité, il prend tout à coup les allures d'un tueur implacable. Ce pauvre naufragé sans défense ne serait rien d'autre qu'un terroriste international recherché par toutes les polices de l'Europe. Le lecteur qui s'était identifié à Bourne se retrouve dans une situation fâcheuse: s'il croyait avoir affaire au Dr Jekyll, il est aux prises avec Mr. Hyde.

Bourne est un être composite; et cette dualité est pure tension. Mais il n'y a pas que le lecteur qui en subisse les effets, Bourne non plus ne sait quoi faire de cette identité retrouvée. Sa recherche d'identité s'est vite transformée en un cauchemar paralysant. Heureusement qu'il y a Marie Saint-Jacques, la Canadienne qu'il kidnappe au cours de l'attaque à l'hôtel, pour lui indiquer quelle attitude prendre dans pareil conflit. Elle que l'on a incorporée de force dans la situation narrative et qui se fait manipuler depuis le début, elle, qui a d'abord appris à aimer la victime, ne peut croire que son héros soit ce tueur que tous identifient. Ce n'est pas qu'elle refuse cette dualité mais elle croit voir à travers elle, au plus profond de son être à lui, et ce qu'elle trouve ne correspond pas à ce qu'on dit de lui. Elle persiste donc à voir en lui une victime: son héros est le jouet d'une machination qui le fait paraître un anti-héros. Parce que la situation est insoutenable, elle le force à braver cette dualité qui l'habite et le hante. Elle le pousse à l'action. Si elle montre au héros le chemin à suivre pour se libérer, elle le montre aussi au lecteur: il ne faut pas abandonner Bourne, malgré le retournement de sa fortune et en plein drame, il faut croire en lui envers et contre tout.

Et le jeu vaut bien la chandelle car, quand Bourne apprend enfin la vérité sur ce qu'il est, après une série de péripéties toutes plus éprouvantes les unes que les autres, c'est bien d'une victime qu'il s'agit.

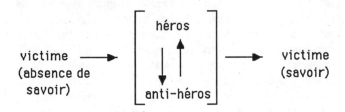

Figure 22. Transformation du portrait de Jason Bourne

Le portrait intentionnel de Bourne varie de façon importante au cours du récit, à commencer par cette absence de définition qui favorise l'assimilation du lecteur. À l'opposé de Phileas Fogg ou de Michel Strogoff, par exemple, qui ne dévient jamais de leur route, les buts de Bourne se transforment constamment ainsi que son statut: de naufragé, il devient millionnaire, puis terroriste, assassin, agent secret, etc. Ces variations rendent le déroulement du récit impossible à prévoir et créent une tension qui n'a d'égale que la force avec laquelle le lecteur s'était initialement identifié.

Si l'identification au héros est un procédé de l'adhésion à l'univers narratif, alors on peut croire que le roman d'aventures est véritablement une affaire d'hommes ([18]). C'est un univers typiquement masculin qui est mis en place dans ces

---

([18]) C'est d'ailleurs le titre d'un article de Anne-Marie THIESSE, «Le roman populaire d'aventures: une affaire d'hommes», qui se veut une sociologie de la lecture de ce type de roman (in R. BELLET (éd.), *L'aventure dans la littérature populaire au XIXᵉ siècle*, Lyon, P.U.L., 1985, pp. 199-208). Comme elle le dit, ces romans sont doublement masculins: «Le roman d'aventures n'est pas pour elles: lectrices, mais aussi romancières. Sa production est aussi l'apanage des hommes» (p. 204).

romans. Les personnages principaux y sont tous masculins: Rodolphe, Michel Strogoff, Phileas Fogg et Passepartout, Nathaniel Bumppo et Chingachgook, Harry Dickson et Tom Wills, Jason Bourne, Buffalo Bill. Les femmes ne sont pas absentes des récits, mais elles sont d'abord des objets de désir. Certaines accompagnent le héros dans ses déplacements: Nadia accompagne Michel Strogoff jusqu'à Irkoutsk, Mrs Aouda fait une partie du voyage avec Fogg et son domestique, Marie Saint-Jacques suit Bourne dans sa quête d'identité, tandis que Miss Ethel Copper aide Harry Dickson à poursuivre le professeur Flax. Sauf pour Miss Copper, le sort de ces femmes est le mariage, comme si l'aventure avait été un rite de passage et le mariage le résultat de cette initiation. Rodolphe ne voyage peut-être pas, mais le même sort est réservé à Mme d'Harville qu'il épouse, une fois Fleur-de-Marie retrouvée; l'initiation aura été dans ce cas la participation de Mme d'Harville à la croisade du prince, à ses aventures charitables. Les autres personnages féminins ne sont présentés que pour être recherchés et aidés. Les filles du commandant Munro se perdent d'abord dans le bois et sont ensuite enlevées par le Huron Magua, Fleur-de-Marie est constamment en danger, Miss Copper n'est pas à l'abri d'un enlèvement, toutes doivent être secourues. Les personnages féminins servent quelquefois de contrepoints, mais ces femmes sont régulièrement reléguées à des rôles secondaires. L'action est une affaire d'hommes.

Script et représentation

La situation textuelle est la réunion du monde du lecteur et du monde du texte. Dans la perspective des scripts, cette réunion prend la forme d'une intersection des savoirs. Un script est un savoir commun sur un déroulement d'actions prévisible; il est donc, par définition, un savoir présent à la fois dans le monde du texte et le monde du lecteur, et cela préalablement à leur réunion par la lecture. Une telle intersection des savoirs représente les cas où il y a une complète adhésion du lecteur à l'univers narratif.

Avec Schank et Abelson, les scripts sont toujours partagés de façon simple et non ambiguë entre l'émetteur et le récepteur d'un texte quelconque. Dans leur théorie en effet, il y a toujours une correspondance des savoirs mis en jeu pour la représentation et la compréhension d'un déroulement d'actions. On retrouve aussi une telle correspondance dans les situations textuelles fondées sur des récits. Les scripts, puisqu'ils sont partagés, y sont l'objet de représentations génériques, de représentations les plus condensées possible. Il ne sert à rien d'expliquer l'évidence.

Quand, dans *La mémoire dans la peau* par exemple, Jason Bourne prend l'ascenseur pour aller chercher son argent à la banque, il n'est jamais expliqué au lecteur comment l'action «prendre l'ascenseur» se développe, quels buts cette action permet d'atteindre, quels rôles, accessoires, actes en font partie, etc. Son déroulement est pris pour acquis, c'est un script, il n'a pas à être explicité. Un nombre plus ou moins grand de ses éléments peuvent être dispersés à travers le texte mais les relations qui les unissent et les liens qui les organisent en une suite stable restent implicites. L'adhésion du lecteur est alors favorisée car la frontière entre son expérience et les actions représentées est atténuée. D'une part, en raison de l'adéquation du savoir du lecteur et de celui véhiculé par le texte et, d'autre part, à cause de l'immédiateté de la relation entre ces deux savoirs, de la réduction de la médiation à sa plus faible expression. Parce qu'il s'agit d'un script, un déroulement complexe d'actions peut être mis en place à partir d'un simple syntagme verbal («prendre l'ascenseur») ou d'un ensemble restreint d'unités linguistiques. Ce qui représente l'action prend donc peu de place par rapport à cette action complexe qui est représentée, qui de ce fait apparaît presque comme immédiate.

Cette situation de correspondance entre les savoirs contenus dans le monde du texte et le monde du lecteur est la plus simple mais elle n'est pas la seule. Comme on l'a vu précédemment, il y a aussi des cas de *programmation textuelle*. Le script n'est pas d'abord commun au monde du texte et au monde du lecteur, il peut être inventé et par conséquent exclusif au monde du texte, et la lecture permet son partage, son apprentissage ([19]).

Les scripts sont inventés comme ils peuvent être le résultat d'une transformation d'un script pré-existant. Des opérations peuvent être ajoutées à un script initial, des conditions d'entrée ou des actes supplémentaires qui le complexifient et le complètent. À partir du script initial «aller au bar», le texte peut développer le script dérivé «aller au Hard Times Saloon» qui contient, en plus de toutes ces opérations déjà connues, quelques autres telles que «boire ferme», «jouer un jeu d'enfer», «se disputer» et «se battre à mort» («Sur la piste de la terreur du Texas»). Ces opérations sont spécifiques au script dérivé et elles permettent de le distinguer du script initial qui a servi de base à son développement. De la même manière, le script «aller au Reform-Club» peut être dérivé du script initial «aller au club». La transformation de scripts déjà établis constitue les cas les plus fréquents de programmation textuelle. Les pures inventions sont plutôt rares, c'est d'ailleurs ce qui fait qu'un lecteur s'y retrouve dans le monde du texte, malgré l'originalité des scripts présentés.

C'est par la programmation de scripts qu'un texte trouve une partie de son originalité. Du moins, est-ce par là qu'il trouve matière à dire. Un texte qui est fondé surtout sur des scripts déjà partagés a peu de chose à dire. C'est le cas des fascicules de Buffalo Bill, mais cela est fonction des objectifs de ces récits qui doivent d'abord comprimer en 32 maigres pages des intrigues interminables ([20]). Le lecteur y adhère

---

([19]) La définition du script, nous le rappelons, repose sur deux éléments principaux: c'est, d'une part, un savoir partagé sur des déroulements d'actions et, d'autre part, une entité conceptuelle non problématique et à faible valeur téléonomique. Il est évident que cette seconde caractéristique est la plus fondamentale. Que le savoir sur le déroulement soit déjà partagé ou, au contraire, doive être partagé, cela n'affecte en rien la définition du script; cela affecte cependant la relation du lecteur au texte qui le contient.

([20]) D. JONES fait remarquer: «Si l'on devait appliquer aux récits en fascicule le vieil adage de Cooper: "les événements produisent, sur l'imagination humaine, l'effet du temps", l'on devrait s'attendre à ce que l'Histoire

peut-être de façon intense, mais il n'en retire rien qu'il n'y avait déjà mis lui-même.

La programmation de scripts peut se faire dans une étape précédant l'action, comme avec la télègue aux essieux fragiles de *Michel Strogoff*, où il y a d'abord programmation et ensuite déroulement d'actions. La programmation peut être aussi *intégrée* au déroulement même de l'action. L'exemple le plus intéressant de cette intégration d'une programmation à l'action se trouve dans *La mémoire dans la peau*. Il s'agit de la situation narrative située à Zurich et au cours de laquelle Jason Bourne se rend à la Gemeinschaft Bank pour y retirer l'argent qu'il sait s'y trouver. Le script de ce retrait est tout à fait particulier: c'est un compte de banque ultra-confidentiel auquel le client ne peut avoir accès que s'il remplit certaines procédures. Il ne s'agit pas de se rendre au premier guichet et de présenter son petit carnet où est indiquée la somme de ses économies; le client doit plutôt se présenter devant un commis, écrire à la main sur une feuille préparée à cet effet le numéro confidentiel du compte — numéro qui constitue la signature du client et dont le chiffre et la graphie sont vérifiés pour leur exactitude —, et ensuite s'enfermer dans une petite pièce où un commis de la banque apportera en toute discrétion le contenu du compte. Comme le dit la réceptionniste: «C'est un compte à trois zéros» (p. 52). Ces procédures ne sont pas expliquées dans une étape préliminaire mais sont proposées au fur et à mesure que l'action progresse, que Bourne pénètre dans la banque et entreprend de retirer son argent.

Qu'elle soit intégrée au déroulement ou séparée comme un mode d'emploi, la programmation permet d'introduire des scripts dans la situation textuelle. Diverses stratégies narratives peuvent rendre cette programmation moins flagrante, la dissimuler afin de favoriser l'adhésion du lecteur à l'univers narratif. La stratégie la plus importante consiste à mettre en scène des personnages qui ne connaissent pas les scripts en

---

entière de l'humanité nous passe devant les yeux tant la succession des événements dans les premiers western est rapide» (*The Dime Novel Western*, p. 134).

question et qui sont par conséquent dans la même position que le lecteur. La programmation est alors médiatisée par des éléments de l'univers narratif qu'elle est censée représenter, ce qui en dissimule l'apport.

Bourne qui se rend à la banque suisse est un exemple de dissimulation d'une programmation. Suite à son accident, Jason Bourne est devenu amnésique. Cela lui a fait oublier son nom et son identité mais aussi tout ce savoir relié à son ancien rôle de faux terroriste. S'il a oublié les buts et le plan qu'il poursuivait, il a aussi oublié certains scripts inhérents au travail que ce plan demandait. C'est donc totalement ignorant des procédures à suivre qu'il pénètre dans la Gemeinschaft Bank. Comme il ne les connaît pas, il essaye de simuler une certaine familiarité avec le script et de s'en faire expliquer les composantes. Parce que c'est Jason Bourne, il y parvient; mais cela n'est pas sans éveiller la suspicion et attirer l'attention. Un de ses faux pas a consisté, par exemple, à ne pas aviser à l'avance la banque de sa venue, comme tout titulaire d'un compte spécial est censé le faire. Et il y a aussi ses nombreuses hésitations à chaque étape, ses questions inopportunes. En fait, s'il ne sait pas quoi faire, sa faculté d'improvisation le sauve, comme elle le fera en d'autres occasions. Car il faut dire que cette situation ne se limite à la scène de la banque: tout au cours du récit, Bourne est confronté à des scripts dont il ne connaît plus ni les composantes ni le déroulement. Il lui faut sans cesse grâce à l'improvisation reconstituer son propre savoir, ce qui permet de programmer, textuellement et au fur et à mesure de leur déroulement, des scripts à l'insu du lecteur. Cette technique facilite l'adhésion du lecteur, car ce n'est jamais à lui qu'est expliqué le déroulement des scripts, c'est à Bourne, qui doit faire du rattrapage dans son propre univers.

La même programmation implicite survient dans *Le tour du monde en 80 jours*, quand Passepartout se fait expulser de la pagode pour avoir contrevenu aux conditions d'entrée du script propre à ce temple.

Passepartout se dirigeait vers la gare, quand, passant devant l'admirable pagode de Malebar-Hill, il eut la malencontrueuse idée d'en visiter l'intérieur.

Il ignorait deux choses: d'abord que l'entrée de certaines pagodes indoues est formellement interdite aux chrétiens, et ensuite que les croyants eux-mêmes ne peuvent y pénétrer sans avoir laissé leurs chaussures à la porte. [...]

Passepartout, entré là, sans penser à mal, comme un simple touriste, admirait, à l'intérieur de Malebar-Hill, ce clinquant éblouissant de l'ornementation brahmanique, quand soudain il fut renversé sur les dalles sacrées. Trois prêtres, le regard plein de fureur, se précipitèrent sur lui, arrachèrent ses souliers et ses chaussettes, et commencèrent à le rouer de coups, en proférant des cris sauvages (*Le tour du monde en 80 jours*, p. 68).

La programmation passe ici par l'explication du comportement d'un personnage qui, lui, ne connaît manifestement pas le script de situation de la pagode. La programmation sert ici à assurer le comique de la situation narrative et elle est intégrée à même la représentation de l'action. Elle est enchâssée entre les deux temps du déroulement de l'action, l'entrée de Passepartout et la charge des prêtres, et ce qu'elle présente n'est pas les composantes du script mais bien l'ignorance de Passepartout: «*Il ignorait* deux choses». Le savoir du lecteur n'est pas mis en doute, il n'est même pas directement mis en jeu, comme par une programmation explicite. Le lecteur n'est pas alors à la remorque du texte; au contraire il devance Passepartout et il peut rire de sa mésaventure.

La programmation d'un script implique qu'un déroulement d'actions n'est pas d'abord connu du lecteur et qu'il faut le proposer explicitement à son attention. Parce que le script est présenté plutôt que d'être simplement accompli, le texte s'efface moins facilement devant l'univers narratif qui en est le produit. Un nombre plus grand de relations et de composantes du script doivent être explicitées et le texte en acquiert de ce fait une plus grande présence. Mais des stratégies narratives peuvent réduire l'impact de cette présentation et faciliter l'adhésion du lecteur à l'univers narratif.

La programmation se déroule correctement si le rapport des savoirs correspond bien à celui décrit. Tel n'est pas toujours le cas! Il peut y avoir programmation *superflue*, quand le lecteur connaît déjà le script qu'il n'est pas censé connaître, et programmation *insuffisante*, quand au contraire le lecteur ne connaît pas un script qu'il devrait connaître. Le résultat de ces inadéquations est un bris sinon une diminution importante de l'adhésion du lecteur à l'univers narratif.

Une programmation superflue survient quand il y a tout simplement du texte en trop. Le lecteur se fait expliquer ce qu'il connaît déjà, ce qui attire l'attention sur le discours lui-même plutôt que sur l'univers narratif qu'il produit. Cela peut être positif, le lecteur y voit un exercice de style, qu'il peut apprécier à sa juste valeur; ou négatif, le lecteur y remarque l'inadéquation du discours. Un exemple simple d'une telle inadéquation serait la lecture par un adulte, qui le lirait au premier degré, d'un livre pour enfants intégrant dans un récit une explication de l'utilisation des différents appareils d'une cuisine. Le caractère didactique de la programmation devrait apparaître plutôt ennuyeux.

Il peut aussi y avoir programmation superflue quand le lecteur se fait expliquer ce qu'il ne veut pas connaître. *Vingt mille lieues sous les mers* de Verne est, par exemple, un véritable traité d'ichtyologie. À chaque fois que Conseil et son maître, le professeur Annorax, regardent par un hublot du Nautilus où ils sont retenus prisonniers, ils aperçoivent des éléments de la faune aquatique dont ils ne peuvent s'empêcher de décrire le comportement et les traits principaux. Ce ne sont pas toujours des scripts qui sont présentés, et avec Conseil cela prend la forme d'une taxinomie pure et simple ([21]), mais

---

([21]) Alain BUISINE a écrit un bel essai sur l'énumération chez Verne et dans *Vingt mille lieues sous les mers* («Un cas limite de la description: l'énumération», in P. BONNEFIS et P. REBOUL (éds.), *La description*, Lille, Presses universitaires de Lille, 1981, pp. 81-102). Pour donner un fragment d'énumération tirée du roman de Verne: «Dans l'embranchement des mollusques, (Conseil) cite de nombreuses [sic] pétoncles pectiniformes, des spondyles pieds-d'âne qui s'entassaient les uns sur les autres, des donaces triangulaires, des hyalles tridentées, à nageoires jaunes et à coquilles transparentes, des pleurobranchés orangés, des œufs pointillés ou semés de points verdâtres, des aplysies connues aussi sous le nom de lièvre de mer, des dolabelles, des

les explications sont abondantes et détaillées. Pour un lecteur, peu féru de ces énumérations ichtyologiques et dont l'horizon d'attente est plutôt formé à partir des thrillers de Ludlum, où les descriptions sont brèves et purement fonctionnelles, ces développements scientifiques de Verne apparaîtront comme les discussions philosophiques extraites de *La légende de Bas-de-cuir*, des longueurs inutiles qui retardent le rythme de l'aventure et qui nuisent à l'adhésion à l'univers narratif. Dans le domaine de l'aventure, une simulation bien montée vaut mieux qu'une transmission réelle de savoir.

Une programmation insuffisante survient quand le lecteur ne connaît pas le script et qu'il est incapable de recouvrer les déroulements d'actions en jeu à partir des éléments représentés. Si, dans les cas de programmation superflue, il y avait du texte en trop, cette fois-ci il manque simplement du texte. Puisque les relations entre les éléments d'un script censé être partagé sont implicites, si celles-ci ne sont pas déjà connues, elles ne peuvent qu'échapper au lecteur. Celui-ci peut les retrouver mais cela demande un certain travail, qui vient confirmer le bris de l'adhésion à l'univers narratif.

Les exemples les plus simples de ces manques de savoir concernent l'utilisation de scripts instrumentaux. James Fenimore Cooper a été très tôt reconnu pour ses romans maritimes. *Le corsaire rouge, Le pilote, L'écumeur de mer* figurent parmi les premiers romans de ce genre. On retrouve aussi un roman maritime dans *La légende de Bas-de-cuir*, soit *Le lac Ontario* (ou *The Pathfinder*). Dans ce dernier roman, la majeure partie de l'action se passe sur le *Scud*, un petit voilier qui navigue sur le lac Ontario. Le script instrumental de ce navire n'est nulle part explicité dans le roman, son mode d'emploi est tenu pour acquis, de la même façon que les modes

---

acères charnus, des ombrelles spéciales à la Méditerranée, des oreilles de mer dont la coquille produit une nacre très recherchée, des pétoncles flammulées [*sic*], des anomies que les Languedociens, dit-on, préfèrent aux huîtres, des clovisses si chères aux Marseillais, des praires doubles, blanches et grasses [...]» (*Vingt mille lieues sous les mers*, p. 387). La liste de Conseil contient en tout 37 types de mollusques et elle est suivie d'une étude des crustacés, etc.

d'emploi de l'ascenseur ou de l'automobile sont tenus pour acquis dans *La mémoire dans la peau*. On discute des capacités du Scud, qui est plus précisément un *cutter*, de son tonnage et de sa vitesse, ainsi que des caractéristiques du lac, qui est une petite mer, mais c'est tout. Le lac est dangereux, les vents sont traîtres et même une tempête se lève. La représentation des différentes manœuvres opérées pour sortir le Scud des dangers qui le menacent demande pour sa compréhension que le lecteur connaisse le lexique en usage et sache à quoi correspondent les opérations représentées. Un lecteur contemporain et urbain, qui n'a pas le pied marin et qui n'a même jamais mis le pied sur un pont, un lecteur par conséquent qui ne connaît rien au script instrumental «piloter un *cutter*» aura de la difficulté à saisir les particularités du déroulement de l'action et des diverses manœuvres qui permettent de le réaliser. Ce sera une situation textuelle où il y aura, par la force des choses, une programmation insuffisante.

Partagés ou programmés à même le texte, les scripts jouent un rôle dans les mécanismes de l'adhésion du lecteur à l'univers narratif. Ce sont des déroulements d'actions stables et prévisibles qui permettent au lecteur de s'y retrouver dans le développement de la situation narrative.

Plan et représentation

Les plans facilitent à leur tour l'adhésion du lecteur à l'univers narratif, ils le font cependant d'une façon fort différente des scripts. Ils mettent en jeu non pas un savoir précis sur des déroulements d'actions, mais la faculté de raisonner du lecteur ainsi que sa capacité à manipuler des entités cognitives, tels que des buts, des raisons d'agir, des projets, etc. La représentation des scripts jouait sur les besoins plus ou moins grands d'explicitation des composantes des déroulements d'actions, celle des plans joue sur l'*ordre d'exposition* de la désignation des buts poursuivis par ces plans et de la mise en œuvre des moyens définis.

La définition et la désignation du plan sont deux opérations distinctes. La définition du plan consiste en l'organisation des plan-actes nécessaires à l'obtention du but identifié tandis que sa désignation est l'exposition, la représentation de cette disposition. Pour être désigné un plan doit être défini, même si cette définition coïncide à peu de chose près avec sa désignation; mais un plan peut bien être défini et en voie de réalisation sans pour autant être désigné. Le concept d'action non associée sert justement à rendre compte de ces actions dont le plan n'a pas encore été désigné au moment de leur présentation. Le lecteur peut reconnaître ces actions comme des moyens mais ne pas savoir à quel plan elles appartiennent. Ce jeu sur la désignation des plans est un des procédés de la mise en intrigue et il a des conséquences sur l'attitude *cognitive* du lecteur. Deux attitudes sont distinguées selon que le plan est désigné préalablement ou suite à la mise en œuvre de sa réalisation. Quand le plan est désigné d'avance, le lecteur se trouve dans un positionnement ou une attitude cognitive *descendante*. C'est-à-dire que sa lecture est alors dirigée par des entités cognitives, qui viennent spécifier son horizon d'attente. Le plan est une organisation abstraite de plan-actes agencés en séquence et il fournit au lecteur une structure d'anticipation sur la composition de la suite d'actions. Inversement, le lecteur se trouve dans une attitude cognitive *ascendante*, quand le plan n'est désigné qu'une fois celui-ci bien engagé sinon déjà réalisé. Sa lecture est dirigée par des données. Le lecteur doit reconstruire l'action à partir des éléments que lui fournit le texte.

La lecture a été définie de façon générale comme une activité de type ascendant. Le lecteur prend connaissance d'un récit et, à partir des données qui lui sont fournies, il reconstruit une histoire. Cette description générale de l'activité de lecture vaut aussi pour l'endo-narratif. Le lecteur identifie d'abord les actions qui sont représentées et seulement ensuite il les intègre à une narration. Si maintenant l'on resserre la perspective et que l'on distingue, pour une action, les plans des moyens qui sont mis en œuvre pour les réaliser, les jeux sur l'ordre de désignation de ces deux composantes forcent à reconnaître la complémentarité des deux processus cognitifs. C'est-à-dire que sur la base générale d'un processus de type ascendant, la progression à travers un récit se présente comme une interaction entre les deux modes de compréhension.

Pour la suite de ce chapitre, nous allons différencier le mode du processus. Le *processus* définit le positionnement cognitif général de l'activité de lecture, tandis que le *mode* décrit l'attitude du lecteur qui résulte des stratégies narratives de représentation et d'organisation des composantes de l'action. Lire un récit est ainsi un processus de type ascendant qui se développe, au gré des stratégies narratives, selon le mode ascendant ou descendant. Suivre une intrigue, progresser à travers les situations narratives d'un récit, c'est passer de bas en haut (mode ascendant: *bottom-up*) et de haut en bas (mode descendant: *top-down*) au fur et à mesure que les actions sont identifiées et expliquées; et c'est ce mouvement constant entre ces deux directions qui donne à la situation textuelle son dynamisme.

On retrouve un exemple simple de jeu entre ces deux modes dans *Les mystères de Paris*. Au cours de la situation narrative qui se développe à la prison de la Force et qui met aux prises le Squelette, Germain et le Chourineur, on a déjà repéré une organisation narrative enchâssante: plan- [action - action contraire] - plan. Le plan du Squelette est désigné avant sa réalisation, qui est contrée par une action contraire, celle-ci expliquée à postériori. Le passage de l'un à l'autre correspond à une transformation d'attitude du lecteur, qui va du mode descendant au mode ascendant. Puisque le plan du Squelette est connu avant la représentation de sa réalisation, la lecture prend alors la forme de la recherche d'une confirmation: «Va-t-il réussir à le faire?». Le lecteur connaît le déroulement des actions et leur ordre dans le plan et il s'attend à les voir apparaître. L'action contraire survient par contre sans avertissement, ou presque. Si le lecteur se doute bien que Germain ne peut se faire tuer et que l'homme au bonnet bleu qui rôde dans la cour aux lions joue un rôle quelconque dans cette scène, sa contre-attaque n'en demeure pas moins un coup de théâtre. Le lecteur ne va comprendre véritablement ce qui s'est passé qu'à l'identification du Chourineur, l'homme au bonnet bleu, et au récit des événements qui l'ont mené à la prison.

Si, dans les grandes lignes, ce déroulement d'actions entraîne le passage d'un mode descendant à un mode ascendant, la situation textuelle, elle, est un peu plus complexe. Car le passage du plan à sa réalisation n'est pas simple. Le plan ne réussit pas, il rate à la dernière seconde; mais en outre, tout au long de son déroulement, divers événements qui surviennent mettent en péril sa réalisation. Pique-Vinaigre veut plus d'argent pour raconter son histoire, le gardien ne veut pas partir, un inconnu arrive sur le fait, etc. Et puis, il y a l'histoire de Gringalet et de Coupe-en-deux, dont le récit se développe en une situation narrative secondaire. Quelque 30 pages séparent le moment où le plan est défini de celui où son dénouement se produit, pages consacrées à toutes les opérations qui participent ou nuisent à son mode d'accomplissement et qui provoquent des modifications de l'attitude du lecteur. Tout obstacle ou tout imprévu amène le lecteur non plus à chercher la confirmation de ce qui doit se passer mais à se demander simplement si cela va réussir. Changements d'attitude mineurs qui viennent moduler le déroulement d'une lecture autrement engagée sur le mode descendant.

L'hypothèse que nous développons ici est que ces deux modes contribuent de manière différente à l'adhésion du lecteur à l'univers narratif. Le mode ascendant est nécessaire à l'établissement sinon au renforcement de l'adhésion du lecteur, tandis que le mode descendant permet de la stabiliser et d'assurer son maintien.

Nous avons déjà affirmé, à propos du récit *Le labyrinthe de la mort*, que l'activité de prise de décision du lecteur était ce qui assurait la correspondance entre les moyens effectivement mis en œuvre par le lecteur et ceux représentés dans le récit. Un problème était posé au lecteur-champion: doit-il combattre le gnome ou s'enfuir par la porte de côté; et c'était sa décision qui faisait progresser le récit, en le faisant avancer dans le labyrinthe. L'activité cognitive du lecteur était donc appelée à jouer un rôle au premier degré dans le récit — puisque ses résultats étaient tangibles et avaient des répercussions sur son déroulement même — et c'était elle qui assurait son adhésion à l'univers narratif. Une telle activité est une opération cognitive dirigée par des données, une opération sur le mode ascendant.

Les situations textuelles plus conventionnelles des autres textes du corpus fonctionnent de la même façon; pour elles aussi, le lecteur est amené à adhérer à l'univers narratif par le biais du mode de compréhension ascendant ([22]). Deux éléments distinguent cependant ces situations textuelles de celles développées par les fictions interactives. D'abord, dans les récits conventionnels, si le lecteur est contraint de réfléchir sur des situations narratives, cela n'affecte pas le cours du récit. Le texte solutionne ses propres problèmes et s'il demande au lecteur de participer à la résolution, c'est à un second degré et surtout comme moyen de le faire adhérer. Ensuite, tandis que les fictions interactives cherchent à imposer à leurs lecteurs le plus d'inférences possibles (un jeu n'est intéressant que s'il est difficile à résoudre), les fictions conventionnelles recherchent l'inverse, à savoir un plus grand contrôle de ces inférences.

Le mode ascendant favorise l'adhésion du lecteur. Ce mode n'est pas enclenché uniquement par des problèmes ou des énigmes directement posés à des protagonistes du récit, mais par un ensemble de stratégies narratives. Parmi celles-ci figure l'utilisation d'actions non associées. En effet, dès qu'un lecteur cherche à intégrer une action non associée à un plan, dès qu'il cherche à comprendre quels sont les buts ou les intentions d'un agent, ses raisons d'agir et ses motivations, dès qu'il cherche à combler, par sa connaissance du schème interactif de l'action, les manques ou lacunes du récit, il s'engage sur le mode ascendant. Il utilise les données fournies par le texte pour reconstruire le plan-acte. Si, maintenant, on examine l'ensemble des récits de notre corpus, on remarque assez

---

([22]) Une des thèses les plus intéressantes en sciences cognitives repose d'ailleurs sur la définition de la compréhension des récits comme d'une activité de résolution de problèmes, thèse proposée par David RUMELHART, «Notes on a Schema for Stories», in D. BOBROW et G. COLLINS (éds.), *Representation and Understanding*) et par John BLACK et Gordon BOWER («La compréhension des récits considérée comme une activité de résolution de problèmes», in G. DENHIEU (éd.), *Il était une fois...*). Leur thèse se résume ainsi: «Si les récits sont des traces des activités de résolution de problèmes mises en œuvre par les personnages, alors la représentation de la structure des récits devrait être similaire à la représentation de la résolution des problèmes» (p. 292).

facilement qu'ils requièrent de leur lecteur, dès l'incipit ou tôt après, une attitude sur le mode ascendant.

Un des procédés les plus fréquemment employés pour représenter des actions non associées consiste à taire le plus longtemps possible l'identité de l'agent. Quand le lecteur ne sait pas qui agit, il peut difficilement connaître les buts qu'il cherche à atteindre. C'est ce qui survient dans l'aventure de Buffalo Bill: c'est un étranger qui survient au Hard Times Saloon et son identité n'est révélée qu'au moment de la confrontation avec Brazos Bill. De la même façon, le début du *Michel Strogoff* de Verne commence *ex abrupto* avec une conversation anonyme sur l'état du fil de télégraphe après Tomsk. Le lecteur ignore à la fois l'identité de ceux qui discutent, du lieu où ils en parlent et même, d'une certaine façon, du sujet exact de la discussion. Le procédé est efficace; pour en savoir plus, à la recherche par conséquent de l'information qui lui permettra de compléter cette situation narrative, le lecteur n'a d'autre choix que de continuer à lire, et ce faisant, d'accepter qu'une telle conversation prenne bel et bien place et qu'un fil de télégraphe soit effectivement coupé. Le lecteur adhère d'autant plus rapidement à l'univers narratif que cela est nécessaire à sa compréhension de ce qui s'y passe. Sa recherche de données le convie à cette adhésion. Il apprend ainsi assez rapidement que l'action se passe dans le grand salon du Palais-Neuf où, à deux heures du matin, une fête bat son plein, et que le sujet de cette conversation est la progression de l'invasion des Tartares. Ce n'est cependant qu'au deuxième chapitre, quelque seize pages plus loin, qu'il apprend l'identité de l'interlocuteur du général Kissoff. Cet officier n'était nul autre que le tsar! Le lecteur aurait pu savoir qu'il s'agissait d'un personnage important et même du tsar s'il avait connu les différentes fonctions que celui-ci doit remplir en tant que tsar. Tout au long du premier chapitre, il est en effet désigné comme: «sire», «grand maréchal de la cour», «principal personnage du bal» auquel on attribue «une qualification réservée aux souverains», «officier des chasseurs de la garde», «votre Majesté», etc. Mais la désignation officielle, celle qui confirme le tout, ne survient qu'au second chapitre. Et elle survient, quand le récit prépare l'entrée en scène de

Michel Strogoff. Une mission l'attend; elle est de la plus haute importance, parce qu'elle provient... du tsar. Michel Strogoff doit se rendre à Irkoutsk, où le fil du télégraphe ne se rend plus, avertir le frère du Tsar que le traître Yvan Ogareff veut attenter à sa vie.

Les mystères de Paris de Sue débutent avec une dissimulation de l'identité de son héros. C'est un inconnu qui surgit de nulle part pour sauver la pauvre Fleur-de-Marie des menaces du Chourineur. Et, pour approfondir le mystère, quand les trois se rendent au Lapin Blanc, ils sont suivis par un charbonnier qui fait le guet à la porte du tapis-franc et qui murmure à l'inconnu des «Monseigneur, prenez bien garde!»... On vient de voir de plus que, dans la situation narrative se déroulant à la prison de la Force, la représentation d'une action non associée (celle du Chourineur) fait passer la lecture d'un mode descendant à un mode ascendant.

Dans *La mémoire dans la peau*, l'identité du héros est à ce point dissimulée que ce dernier lui-même ne la connaît pas! Le récit s'ouvre sur une narration minimaliste des événements qui ont provoqué l'explosion du bateau de Bourne et son amnésie. Le déroulement de l'action est fragmenté en quelques moments importants, quelques opérations et leurs effets, tir au revolver et blessures, explosion et naufrage. Aucune autre information n'est disponible, ces moyens mis en œuvre doivent être pris tels qu'ils sont, non associés, décontextualisés.

Dans *Le dernier des Mohicans*, on retrouve une dissimulation semblable. Le récit s'ouvre sur la situation générale de la colonie en cette année 1757 et continue avec le départ d'une troupe de quinze cents hommes qui vont rejoindre le fort William-Henry, menacé par l'armée de Montcalm. Mais ces hommes ne sont pas les seuls à partir. Six chevaux, prêts pour le voyage, attendent aussi leurs cavaliers. Ils sont bientôt montés par un officier, portant l'uniforme des troupes royales, et par deux dames. Ils font route vers le William-Henry mais, plutôt que de suivre la route du Corps d'armée, ils prennent par les bois. Un guide indien les accompagne et un autre individu des plus extraordinaire les rejoint, un géant aux membres disproportionnés et aux vêtements dépareillés, qui tient un discours aux relents religieux. Ce dernier monte une petite jument efflanquée. Mais qui est cet individu, qui sont ces deux dames et pourquoi font-elles route vers le William-Henry? Cela le lecteur ne peut l'apprendre que s'il s'engage plus avant dans cet univers narratif, s'il franchit la lisière du bois, ce seuil, pour pénétrer avec le groupe dans la forêt.

Graduellement, le lecteur apprend que l'étrange individu n'est qu'un inoffensif maître de chant, que Magua le Huron est l'instigateur du raccourci en forêt, et dont les motifs ne deviendront évidents qu'à sa désertion; mais, pour ce qui est de l'identité des deux dames qu'accompagne le major Heyward, ce n'est qu'au milieu du septième chapitre qu'il apprend qu'elles sont les deux filles de Munro, le commandant du William-Henry. Leur anonymat est en fait savamment entretenu dans ces premiers chapitres; ce ne sont que «deux belles voyageuses», des «dames», des «demoiselles»; leurs prénoms sont connus, Cora et de Alice, et même leur lien de parenté, ce sont deux sœurs, mais leur nom de famille est tu. L'absence de lien de parenté avec le commandant Munro est même suggérée dans certains dialogues. Heyward s'adresse ainsi à Magua: «Et quel compte rendu Renard Subtil fera-t-il au commandant du William-Henry, à propos des deux dames qu'on lui a confiées? Osera-t-il annoncer au bouillant officier d'Écosse qu'il les a laissées sans guides, malgré sa promesse?» (p. 45). Pourquoi parler de «dames», quand il s'agit des filles du commandant, sinon justement pour cacher ce fait...

L'identité des deux voyageuses sera révélée au lecteur en deux temps distincts, à ces moments du récit où leur anonymat pourra être remplacé comme *élément de suspense* par d'autres éléments. Dans un premier temps, le lecteur apprend la raison de ce voyage: les deux sœurs l'ont entrepris car elles voulaient aller rejoindre leur père au William-Henry. Cette révélation coïncide avec l'apparition du premier danger. Les sœurs Munro, le major Heyward et David la Gamme, le maître de chant, se trouvent sur une plate-forme pierreuse au pied de la chute de Glenn. C'est Œil-de-Faucon et ses deux amis indiens qui les y ont menés; cette plate-forme est une de leurs cachettes les plus sûres, elle comporte une caverne qui permet au voyageur circonspect de passer une nuit tranquille. Le groupe s'est retrouvé là un peu par hasard: Renard Subtil avait réussi à perdre le groupe en forêt et ils sont tombés sur Œil-de-Faucon et ses amis qui y chassaient le daim. Ceux-ci, devinant le piège que leur tendait le Huron, décident de les protéger pour la nuit. Ils sont là, sur la plate-forme, à manger et écouter le chant de David la Gamme, quand retentit dans la nuit un cri terrible, qui n'a rien d'humain. Tous sont surpris, même Nat Bumppo, Chingachgook et Uncas, qui ont pourtant une expérience des choses de la forêt. Quand on le questionne, Nat ne sait quoi répondre: «Ce que c'est, ce que ce n'est pas, nul ici ne saurait le dire. Pourtant, Chingachgook et moi, depuis trente ans que nous parcourons la forêt, avons entendu toutes les sortes de cris de bêtes sauvages ou d'Indiens. Mais là je suis pris de court.» (p. 64) Un second cri va résonner dans la forêt, tout aussi lugubre et inquiétant, et c'est entre ces deux hurlements qu'aura lieu la conversation entre les sœurs et Heyward, dialogue qui fournit au lecteur une partie de leur identité et le but de leur voyage.

La seconde partie de cette identification des deux voyageuses survient dans un moment similaire, c'est-à-dire en pleine crise. Les cris de la nuit se sont tus et ils ont été finalement identifiés par Heyward qui les a reconnus comme le cri des chevaux terrorisés. Les premières lueurs de l'aurore sont apparues, quand soudain des hurlements épouvantables retentissent à nouveau. Les Hurons attaquent! Les balles sifflent au dessus des têtes, La Gamme est vite blessé. Et, pendant que le combat fait rage entre les deux camps, le lecteur apprend enfin que les deux sœurs sont les filles de Munro. Un élément de suspense a été échangé pour un autre. Maintenant que l'action bat son plein, le lecteur n'a plus à être leurré par un mystérieux anonymat; c'est à son anticipation du déroulement de la situation narrative de l'entraîner plus avant dans son adhésion à l'univers narratif.

Dans *Le professeur Flax, monstre humain*, le premier de la série des six fascicules commence pour sa part plutôt comme un roman policier classique. Le héros est rapidement identifié, ainsi que son acolyte. Harry Dickson est dans son étude new-yorkaise, avec Tom Wills, quand une jeune fille,

Ethel Copper, vient lui demander son aide. Son amie, Miss Valbout, souffre d'une maladie mystérieuse «dont personne ne peut établir le caractère» (p. 18). En moins d'un an, cette demoiselle a perdu son père, un riche négociant en diamants, sa mère et ses deux frères, tous morts d'une manière pour le moins mystérieuse. Et voilà maintenant que depuis son mariage, dix jours plus tôt, elle qui avait toujours joui d'une santé parfaite se met à souffrir d'un mal inconnu. La pauvre ne sait pas que le professeur Flax, son époux, est en fait un dangereux criminel... L'attention du lecteur est d'abord orientée vers l'énigme, le mystère à résoudre. L'identité des agents est connue, le manque qui engage la lecture dans un mode ascendant se situe ailleurs, dans l'énigme.

Le tour du monde en 80 jours choisit une stratégie narrative différente pour son entrée dans l'action. Le texte n'engage pas le lecteur immédiatement sur le mode ascendant. Ce sont des scripts qui sont d'abord proposés, le script personnel de Fogg, le script de situation du Reform-Club. Le récit débute ainsi avec la description de Fogg, ses manies, sa position sociale, sa richesse, son exactitude. Il renvoie son domestique pour une question de détail, en engage un nouveau, Passepartout, puis part pour son club. Là, il mange, lit, digère puis joue au whist avec ses pairs et, pendant la partie, parie de faire le tour du monde selon l'itinéraire proposé par le *Chronicle*. La lecture s'y engage donc sur le mode descendant. Le lecteur n'a pas à s'interroger sur ce qui va se passer mais sur la façon dont cela va se passer. C'est le roman de l'exception. Mais cela sied bien à un récit dont le personnage principal refuse à l'aventure le droit d'exister. Le lecteur est convié à adhérer à l'univers narratif de la même façon que Fogg passe à travers le monde: sans trop y croire, sans rien y voir d'excitant ou d'inattendu, d'un regard distrait. Mais, comme pour celui du Squelette, le plan n'est désigné à l'avance que pour être mieux menacé et perturbé. Dès la fin de la première étape, par exemple, l'inspecteur Fix se met de la partie. Il veut arrêter Fogg qu'il croit être le voleur d'une banque de Londres. Sa présence ainsi que tous les obstacles qui ne vont cesser de se mettre sur la route de Fogg — le chemin de fer bloqué entre Bombay et Calcutta, la paquebot raté à Hong-Kong, l'attaque des Indiens en Amérique, l'emprisonnement de Fogg en Angleterre — sont autant d'éléments qui vont inverser le mode de compréhension de l'action du lecteur. L'aventure finit ainsi par l'emporter et des actions inédites, inattendues surviennent; mais, si pour le lecteur ces imprévus servent de contrepoint ascendant, ils ne sont jamais pour Fogg que de fâcheux contretemps...

Les récits engagent leur lecteur en premier lieu sur un mode ascendant parce que celui-ci favorise l'adhésion du lecteur à l'univers narratif. Le mode descendant en garantit quant à lui le maintien. Il permet d'engager l'horizon d'attente du lecteur, de distendre en quelque sorte son attention; puisqu'il croit savoir ce qui va advenir, le lecteur cherche les indices de ce qui s'en vient plutôt que d'observer ce qui se passe. Il anticipe la façon dont cela va s'effectuer, ce qui implique qu'il a déjà adhéré à l'univers narratif qui sert de base à ce faire. Les deux modes sont complémentaires et c'est leur alternance, leur enchevêtrement qui crée un suspense, notion autrement difficile à définir. Le suspense est ainsi l'anticipation de ce qui s'en vient conjuguée à l'incertitude de ce qui se passe.

Un bon exemple d'un tel enchevêtrement survient dans *La mémoire dans la peau*. Le récit engage d'abord son lecteur sur le mode ascendant pour se terminer sur le mode descendant ou plutôt sur un mode «mixte». Le jeu se développe donc à la grandeur de la situation textuelle.

Dans *La mémoire dans la peau*, la lecture d'un peu moins que la première moitié du récit se passe, de façon générale, sur le mode ascendant. Le lecteur suit à la trace le héros qui tente de reconstruire pièce par pièce le casse-tête de son identité. Et c'est une quête qui se fait sur le mode de l'urgence: l'attaque à la banque et à l'hôtel ont transformé Bourne d'un simple amnésique en une bête traquée. Il lui faut se défendre pour survivre et il ne connaît ni ses ennemis ni les raisons de leur acharnement. Il n'a pas de plan, de projet organisé, il lui faut suivre ses impressions, sa faculté d'improvisation. C'est la fuite. Avec Marie Saint-Jacques, qui l'aide un peu à comprendre ce qui se passe, il se déplace, par exemple, de Zurich à Paris simplement parce qu'il croit trouver là les réponses qu'il lui manquent. Dans ces chapitres, le lecteur n'a d'autre point de vue que celui du héros. Le savoir du lecteur sur l'univers narratif correspond à celui de Bourne sur son propre monde. Comme lui, par conséquent, il ne peut s'expliquer ce qui se passe, comprendre pourquoi tous ces gens lui en veulent, quelle est cette identité que tous craignent. Le lecteur ne peut reconstruire le tableau des forces en jeu et il lui faut attendre et conjecturer avec le héros.

> Le passé. Quel genre de passé était-ce donc qui comprenait les talents dont il avait fait montre au cours des dernières vingt-quatre heures? Où avait-il appris à blesser et à estropier en utilisant ses pieds et ses doigts entrecroisés comme des marteaux! Comment savait-il avec précision où frapper? (p. 55).

Les quatorze premiers chapitres sont ainsi une interminable recherche d'informations, une pénible reconstruction. La progression est lente, mais à partir du moment où le héros commence à en savoir assez sur sa propre situation, où un dessin commence enfin à prendre forme, le récit fait basculer le lecteur sur le mode descendant. Au chapitre quinze en effet, une nouvelle situation narrative se met en place. De l'Europe, le lecteur est transporté sans préavis dans une pièce du Pentagone où des responsables du National Security Council, de la Central Intelligence Agency ainsi que du Congressional Oversight Committee discutent; et ce qu'ils disent est simple: «Cet homme est Caïn». Le lecteur apprend enfin ce qui se passe depuis le début: quel avait été le plan, comment il a raté, quel est le danger, comment l'éliminer, etc. En fait, le lecteur se trouve soudainement dans une position unique: il est en avance sur le héros. Cela donne lieu à un positionnement cognitif où s'enchevêtrent les deux modes: pendant que son héros continue à être engagé dans une activité cognitive dirigée par des données, le lecteur est engagé dans une activité dirigée par un plan. Il connaît maintenant l'information recherchée par le héros et il peut mieux comprendre la précarité de sa situation. Il continue à le suivre dans ses nombreuses démarches à travers les dédales du terrorisme international et des agences de renseignement, mais sa connaissance de la véritable identité de Bourne confirme son adhésion. La tension créée initialement chez le lecteur par l'ambivalence de l'identité du héros, victime ou tueur, héros ou assassin, est enfin neutralisée pour être remplacée par son anticipation de la fin. Il n'y a plus à hésiter, la fin va justifier les moyens...

Il est difficile de généraliser pour l'ensemble d'une situation textuelle le mode de lecture privilégié. Cela s'applique à *La mémoire dans la peau* mais pas à *The Bourne Supremacy*, par exemple. *Le tour du monde en 80 jours* et *Michel Strogoff* peuvent être décrits engager leur lecteur avant tout sur le mode descendant, tandis que *Le dernier des Mohicans* l'engage dans un processus d'abord ascendant, mais les variations sont habituellement trop importantes pour permettre une telle généralisation.

Mais, quelle que soit l'ampleur des stratégies narratives utilisées dans l'agencement des composantes de l'action, le mode de compréhension imposé contribue à assurer l'adhésion du lecteur à l'univers narratif. Avec l'identification au héros et le jeu des savoirs requis par la représentation des scripts, ces deux modes font partie des principaux mécanismes régissant l'accès du lecteur au monde du texte.

Les jeux de l'action

L'adhésion du lecteur à l'univers narratif est assurée par des mécanismes endo-narratifs et elle est renforcée par diverses stratégies narratives. Ces stratégies sont créatrices de suspense. Le suspense, a-t-on dit, est l'anticipation de ce qui s'en vient conjuguée avec l'incertitude de ce qui se passe. Cette tension peut être produite par les modifications subites du portrait intentionnel du héros ou par la représentation d'actions non associées; elle peut être le résultat d'un jeu sur la dimension cognitive de l'action ou sur les conséquences pratiques de cette action, ses résultats, ses effets sur le monde. Dans cette dernière section, nous allons nous arrêter à décrire deux stratégies de création de suspense, stratégies qui jouent directement sur le mode d'accomplissement de l'action. La première consiste surtout en la fragmentation, la dissémination à travers le récit des étapes de l'accomplissement d'une action. La seconde repose sur un type précis de déroulement d'actions dont le caractère même est l'imprévisibilité de son dénouement. C'est le corps à corps, le combat entre le héros et son ennemi. Ce sont les deux principales stratégies à l'œuvre dans le roman d'aventures ([23]).

Les modes d'accomplissement

Les jeux sur les composantes du mode d'accomplissement d'une action sont stratégies créatrices de suspense: quand les composantes d'une action sont dispersées dans un récit, l'attention du lecteur est distendue à travers le texte, distension à l'origine de l'attente anxieuse que constitue le suspense. Il s'agit donc avant tout de renforcer l'imprévisibilité du récit afin de déjouer les attentes du lecteur, de tabler sur son anticipation des événements et de leurs résultats afin de la neutraliser.

Ces stratégies ne s'appliquent vraiment qu'aux actions complexes dont le déroulement n'est pas fixé de manière stable. C'est-à-dire que les scripts ne se prêtent guère au suspense. Puisque le déroulement de leurs opérations est par définition prescrit de façon précise, leur résultat ou dénouement n'est supposé être l'objet d'aucune incertitude. La fragmentation de la représentation d'un script n'est donc pas créatrice de suspense. Qu'on laisse Fogg au Reform-Club en plein repas, pour aller suivre les tribulations de Passepartout, cela ne provoque normalement aucune tension. À moins qu'un danger quelconque menace Fogg à son insu, il semble incongru en effet de vouloir anticiper la suite des événements, leur

---

([23]) La narration est une communication persuasive qui possède sa propre rhétorique. C'est du moins l'avis de Erik NEVEU, dans son étude des romans d'espionnage et de leur idéologie. Il consacre une partie de son texte aux «voies de la communication persuasive». Il s'y arrête entre autres aux procédés de l'hyperbole et de l'euphémisme, qui sont utilisés pour décrire respectivement les forces du mal et celles du bien. Par l'hyperbole, «le narrateur donne ainsi une réalité impressionnante aux agissements des forces maléfiques», tandis que «l'euphémisme permet de minorer les aspects de la réalité les moins conciliables avec les vertus octroyées» aux forces bénéfiques (*L'idéologie dans le roman d'espionnage*, Paris, Presses de la fondation nationale des sciences politiques, 1985).

résultat. «Va-t-il finir son repas?» «Va-t-il prendre un dessert? ou passer au salon?» sont des questions de peu d'intérêt et qui peuvent attendre pour leur résolution le retour à cette situation narrative. Mais la situation est tout autre si c'est attaché aux rails d'un chemin de fer pendant que le train arrive qu'on laisse Fogg pour aller suivre Passepartout. Là, l'anticipation de la suite des événements est créatrice de tension et la question «va-t-il s'en sauver?» devient tout à fait pertinente.

Un des seuls cas où un script peut être l'objet d'une quelconque incertitude survient quand son identification par l'action générique qui sert à le désigner est retardée et que la représentation des opérations de son mode d'accomplissement est telle qu'elle ne permet pas au lecteur de le retrouver par lui-même. On trouve un tel exemple de stratégie de représentation dans *La mémoire dans la peau*. Arrêtons-nous d'abord quelque peu à cet exemple. Comme nous allons le voir, de tels jeux narratifs ont une très faible portée, jamais plus qu'un ou deux paragraphes, et ils sont plutôt rares car ils demandent pour leur réussite des conditions bien particulières. Nous reviendrons ensuite à la description des stratégies plus conventionnelles de fragmentation d'actions complexes.

Cela se passe au quatrième chapitre, Jason Bourne est en route vers Zurich et la Gemeinschaft Bank où l'attendent quelque cinq millions de dollars. Il est en avion, sur un vol d'Air France, en classe économique, et il ne peut s'empêcher de rêver:

> Le patient continuait de regarder par le hublot, s'efforçant délibérément d'éveiller son inconscient, les yeux braqués sur les éléments déchaînés de l'autre côté de la vitre, et faisant sans rien dire de son mieux pour laisser ses réactions donner naissance à des mots et à des images.

> Cela finit par venir... lentement. D'abord, ce furent de nouveau les ténèbres, et le bruit du vent qui hurlait, à vous fracasser les oreilles, un bruit continu, qui s'amplifiait jusqu'au moment où il crut que sa tête allait éclater. Sa tête... Les vents lui labouraient le côté gauche de la tête et du visage, lui brûlant la peau, le forçant à lever son épaule gauche pour se protéger... son épaule gauche. Son bras gauche. Son bras était

levé, les doigts gantés de sa main gauche étreignaient une corniche métallique, sa main droite tenait... une courroie; il se cramponnait à une courroie en attendant quelque chose. Un signal... Une lumière qui clignotait ou bien une tape sur l'épaule, ou bien les deux. Un signal. Il venait enfin. Il se sentit plonger. Dans l'obscurité, dans le vide, son corps tournoyant, basculant, balayé dans le ciel nocturne. Il avait... sauté en parachute! (pp. 64-65).

Bourne est dans l'avion, assis près de la fenêtre, il regarde vers l'extérieur et il cherche à laisser les images venir à lui. Il fait des exercices mentaux et obéit en cela aux suggestions du médecin qui l'a soigné après l'explosion de son bateau. Le premier paragraphe décrit ainsi Bourne dans la perspective de ce médecin. Bourne n'est pour lui en effet qu'un «patient» amnésique et sans nom: «Lorsque vous observez une situation qui vous met en état de tension — et vous avez le temps — faites tous vos efforts pour vous projeter dedans. Laissez les associations d'idées se faire aussi librement que possible; laissez les mots et les images vous emplir l'esprit (p. 64). Et c'est ce que fait Bourne dans l'avion.

Le second paragraphe tente de reproduire l'association d'idées de Bourne. Ce n'est pas une simple association d'idées qui est proposée cependant, une liste de mots qui défile sans grande cohérence, mais la représentation fragmentée d'un déroulement d'actions. Ce qui est présenté est en fait un essai de reproduction du processus de l'amnésie. La perspective adoptée est ainsi la relation cognitive de l'agent à une action passée mais, suite à l'amnésie, cette relation est déficitaire. Par sa pensée, Bourne se retrouve dans un nouveau cadre dont il ignore tout et en plein déroulement d'actions qu'il ne parvient pas à reconnaître. L'action n'est d'abord pas identifiée, au contraire elle demande à l'être. Le lecteur est en présence d'un agent qui revoit ou revit les gestes et les éléments d'un déroulement sans pouvoir reconnaître l'action ainsi performée!

L'identification de cette action va passer en premier lieu par les sensations qu'elle procure à l'agent: la noirceur, le vent, son bruit qui provoque des douleurs à la tête, sa force qui brûle la peau et qui oblige à se protéger. L'agent est d'abord subjugué par son environnement; puis, comme s'il réussissait un peu mieux à maîtriser toutes ces sensations, la perspective s'élargit pour inclure la proprioception; le corps soudainement apparaît et il se positionne: un bras est tendu et les mains agrippent quelque chose. Des accessoires apparaissent: des gants, un morceau de métal, une courroie; et enfin, une première action, du moins une attente, une action qui n'en est pas une. Puis un signal, et un saut. Dans le vide, dans la noirceur. C'est à cette opération que Bourne identifie enfin ce qu'il faisait. Un saut en parachute.

Le saut en parachute est une activité réglée et son déroulement se présente comme un script;. Il y a un cadre: un avion qui vole à une certaine altitude; des accessoires: le parachute, des gants; des rôles: le sauteur, le pilote; des conditions d'utilisation: le sauteur doit être dans l'avion, il faut avoir atteint l'emplacement du saut; et un acte principal qui comprend parmi ses opérations: sortir de l'avion, saisir et s'accrocher à l'aile de l'avion, attendre le signal, lâcher prise, ouvrir le parachute, etc. C'est un script, mais qui n'est pas immédiatement perçu comme script par le héros qui doit reconstruire pièce par pièce les composantes de son déroulement. Dans cet univers du souvenir, Bourne accède à ce déroulement en son milieu, pendant l'attente du signal qui lui donnera l'ordre de lâcher prise; et c'est à partir de ce moment qu'il doit reconstruire le tout, retrouver l'action générique désignatrice du script. Et le texte est ainsi écrit qu'il cherche à faire coïncider l'ordre de lecture avec l'ordre d'apparition des éléments pour Bourne. Le lecteur doit suivre le héros dans ses réflexions et accéder à l'identification du script à la toute fin [24].

Les éléments du script sont ainsi réorganisés de façon à ne pas le rendre évident immédiatement et le suspense consiste

---

[24] Si le lecteur apprend enfin quelle action est en train de se dérouler, il ne sait rien encore du but poursuivi par ce moyen. Pourquoi Bourne saute-t-il en parachute? au-dessus de quel territoire? à quelle occasion? Toutes ces questions restent sans réponses. Il s'agit en fait d'une action non associée. Impossible de savoir de quel mode d'accomplissement ce saut en parachute est une opération. Il manque au plan-acte toute sa dimension cognitive, perdue comme on le sait dans le vide de l'amnésie.

à chercher à savoir quelle action est ainsi représentée. La stratégie utilisée est particulière en ce qu'elle est fondée sur une relation cognitive déficitaire du héros à son action. Bourne est représenté comme ne sachant pas ce qu'il fait et ce qui est en péril, c'est son intentionnalité ou sa conscience même. Cela reflète assez bien la position de Bourne, qui se cherche justement une conscience; mais sinon, ces cas déficitaires sont plutôt rares. Leur portée est d'ailleurs restreinte et ils servent surtout à décrire les pensées du héros qui reprend conscience après s'être fait assommer, blesser ou droguer.

Outre les quelques rares cas qui mettent en jeu des scripts, les jeux sur les modes d'accomplissement d'actions opèrent sur des déroulements complexes, des plan-actes. Ces jeux, il faut dire, ne sont possibles que si plusieurs situations narratives sont en progression en même temps. C'est le passage d'une situation à une autre, d'un agent à un autre, qui permet de fragmenter les déroulements d'actions afin d'en manipuler les composantes et de les réorganiser de façon inédite. Souvent, par exemple, les résultats d'une action sont trop prévisibles, soit parce que la compétence du héros ne fait aucun doute, soit parce que ce résultat est inévitable. Renverser l'ordre d'apparition de ces résultats et les présenter avant le déroulement qui permet de les atteindre vient surprendre le lecteur en neutralisant d'emblée son horizon d'attente.

On retrouve de tels renversements dans *Le tour du monde en 80 jours*. Un premier survient pendant la cinquième étape, de Hong-Kong à Yokohama, quand, par la force des choses, Passepartout est séparé de son maître. Des situations narratives d'abord concomitantes (SN1: mêmes moyens, mêmes buts) sont transformées, par cette séparation forcée (SN2), en situations narratives concourantes (SN3, SN4, SN5; mêmes buts mais des moyens différents) et c'est à leur réunification (SN6) que survient le renversement (SNS7).

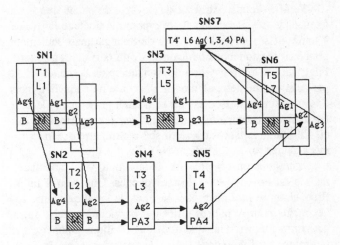

Figure 23. Les malheurs de Passepartout

Passepartout (Ag2) est séparé de Fogg (Ag1) à Hong-Kong. En se rendant au port Victoria retenir des cabines sur le Carnatic qui doit partir le lendemain à cinq heures, Passepartout rencontre l'inspecteur Fix (Ag4) qui attend encore l'occasion d'arrêter Fogg qu'il croit être un bandit en fuite. Ensemble (SN2), ils se rendent au bureau des transports maritimes et apprennent que le départ du paquebot a été avancé et qu'il part le soir même à huit heures. Passepartout souhaite aller immédiatement avertir son maître mais Fix le retient. Il le convainc d'aller d'abord boire un verre dans une taverne et, là, il tente de lui expliquer que Fogg n'est pas un excentrique voyageur mais un voleur de banque. Passepartout reste sceptique et Fix entreprend de le droguer à l'alcool et à l'opium afin de l'empêcher d'avertir à temps Fogg du nouvel horaire de départ.

Fogg manque donc son bateau, ce qui est fâcheux car il lui faut être dans les plus brefs délais à Yokohama pour attraper le bateau qui fait la traversée du Pacifique. Jamais pris de court, il entreprend de louer un petit bateau, le Tankadère, pour faire route jusqu'à Shangaï, d'où part le General-Grant

(SN3). Mrs Aouda (Ag3) est du voyage, de même que Fix... Bravant la tempête et même un typhon, la goélette fait route à toute vitesse jusqu'à la rivière de Shangaï mais seulement pour voir le paquebot américain sortir du port. Il est trop tard. Fogg fait mettre le pavillon du Tankadère en berne, espérant par ce signal de détresse modifier la route du paquebot, mais l'espoir est mince. Et c'est sur ce dernier geste que le lecteur laisse Fogg et compagnie pour retrouver Passepartout. Celui-ci, s'il n'a eu le temps d'avertir son maître, a réussi *in extremis* à sauter sur le Carnatic (SN4).

Sa situation est précaire: il fait route vers Yokohama mais c'est sans un sou dans ses poches. Que peut-il faire? Rien, sinon se promener dans les rues de la ville. Il vend ses vêtements pour se nourrir un peu et parvient à se faire engager comme clown dans une troupe acrobatique japonaise qui fait route vers l'Amérique (SN5). Un premier spectacle a lieu et les talents de Passepartout sont aussitôt mis à l'épreuve. Il doit participer à l'exercice de la pyramide humaine, exécutée par les Longs-Nez, ces acrobates qui se distinguent par leurs costumes munis d'ailes et leurs nez qui font cinq, six et quelquefois même dix pieds de longueur. Ces nez en bambou leur servent à réaliser toutes leurs acrobaties, y compris la pyramide humaine. Pendant le spectacle, Passepartout est un de ceux qui forment sa base, quand tout-à-coup la pyramide s'ébranle, l'équilibre se rompt et le monument s'écroule comme un château de cartes. Un des nez est venu à manquer, celui de Passepartout, qui a aperçu son maître dans l'assistance. C'est la réunion (SN6).

Ce retournement soudain procède d'un renversement de l'ordre d'apparition des éléments de l'action. La présence de Fogg au spectacle des acrobates japonais signifie au lecteur que l'action laissée en rade à Shangaï quelques chapitres plus tôt a connu un heureux dénouement. Les résultats sont ainsi donnés avant la solution. Mais celle-ci était tellement prévisible, malgré les apparences, qu'il n'y avait d'autre choix que de la laisser en suspens et de la reprendre une fois déjà complétée. «Ce qui était arrivé en vue de Shangaï, on le comprend» (p. 204), nous avoue-t-on candidement (SNS7)...

> Les signaux faits par la Tankadère avaient été aperçus du pa-
> quebot de Yokohama. Le capitaine, voyant un pavillon en
> berne, s'était dirigé vers la petite goélette. Quelques instants
> après, Phileas Fogg [...], Mrs. Aouda et Fix étaient montés à
> bord du steamer, qui avait aussitôt fait route pour Nagasaki et
> Yokohama (p. 204).

Le renversement joue sur l'enchaînement des situations
narratives et encore sur la transformation d'une situation narrative directrice en situation subordonnée. Le dénouement
n'est en effet pas mis en récit mais simplement désigné: l'action ne se déroule pas, elle est déjà passée et c'est un résumé
qui est fourni au lecteur. Verne va répéter le même procédé,
cette fois-ci en Amérique. Le groupe voyage en train à travers les plaines quand l'inévitable survient: les Sioux attaquent. N'écoutant que son courage, Passepartout sauve le train
par une manœuvre osée mais tombe du même coup prisonnier
des Indiens qui l'amènent avec eux dans leur retraite. Malgré
son horaire plutôt serré, Fogg décide de sauver son domestique et part à leur trousse. Pourtant, comme le signale Simone
Vierne, cette nouvelle aventure n'est jamais véritablement présentée:

> Fogg parcourt la prairie enneigée et combat victorieusement
> les Sioux, mais ce que Jules Verne nous montre, c'est d'abord
> l'attente anxieuse, pour des raisons d'ailleurs totalement diffé-
> rentes, de Mrs. Aouda et de Fix. Le récit ne viendra qu'*a pos-
> teriori*, et ç'est une habile manière de renouveler l'intérêt du
> lecteur qui, habitué à voir Fogg triompher, ne serait pas assez
> inquiet quant au résultat de la poursuite, s'il la suivait dès le
> premier moment. Cette évidence du succès n'intervient alors
> qu'une fois l'affaire terminée et se traduit bien dans l'énon-
> ciation: trois phrases, l'une qui annonce le succès, deux qui
> résument sans aucun détail le combat. Mais le lecteur, lui, a
> eu peur, avec la jeune fille et avec le policier [25].

Encore une fois, une action amorcée dans le cadre d'une
situation narrative directrice aboutit dans une situation narra-

---

[25] S. VIERNE, *Jules Verne*, p. 258.

tive subordonnée. C'est la façon de faire pour couper au plus court. Ce qui èst bien quand on veut économiser du temps...

On peut, par ailleurs, ne pas vouloir précipiter la fin mais bien la différer, retarder le dénouement de l'action. L'action principale du héros ne doit réussir qu'à la toute fin du récit, c'est le principe de base de la mise en intrigue. Il faut donc semer des embûches sur le passage du héros pour retarder sa marche. Ce qui est tout à fait littéral dans le cas des *Michel Strogoff* et *Le tour du monde en 80 jours*! La quête doit pouvoir durer tout un récit, il faut donc qu'elle soit une action à longue portée: le tour du monde, un voyage à travers la grande Russie, la découverte d'une identité enfouie dans les caves du Pentagone, la capture du professeur Flax. Une action générale sans plan précis, sinon une sorte d'itinéraire rapidement esquissé, ouvert à tous les détours. Si cette action oriente le récit, lui impose une finalité qui assure l'adhésion du lecteur jusqu'à la fin, elle ne suffit pas en elle-même à le tenir en haleine. Sa progression est par définition lente et cadencée par ces autres actions à portée plus restreinte qui aident son accomplissement ou qui lui font obstacle. Un but n'est atteint que par la mise en œuvre des moyens appropriés; leur enchaînement fait progresser le récit et ce sont les jeux sur leur déroulement qui en ponctuent le cours.

L'exemple le plus extraordinaire de fragmentation d'actions provient des *Mystères de Paris*. Il porte sur le dernier attentat à la vie de Fleur-de-Marie. Après avoir été kidnappée par le Maître d'école, Tortillard et la Chouette, de la ferme de Mme Georges où Rodolphe l'avait mise en pension, Fleur-de-Marie se retrouve en prison. Ce sont Tom et Sarah qui ont payé pour cet enlèvement car ils veulent éloigner la Goualeuse de Rodolphe, afin de le punir en l'isolant des personnes qui lui sont chères. Mais voilà que le notaire Jacques Ferrand apprend que Fleur-de-Marie est à Saint-Lazare, sur le point d'être libérée. C'est la Chouette qui l'informe car elle le fait chanter en le menaçant de dévoiler l'identité de la Goualeuse. Le notaire est celui qui avait été chargé de s'occuper de l'enfant de Sarah et de Rodolphe et qui l'avait cédée à la Chouette, en la faisant passer pour morte aux parents, afin de conserver l'argent versé pour son éducation. Il entreprend donc, pour se soustraire au chantage de la Chouette, de tuer Fleur-de-Marie. C'est à ce sujet qu'il rencontre Nicolas Martial, bachoteur et fils d'une famille de brigands qui habite l'île du Ravageur. Le notaire a l'intention de noyer Fleur-de-Marie et il aurait besoin d'un coup de main. Un plan est rapidement défini:

> — Comment faut-il de temps pour aller de la rive à votre île?
> — Vingt bonnes minutes.
> — Vos bateaux sont à fond plat?
> — Plat comme la main, bourgeois.
> — Vous pratiquerez adroitement une sorte de large soupape dans le fond de l'un de ces bateaux afin de pouvoir, en ouvrant cette soupape, le faire couler à volonté en un clin d'œil... Comprenez-vous?
> — Très bien, bourgeois! vous êtes malin! J'ai justement un vieux bateau à moitié pourri; je voulais le déchirer... il sera bon pour ce dernier voyage.
> — Vous partez donc de votre île avec ce bateau à soupape; un bon bateau vous suit, conduit par quelqu'un de votre famille. Vous abordez, vous prenez la vieille femme (Mme Séraphin, femme de charge du notaire) et la jeune fille blonde à bord du bateau troué et vous regagnez votre île; mais, à une distance raisonnable du rivage, vous feignez de vous baisser pour raccomoder quelque chose, vous ouvrez la soupape et vous sautez lestement dans l'autre bateau, pendant que la vieille femme et le jeune fille blonde... (tome III, p. 67).

On reconnaît la perfidie du notaire, qui est prêt à tout pour en venir à ses fins. Puisque le plan est déjà connu, son dénouement, à moins d'un contretemps fâcheux, est prévisible. Il est donc possible maintenant de jouer sur cette anticipation du lecteur. Par le passage d'une situation narrative à l'autre, le dénouement de cette action va d'abord être retardé: quelques 150 pages séparent le moment où le notaire décide de tuer Fleur-de-Marie du moment où le courant emporte celle-ci vers une mort certaine. Le mode d'accomplissement du plan est ensuite fragmenté en étapes. Le plan-acte est ainsi exécuté en cinq temps. Le premier, rapidement présenté, est la prise de décision du notaire, tandis que le second est l'élaboration du plan. Cela prend place dans un dialogue, celui rapporté par Nicolas à sa mère qui lui avait demandé comment s'était passée l'entrevue avec Ferrand. Dans un troisième temps, le lecteur suit Nicolas, non pas dans sa fabrication de la soupape du bateau, cela le lecteur n'y a pas droit, mais dans ses achats. Nicolas se rend chez Micou, marchand de vieilles ferrailles et receleur de métaux volés. Il y va pour acheter quatre ou cinq plaques de tôle épaisse, trois barres de fer de trois à quatre pieds de long et de deux pouces carrés, deux fortes charnières et un loquet. Si le lecteur croit que tout cela est pour le bateau à soupape, il se trompe, mais il ne l'apprend que quelque huit chapitres plus loin. En effet, il n'y a que les charnières et le loquet qui servent au bateau, le reste est utilisé à enfermer à jamais le frère de Nicolas, Martial, qui s'est rebellé contre sa famille. Nicolas, sa mère et sa sœur ont réussi à l'emprisonner dans une chambre et il faut des plaques de tôle et des barres de fer pour boucher toutes les issues.

Dans un quatrième temps, le lecteur assiste à la sortie de Fleur-de-Marie de Saint-Lazare. C'est Mme Séraphin, femme de charge du notaire, qui l'attend à la porte et qui l'invite à la suivre. Une surprise attend Fleur-de-Marie et il faut se dépêcher. Ils se rendent jusqu'à la rive, où les attendent Nicolas et sa sœur. Ils montent dans le bateau... et c'est la fin de la sixième partie.

Au premier chapitre de la partie suivante, l'attention se déplace vers une nouvelle situation narrative. Le lecteur apprend qu'il lui faut faire un bref détour avant de revenir à l'île du Ravageur:

> Avant d'apprendre au lecteur le dénouement du drame qui se passait dans le bateau à soupape de Martial, nous reviendrons sur nos pas. Peu de moments après que Fleur-de-Marie eût quitté Saint-Lazare avec Mme Séraphin, la Louve était aussi sortie de prison» (tome III, p. 191).

La Louve est cette femme qui a sauvé Fleur-de-Marie à la prison et qui, sous son influence, s'est transformée de créature corrompue, avilie et indomptée en femme repentante. Or, il arrive que la Louve est la fiancée de Martial, le frère emprisonné de Nicolas. Sitôt libérée de prison, elle s'empresse d'aller le retrouver sur l'île du Ravageur pour lui expliquer entre autres sa conversion. Ne trouvant plus de bateau, elle décide de faire le trajet à la nage. Et, arrivée au bord de l'île, pendant qu'elle prend pied et cherche à sortir de l'eau en s'aidant des pilotis qui se trouvent là au bout de l'île, «tout à coup, le long de ces pilotis, emporté par le courant, passa lentement le corps d'une fille vêtue en paysanne; ses vêtements la soutenaient encore sur l'eau» (tome III, p. 195). C'est Fleur-de-Marie!

L'action commencée dans une première situation narrative a dérivé, un peu comme Fleur-de-Marie sur la rivière, dans une seconde. Et ce saut de l'une à l'autre provoque un hiatus événementiel. L'opération la plus importante du plan-acte, celle qui détermine son succès ou son échec, n'est jamais présentée. Le lecteur assiste à l'embarquement et ensuite au sauvetage héroïque de la Louve. Le reste, le plus important en fait: l'ouverture des soupapes, la noyade, etc., se passe pendant qu'il regardait ailleurs! Le déroulement d'actions n'est pas seulement fragmenté, son action nodale est syncopée. Une *syncope* qui permet de déjouer les attentes du lecteur, de neutraliser cette trop grande prévisibilité d'une action nodale déjà suffisamment décrite à la planification.

Dans *Les mystères de Paris*, on retrouve une autre action syncopée. Le but recherché cette fois-ci n'est pas un effet de surprise mais la suggestion d'une horreur qu'aucune description ne pourrait parvenir à inspirer. Cette action, c'est la lutte que se livrent le Maître d'école et la Chouette dans les caveaux du cabaret de Bras-Rouge. La Chouette avait dû emprisonner le Maître d'école parce que celui-ci avait commencé à s'amadouer et à se repentir de ses crimes passés. Elle descend quelquefois dans les caveaux pour aguicher son ancien complice et un jour s'y rend même avec Tortillard pour cacher des bijoux volés. Celui-ci, préférant garder le magot à lui seul, réussit à pousser la Chouette dans les bras du Maître d'école. Un combat s'engage. Mais les ténèbres sont si épaisses qu'on ne peut rien distinguer sinon que les bruits de la lutte:

> Et il se passa quelque chose d'épouvantable dans les ténèbres du caveau.

> On entendit un piétinement précipité, interrompu à différents intervalles par un bruit sourd, retentissant comme celui d'une boîte osseuse qui rebondirait sur une pierre contre laquelle on voudrait la briser.
>
> Des plaintes aiguës, convulsives, et un éclat de rire infernal accompagnaient chacun de ces coups.
>
> Puis ce fut un râle... d'agonie...
>
> Puis on n'entendit plus rien (tome III, p. 227).

Le procédé est efficace. Le lecteur peut recomposer à partir des sons qui lui proviennent des ténèbres la scène qu'il veut. Aucune description ne vient restreindre sa compréhension de cette lutte, ce qui peut lui conférer une force extraordinaire. Le même procédé est utilisé dans «Le bourreau de Londres», dernier fascicule de *Le professeur Flax, monstre humain*. Après avoir poursuivi le professeur à travers la planète, de l'Amérique du Nord à l'Afrique, à travers l'Asie mineure, le nord de l'Inde, et en passant par Alger, Corfou, Pékin et Lahore, Harry Dickson poursuit sa folle équipée en Angleterre. Il vient bien près de mettre la main sur le criminel aux courses de chevaux de Londres, mais ce dernier se sauve à pied et se réfugie dans une vieille mine abandonnée. Sans s'arrêter, Harry Dickson le suit dans les ténèbres et c'est là, dans le noir, qu'a lieu l'ultime lutte. Le lecteur attend avec les amis de l'inspecteur à l'entrée de la mine quand enfin une benne émerge des ténèbres. Une tête paraît, puis un corps: c'est Tom Flax. Il est mort. «Seulement alors l'assistance se rendit compte de ce qu'avait pu être cette lutte dans les ténèbres, où toute ombre d'humanité avait dû être exclue» (tome II, p. 278). Comme pour le Maître d'école et la Chouette, c'est une lutte sauvage mais à l'abri des regards qui scelle l'issue de la poursuite. Pour tous ces combats représentés au cours desquels le détective a eu le dessous, celui qui lui permet enfin de triompher a lieu profondément enfoui, loin de toute représentation.

On peut dissimuler des choses pour le «bien» du lecteur, mais on peut aussi le faire pour le berner, abuser de sa bonne foi. Le lecteur est d'abord et avant tout un être confiant, qui croit tout ce que l'instance narratrice lui propose, en autant que l'authenticité de ses dires n'ait pas été préalablement contestée. Les possiblités de manipulation sont donc inépuisables. Ces manipulations sont habituellement discrètes, de l'ordre de la dissimulation, procédé qui se prête bien aux narrations à la troisième personne des romans d'aventures ([26]). Les deux dissimulations les plus importantes de notre corpus proviennent des textes de Jules Verne et elles fonctionnent toutes deux de la même façon. Une donnée importante au déroulement de l'action est tue pour n'être révélée qu'à la toute fin, au dénouement. Il s'agit, dans *Le tour du monde en 80 jours*, du jour fantôme, de cette journée que reprend Fogg pour avoir traversé le méridien d'est en ouest. Tout comme Fogg qui oublie ce détail, le lecteur n'est jamais averti de ce changement de jour. De sorte que quand le récit tire à sa fin sur ce qui apparaît être la déconfiture de Fogg — il est arrivé à Londres avec un retard de cinq minutes, son pari est perdu — c'est avec Passepartout que le lecteur apprend la bonne nouvelle. Aujourd'hui est hier. C'est samedi pour une deuxième journée de suite... Le pari n'est pas perdu. La surprise est de taille pour Fogg et le lecteur.

On retrouve le même jeu dans *Michel Strogoff*. Seulement cette fois, le trompe-l'œil porte sur la vision même du héros et du lecteur et il ne s'agit plus simplement d'une omission mais d'une simulation. Michel Strogoff est fait prisonnier par les Tartares et amené à Tomsk. Accusé d'être un

---

([26]) Rares sont les coups d'éclat, les déclarations fracassantes comme celle des *Mystères de Paris*. Cette déclaration survient à la fin du chapitre XIV de la deuxième partie. Le lecteur apprend de quelle façon Sarah a réussi à épouser Rodolphe et, à la fin du chapitre qui relate ce premier amour, le narrateur s'exécute: «Nous raconterons plus tard les suites de cette découverte, qui amena de grands et terribles événements. Mais nous dirons dès à présent ce que le lecteur a sans doute déjà deviné, que la Goualeuse, que Fleur-de-Marie était le fruit de ce malheureux mariage, était enfin la fille de Sarah et de Rodolphe, et que tous deux la croyaient morte» (tome I, p. 231). Umberto Eco y a vu une défaillance narrative (*The Role of the Reader*); sans aller aussi loin, il faut dire que cette déclaration était devenue nécessaire. Il fallait s'assurer que tous les lecteurs, et non les plus astucieux, sachent que Fleur-de-Marie était la fille de Rodolphe, sinon pourquoi s'intéresser à sa capture, à son enlèvement et à tous les autres événements qui l'entourent.

espion russe par le traître Yvan Ogareff, il est jugé par l'émir Féofar-Khan. Sa sentence est rendue: il est condamné à être aveuglé. Et, pendant que sa mère est là tout près de lui, Michel Strogoff est aveuglé par un sabre chauffé à blanc, passé devant ses yeux: «S'il n'y voyait plus, si sa cécité était complète, c'est que la sensibilité de la rétine et du nerf optique avait été radicalement détruite par l'ardente chaleur de l'acier» (p. 350).

Là ne finit pas pourtant le voyage du courrier du Tsar. Nadia, cette jeune fille qu'il a prise sous sa protection, se charge de conduire Michel Strogoff jusqu'à Irkoutsk, comme Antigone et Œdipe. Ce voyage est devenu encore plus important car Yvan Ogareff a maintenant la lettre du tsar au grand-duc, missive qui devait l'avertir de la tentative d'assassinat de Yvan Ogareff et qui est maintenant pour ce dernier le meilleur des laissez-passer. C'est donc un aveugle, aidé d'une jeune fille, qui repart vers Irkoutsk. L'entreprise est malaisée: «Il était à pied, sans argent, il était aveugle, et si Nadia, son seul guide, venait à lui manquer, il n'aurait plus qu'à se coucher sur un des côtés de la route et à y mourir misérablement» (p. 352). Mais à force de ténacité, d'actions héroïques et d'un peu de chance, le couple parvient à atteindre les abords de Irkoutsk. Il aura fallu pour cela cependant traverser un fleuve aux eaux torrentielles, subir une nouvelle attaque de cavaliers tartares, être fait prisonnier puis se libérer, parcourir à pied les steppes, traverser le lac Baïkal en radeau et remonter l'Angara malgré les glaces qui commencent à se former en ce début d'hiver sibérien, les loups affamés et les Tartares qui attaquent de la berge. Au bout de toutes ces péripéties, Michel Strogoff parvient à entrer dans la ville fortifiée, juste à temps pour empêcher Yvan Ogareff de la livrer aux troupes tartares. Un combat final s'engage entre les deux ennemis. Ogareff croit avoir le dessus sur son rival aveugle. Il veut le frapper au couteau mais toujours Strogoff feinte et évite le coup. Tout à coup, Yvan Ogareff jette un cri. Il comprend que l'autre voit! Mais il est trop tard, atteint au cœur, il tombe sans vie sur le sol. Michel Strogoff n'est pas aveugle, il ne l'a même jamais été:

> Un phénomène purement humain, à la fois moral et physique, avait neutralisé l'action de la lame incandescente que l'exécuteur de Féodar avait fait passer devant ses yeux.
>
> On se rappelle qu'au moment du supplice, Marfa Strogoff était là, tendant les mains vers son fils. Michel Strogoff la regardait comme un fils peut regarder sa mère, quand c'est pour la dernière fois. Remontant à flots de son cœur à ses yeux, des larmes, que sa fierté essayait en vain de retenir, s'étaient amassées sous ses paupières et, en se volatilisant sur la cornée, lui avaient sauvé la vie. La couche de vapeur formée par ses larmes, s'interposant entre le sabre ardent et ses prunelles, avait suffi à annihiler l'action de la chaleur (pp. 491-92).

Cet extraordinaire concours de circonstances sauve la vue de Michel Strogoff. Et on le comprend de ne vouloir rien dire à personne. On le laisse libre parce qu'on le croit aveugle, il lui faut donc conserver ce secret et ne pas le dire, même à Nadia pour ne pas qu'elle le trahisse par inadvertance. «Il fallait donc qu'il fût aveugle, qu'il le fût pour tous, même pour Nadia, qu'il le fût partout en un mot, et que pas un geste, à aucun moment, ne pût faire douter de la sincérité de son rôle» (p. 492). Il devient donc aveugle pour ses ennemis, pour Nadia et même pour le lecteur, qui n'y a vu... que du feu! La dissimulation est alors complète, ce qui lui assure une protection parfaite. Personne ne peut trahir son secret, et encore moins le lecteur qui ignore tout.

Ces deux dissimulations sont intéressantes car elles surviennent aux deux tiers du récit, sont effectives jusqu'à sa fin et ne sont dévoilées qu'au dénouement final. Ce sont des manipulations implicites dont les traces, diffuses tout au long du texte, ne peuvent être repérées par une première lecture. Le lecteur devient victime d'une double illusion. L'illusion référentielle, à laquelle il adhère volontiers; et l'illusion narrative dont il subit naïvement les effets.

Il est ainsi possible d'inverser les étapes d'un déroulement, de fragmenter son accomplissement, de retarder le dénouement ou même de le cacher, de dissimuler certains résultats. Ces stratégies narratives fondées sur les modes d'accomplissement des actions sont toutes créatrices de suspense et elles modulent l'adhésion du lecteur à l'univers narratif.

Une logique de la confrontation

Un roman d'aventures se termine quand le but poursuivi par le héros a été atteint, quand tous les obstacles ont été enfin surmontés: les rivières traversées, les kilomètres parcourus, les dangers bravés, les ennemis vaincus. Ces obstacles sont de toutes sortes: naturels, temporels, animaux, humains; parmi ceux-ci, les actions des anti-héros occupent une place privilégiée. Tentatives de meurtre, complots, invasions, rapts poussent le héros à l'action. Et celle-ci ne cesse vraiment que quand l'ennemi est bel et bien neutralisé. La prison souvent ne suffit pas, comme avec le professeur Flax qui réussit même à échapper à son exécution et c'est la mise à mort qui est recherchée. L'adversaire doit être tué; aussi le roman d'aventure se termine-t-il fréquemment sur un combat ultime entre les deux grands personnages du récit. L'intrigue est ainsi faite qu'elle mène le lecteur à un inéluctable corps à corps; elle est régie par une logique de la confrontation.

Le corps à corps est une des formes de l'épreuve. Dès les toutes premières analyses sur le récit, l'épreuve a été identifiée comme un élément déterminant du récit, qui n'apparaît pas seulement au cœur de la situation narrative finale et comme son dénouement mais survient à tous moments du récit. Son rôle au niveau narratif est multiple et reflète bien sa fonction de principe discursif dynamique. Greimas, dans sa lecture de *La morphologie du conte* de Propp, avait identifié trois épreuves: l'épreuve qualifiante, décisive et glorifiante (et il en rajoute une quatrième, qui équivaut à la partie préparatoire du conte). L'épreuve qualifiante correspond à la transmission d'un objet magique, l'épreuve glorifiante à la reconnaissance du héros et l'épreuve décisive au combat contre le méchant et à la victoire sur l'agresseur [27]. De toutes les épreuves, le corps à corps est la principale, la plus décisive. Nous ne voulons pas ici décrire son rapport à la structure nar-

---

[27] C'est le couple des fonctions H et J, telles qu'identifiées par Propp; c'est-à-dire la fonction XVI (le héros et son agresseur s'affrontent dans un combat) et la fonction XVIII (l'agresseur est vaincu).

UNE LOGIQUE DE LA CONFRONTATION

rative mais, en nous cantonnant dans l'endo-narratif, rendre compte de son organisation interne, de son déroulement.

Le combat est ainsi un élément essentiel du roman d'aventures (et de tous les romans d'action). Sa représentation est en soi créatrice de suspense car le héros peut facilement y trouver la mort. L'aventure est souvent définie comme un «bouleversement qui rend la mort possible, probable, présente» [28]. Par la lecture d'un récit, la mort est saisie à travers les périls les plus extrêmes; le combat apparaît alors comme le péril type entre humains. On le définit ici comme le résultat de la rencontre de deux plans contradictoires ou ayant des buts opposés.

Le combat a un pouvoir décisionnel important. Par une victoire ou une défaite, il peut changer le destin d'un agent. Son intensité en fait aussi un procédé efficace de l'adhésion du lecteur à l'univers narratif. La succession des actions y est rapide, les protagonistes s'échangent des coups et cherchent à prendre l'avantage. Les retournements sont subits, les décisions instantanées et leur réalisation immédiate. Les enjeux sont toujours importants et les surprises sont nombreuses. Tout cela aide à accaparer l'attention du lecteur. Prenons le combat qui oppose Harry Dickson au professeur Flax dans «Une poursuite à travers le désert» le second fascicule de *Le professeur Flax, monstre humain*. La scène se passe dans la salle des coffres de la Banque de France à Alger et c'est «un peu par hasard» que le détective y rencontre le professeur. Harry Dickson était sur sa piste mais il ne se croyait pas si proche, il ne pensait pas trouver à cet endroit le professeur. Le combat survient donc par surprise. Il est spontané.

> — Oui, s'écria-t-il d'un ton triomphant, c'est moi Harry Dickson! Assassin, l'heure des représailles a sonné!
> Flax avait pris son revolver et visait Harry Dickson. D'un coup formidable, celui-ci écarta le bras du bandit et se jeta de toute sa force sur lui. Mais tout aussi adroit, Mr Flax para l'attaque et prenant au dépourvu Harry Dickson, l'enlaça de ses bras d'acier.

---

[28] Jean-Yves TADIÉ, *Le roman d'aventures*, p. 5.

Le détective lui assena un formidable coup de poing dans la figure. Aussitôt les bras lâchèrent prise, mais l'instant d'après, Flax voulut saisir son adversaire à la gorge; le détective était sur le point de lui envoyer un deuxième coup qui, s'il portait, devait abattre son ennemi comme un bœuf. Mais, avec une habileté déconcertante, le misérable plaça son pied derrière Harry Dickson et lui donna du bras droit, un coup violent sur la gorge.

Le détective chancela et tomba à la renverse dans un énorme coffre-fort ouvert.

Comprenant le danger, Dickson voulut se relever immédiatement, mais au même moment, Mr Flax avait pressé un bouton électrique.

Le coffre-fort se referma et le détective fut enseveli vivant (tome I, p. 133).

L'enquête du détective prend donc un tournant imprévisible. Lui qui n'était venu là que pour continuer son enquête sur la disparition de Mme Robot que le professeur a tuée afin de s'emparer de sa fortune, le voilà maintenant enfermé dans un coffre-fort dont l'air s'épuise lentement. C'est un mauvais retournement de fortune. La banque d'Alger est ainsi le cadre d'une attaque surprise, tout comme la Gemeinschaft Bank l'avait été pour Bourne. C'est une *situation de crise* qui est introduite et elle provoque une redéfinition des buts. La résolution d'une crise a préséance sur tous les autres buts. Leur réalisation doit être immédiate. Si le combat est essentiel au récit, c'est ainsi parce qu'il permet d'introduire, d'une façon rapide et efficace, une situation de crise.

Un des effets du combat est de réduire, au niveau cognitif, la perspective de narration. La redéfinition des buts consiste en une neutralisation, temporaire ou définitive selon l'issue de l'épreuve, des buts initiaux recherchés par les agents. Pour le lecteur, cela implique une suspension de son horizon d'attente. Son attention n'est plus distendue vers ce qui vient, l'enquête comme recherche d'information, mais doit se concentrer sur ce qui se passe, le corps à corps. L'intensité d'un combat provient donc de la réduction de la portée cognitive des actions réalisées. Les agents n'agissent pas dans le but d'amener à un résultat plus ou moins lointain, Harry

Dickson se rend à la banque *afin de* retrouver la trace de Flax; ce résultat est déjà réalité et il faut s'en occuper immédiatement, Dickson est face à face avec Flax et le corps à corps s'engage.

L'intensité d'un combat provient aussi de l'augmentation du débit narratif. Dans un combat, il n'y a pas que les assaillants qui se pressent, le narrateur doit aussi suivre le rythme. Il n'a pas le choix, il lui faut être synchrone avec ses personnages. C'est ce qui se passe dans l'aventure de Harry Dickson. Dans un texte qui contient un peu moins de 200 mots, on retrouve, par exemple, 18 opérations. Cela correspond à peu près à une opération à tous les onze mots. À peine de quoi laisser au lecteur le temps de respirer. Ces opérations ne sont pas toutes représentées à la même étape. Certaines ne dépassent pas l'intention, la plupart sont présentées comme un faire s'accomplissant, et les autres sont des résultats obtenus. La liste des opérations se lit ainsi, dans l'ordre d'apparition et en fonction des agents:

1- **Flax**: prendre (revolver) [faire]
2- **Flax**: viser (Dickson) [faire]
3- **Dickson**: écarter (bras de Flax) [faire]
4- **Dickson**: jeter sur (Flax) [faire]
5- **Flax**: parer (Dickson) [faire]
6- **Flax**: enlacer (Dickson) [faire]
7- **Dickson**: assener un coup (Flax) [faire]
8- **Flax**: lâcher prise (Dickson) [résultat]
9- **Flax**: saisir à la gorge (Dickson) [tentative]
10- **Dickson**: assener un coup (Flax) [tentative]
11- **Flax**: placer (pied derrière Dickson) [faire]
12- **Flax**: assener un coup (gorge de Dickson) [faire]
13- **Dickson**: chanceler [résultat]
14- **Dickson**: tomber à la renverse (coffre-fort) [résultat]
15- **Dickson**: se relever (coffre-fort) [tentative]
16- **Flax**: presser (bouton) [faire]
17- **Flax**: refermer (coffre-fort) [résultat]
18- **Dickson**: être enseveli (coffre-fort) [résultat]

Le combat est ainsi représenté par trois tentatives, cinq résultats et dix opérations performées. Les tentatives sont ces opérations qui ne peuvent être réalisées et qui ne dépassent pas l'intention de l'agent, soit parce que l'agent n'a pas la compétence pour les réaliser, soit parce qu'elles sont contre-carrées. Flax essaie, par exemple, de saisir Dickson à la gorge mais il n'y parvient pas. Est-ce parce que ce dernier tente à son tour de lui asséner un coup de poing? est-ce parce que l'autre change d'avis? On ne le sait pas, l'action va trop vite pour le décider. Ce qui est assuré cependant, c'est que la ten-tative de Dickson est contrée par l'habile croc-en-jambe de Flax. Et quand Dickson tente de se relever du coffre-fort où il est tombé, sa tentative est à nouveau empêchée par l'action maléfique du professeur. Les résultats sont soit des change-ments dans l'état, la position ou la valeur d'un agent ou d'un objet, soit des opérations qu'un agent est contraint de faire. Quand Flax est forcé de lâcher prise et de laisser libre Dickson, c'est le résultat du coup de poing asséné par le détective; c'est une action contrainte, une action non-voulue, à défaut d'être inintentionnelle. Les résultats, quels qu'ils soient, sont les effets d'une opération; ils signalent la présence d'une chaîne logique. Sans pour autant revenir aux arbres de génération (cf. chapitre I), on retrouve dans ce combat trois chaînes logi-ques. La première a pour agent Harry Dickson et comprend les opérations [7-8]: un faire plus un résultat. Le seconde et la troisième ont pour agent Flax et comprennent les opérations [11+12: 13-14] et [16: 17-18]. L'action cumulée du croc-en-jambe [11] et du coup à la gorge [12] font chanceler [13] et puis tomber à la renverse [14] Harry Dickson. De la même façon, Flax active le mécanisme du coffre-fort [16], ce qui provoque la fermeture du coffre-fort [17] et l'ensevelissement de Dickson [18]. Ce sont ces deux actions et leurs résultats qui donnent l'avantage à Flax.

Le combat consiste donc en dix opérations, si on oublie les tentatives échouées. De ces opérations réussies, sept ont pour agent Flax et seulement trois sont le faire de Dickson. Et, «dans la lutte pour la supériorité physique, dans l'effort réciproque des forces musculaires» (p. 133), il semble bien que ce soit le professeur qui ait gagné. Dans la première partie du corps à corps (1 à 10), la lutte est à peu près égale; c'est dans la seconde (11 à 18) que Flax tire profit de sa force.

```
Flax=1 - 2     5 - 6                    [11+12: 13-14]      [16: 17-18]
  Tentatives ⌈              (9)
             ⌊                 (10)                              (15)
Dickson= 3 - 4     [7: 8]
```

Figure 24. Répartition des opérations du combat
Dickson-Flax

Dans la première partie du combat, les coups sont répartis équitablement. L'épreuve de force se présente comme une suite d'actions et de réactions. Mais le croc-en-jambe donne l'avantage à Flax, d'où sa victoire.

Ce combat entre ces deux ennemis jurés est typique des combats représentés dans les récits de notre corpus. Il s'agit la plupart du temps d'une concaténation d'actions opposées les unes aux autres, assortie de tentatives avortées et de chaînes logiques. La séquence de base action-réaction-victoire peut être plus ou moins développée, comme un accordéon, et une multitude de variations peuvent être générées, reposant sur les armes, les agents, le cadre, le résultat, etc.; mais il s'agit toujours d'une crise à résolution immédiate. Comme tous les combats, celui-ci a une portée cognitive restreinte. D'une part, il y a peu de place pour la planification: les agents doivent agir et immédiatement. Voilà pourquoi la faculté d'improviser est une des compétences essentielles du héros de romans d'aventures; elle seule peut le sauver dans ces combats répétés. D'autre part, le combat est une fin en soi. La vie même du héros est en jeu: il faut vaincre pour survivre. Le combat peut être intégré dans un plan, être le moyen d'un plan-acte, comme le corps à corps décrit ici qui permettrait à Harry Dickson de remettre à la justice ce dangereux criminel et de remplir sa mission de justicier, mais ses propres buts sont suffisamment importants pour se suffire à eux-même.

Ensuite, et peut-être parce que la planification y prend une faible place, le combat est une des rares occasions où l'on retrouve des gestes bel et bien représentés dans un récit. Dans un combat, on quitte la dimension cognitive de l'action, toutes ces actions complexes discutées et planifiées, pour se concentrer sur les gestes qui les rendent possibles. Le combat est le déroulement d'actions où l'on retrouve le plus d'actes primitifs représentés directement dans le texte. Ainsi, dans la lutte entre Flax et Dickson, certaines opérations présentées sont très proches des actes primitifs tels que SAISIR (6, 9), FORPH (7, 10, 12) et MOUV (3, 4, 11, 13, 14, 15). Parce qu'il devient un élément décisionnel important, le geste est mis de l'avant. Ces corps qui se déplacent, ces mains qui saisissent ou qui frappent, en plus d'assurer l'adhésion du lecteur par la crise qu'ils actualisent, lui sont par leur seule présence une preuve supplémentaire de l'authenticité de la représentation. C'est vrai puisqu'il y a des corps.

Les combats peuvent survenir à tout moment dans le récit. Une des caractéristiques du roman d'aventures est l'utilisation d'un cadre qui peut être le théâtre de mille et un dangers. Cet environnement peut être la forêt nord-américaine, pleine d'Indiens qui peuvent surgir à tout instant et derrière tout arbre, le Far-West au temps de la frontière ou les steppes russes pendant l'invasion tartare, l'Afrique, l'Asie. Ou ce sont encore les bas quartiers de Paris, tout aussi périphériques et hostiles que la frontière américaine ou l'Inde. Ces cadres obligent le héros à une attention constante. Il faut être comme Œil-de-Faucon, toujours à l'affût.

Les combats peuvent éclater n'importe où, et quelquefois même à l'improviste, mais ils se situent surtout aux extrémités du récit. Au début, ils servent à prouver la valeur du héros, à l'afficher. Ce sont les épreuves qualifiantes. À la fin, bien sûr, ils sont le point culminant de l'intrigue. Les ennemis se retrouvent enfin, après tous ces chocs préliminaires, et règlent leurs différends dans un corps à corps final. Cela sied bien au combat d'être l'achèvement de l'intrigue, car son intensité, sa faible valeur cognitive et sa capacité à départager le vainqueur du vaincu en font un parfait instrument de décision. Les combats s'agglomèrent donc aux limites du récit;

l'exemple le plus probant de cela est le thriller de Ludlum, *La mémoire dans la peau*. Le récit comporte trois grandes parties et les scènes de violence et de combats sont concentrées au tout début et à la fin du récit, ainsi qu'à la fin du second livre. Dans la première partie, il n'y a que le sixième chapitre qui ne contienne pas de scène de combat ou une mort violente. Bourne y maltraite Marie Saint-Jacques, qui n'est pas encore la maîtresse de son ravisseur et qui tente par tous les moyens de s'enfuir, mais cela se termine sans trop de dommages. Le quatrième se déroule aussi sans grande violence mais sa fin narre le début de l'attaque à la Geimeinschaft Bank. Sinon, à travers cette première partie, que ce soit en bateau, à la banque, à l'hôtel ou dans la rue, Bourne attaque, se défend, tue et blesse, tout en subissant lui-même de multiples blessures.

La seconde partie est relativement calme. Il ne se passe presque rien de violent dans les dix premiers chapitres (10 à 19). Bourne panse ses plaies, avec l'aide de Marie Saint-Jacques, et reprend sa quête d'identité. Cela les amène à Paris où se trouve Carlos, le terroriste. Si quelques morts refont surface ici et là, les représentations de violence et de combats sont rares. Au chapitre 12, on apprend, mais uniquement après coup, qu'un assistant de Marie au gouvernement s'est fait tuer pour les avoir aidés; de même qu'au chapitre 19, où un autre homme est retrouvé mort présumément tué par Carlos. Au chapitre 13 par contre, Bourne doit tuer un homme de main de Carlos, mais c'est un incident inévitable. Ce sont donc quelque 150 pages plutôt tranquilles du point de vue de la violence. La sauce se gâte rapidement cependant. Au chapitre 21, une grande partie des principaux responsables de l'opération Treadstone Seventy-One se font assassiner par les hommes de Carlos lors d'une réunion extraordinaire. En tout six responsables sont tués; c'est un véritable massacre. Le calme revient à peu près pour les deux derniers chapitres de la seconde partie, mais la trêve est rompue.

Les hostilités reprennent dans la dernière partie (chapitres 23 à 35), mais seulement graduellement. On se prépare pour la dernière épreuve de force. Les chapitres 23 à 28 sont le lieu d'une activité fébrile de Bourne, qui cherche à semer la zizanie dans les rangs de l'organisation de Carlos. Mais il n'y a aucun mort. La situation change aux chapitres 29 et 30; les confrontations et les coups de feu recommencent et se multiplient. Dans un combat en plein Paris, Bourne rate Carlos de peu mais tue deux de ses hommes. La violence se continue aux chapitres 32 et 33 et éclate pour de bon dans le chapitre final, le 35. Là, dans les locaux de l'agence Treadstone Seventy-One, Bourne combat enfin Carlos. C'est une lutte de titans. Bourne réussit à briser la main de Carlos et à le toucher sérieusement, mais il subit d'importantes blessures. Touché à la poitrine, coupé à la gorge, blessé à l'avant-bras, aux jambes et à la taille, il continue quand même le combat. Mais peine perdue, malgré tous ses efforts, Carlos lui échappe et disparaît.

Dans *La mémoire dans la peau*, la violence se retrouve aux extrémités du récit. Le roman-feuilleton de Sue commence de la même manière, avec un combat, et presque tous les textes du corpus se terminent ainsi: du fascicule des aventures de Buffalo Bill au *Dernier des Mohicans*, en passant par le *Michel Strogoff* de Verne. *Le tour du monde en 80 jours* fait exception à la règle, mais Fogg est une exception; il est le symbole de la non-aventure. Un corps à corps est dans son cas impensable. *Les mystères de Paris* se terminent, pour leur part, avec un long épilogue sur la vie et la mort de Fleur-de-Marie dans le royaume de Gerolstein; un épilogue sans aucune violence sinon celle de la passion. Mais le départ du prince de Paris, qui constitue la fin de la dixième et dernière partie, est ponctué d'une émeute et de la mort du Chourineur, accouru à la défense de son maître et blessé au cours d'un combat avec le Squelette. C'est le second combat entre le Chourineur et le Squelette. Le premier avait eu lieu à la prison de la Force: le Chourineur voulait protéger Germain et il avait eu le dessus sur le Squelette. Au second, il sauve cette fois Rodolphe mais l'issue du combat est inversée. Le bandit plonge son couteau dans la poitrine du Chourineur qui y trouve la mort.

On le comprend facilement, si certains le sont en cours de route, les combats finals ne sont jamais improvisés. Ils sont préparés de longue main et clôturent une séquence ouverte souvent dès les premières pages du texte. Ils ne sont pas seulement sa fin, ils sont l'achèvement de l'intrigue, une reprise de ses composantes principales. Le meurtre du Chourineur ne fait pas que répondre à ce premier combat en prison, il renvoie aussi aux tout premiers événements du récit, quand Rodolphe sauve le Chourineur, en lui redonnant simplement son honneur. À la suite de son récit au Lapin Blanc, Rodolphe avait montré une certaine sympathie pour ce pauvre homme qui avait malgré tout conservé un sens de l'honneur. Cette compassion avait profondément ému le Chourineur et il avait résolu de le servir «comme un chien est à son maître» (tome IV, p. 86). C'était pour le servir qu'il s'était fait emprisonner et pour le protéger qu'il s'élance une nouvelle fois contre le Squelette.

La bataille finale dans *Michel Strogoff* clôt de la même façon une séquence ouverte quelque part dans les steppes. Le combat délivre la Russie d'un traître, sauve le grand-duc d'une mort certaine et Irkoutsk d'un sac impitoyable, mais il répond aussi à une première confrontation entre Ogareff et Strogoff. Celle-ci avait eu lieu dans un petit relais à Ichim. Les deux hommes, chacun pressé et voyageant incognito, se font la lutte pour des chevaux frais. Strogoff était arrivé le premier, les chevaux étaient déjà attelés à son tarentass; mais l'autre insiste et provoque le courrier du tsar en duel. Strogoff, pour ne pas mettre en danger sa mission, refuse le duel, se fait fouetter et perd ses chevaux. C'est l'injure suprême. Le second acte se passe à Tomsk, quand Strogoff est maintenu prisonnier par les Tartares. Il parvient à se venger et à fouetter Yvan Ogareff au visage, mais c'est le traître qui a le dernier mot. Strogoff est accusé d'espionnage et condamné à devenir aveugle, avec les conséquences que l'on sait. Le combat à Irkoutsk est donc le troisième et dernier acte d'une même confrontation. Et cette fois, Strogoff l'emporte et tue Ogareff. C'est la réparation finale.

Le professeur Flax meurt aussi des mains de Harry Dickson, dans le sixième et dernier fascicule consacré à sa saga. Ce combat n'est pas le premier mais vraiment le dernier d'une longue série de confrontations qui n'ont cessé de tourner à l'avantage du «monstre humain». Ce combat répond donc à tous les autres et, s'il est singulier, c'est que, cette fois, Harry Dickson prend enfin la justice dans ses propres mains. Auparavant, Dickson désirait livrer vivant son ennemi à la justice. C'était même une des causes de ses échecs répétés. Dans le corps à corps de la Banque de France à Alger, le détective aurait pu au début tuer son ennemi d'une balle bien placée, mais il n'avait pas osé:

> Si Harry Dickson avait voulu se servir en temps opportun de son revolver, la victoire, probablement, aurait été pour lui, et le Dr Flax serait étendu dans la cave, la cervelle brûlée, mais cette victoire répugnait au détective. Il voulait livrer vivant le malfaiteur à ses juges et le faire condamner aux peines qu'il avait méritées plus de cent fois» (tome I, p. 133).

Mais quand, quelques fascicules plus tard, le professeur réussit à se sauver de son bourreau et même de sa propre pendaison, Dickson comprend que seules ses mains peuvent libérer le monde de ce monstre et il le suit dans la mine abandonnée afin de terminer son travail dans les ténèbres. Leur corps à corps clôt le récit.

Le combat dont les conséquences sont les plus tragiques survient dans *Le dernier des Mohicans*, à la toute fin. Le corps à corps ne fait pas que sceller l'issue du récit, il décide du sort même de toute une nation. Le combat que se livrent Magua et Uncas, le fils de Chingachgook, a en effet des résultats tragiques. Mohican et Huron, qui tous deux convoitent le cœur de Cora Munro, y meurent. La mort de Magua est une délivrance, mais celle de Uncas est une perte irréversible. À sa mort, il ne reste plus que Chingachgook, son père, qui devient par la force des choses le dernier des Mohicans.

Corps à corps et jeux sur les composantes du mode d'accomplissement sont donc deux statégies narratives qui favorisent l'adhésion du lecteur à l'univers narratif. Tout occupé à suivre leur déroulement, le lecteur ne porte plus attention au texte mais au monde de ce texte. C'est cela qui assure à la représentation de l'action son efficacité.

L'excipit

L'excipit signale la fin de l'aventure. Il correspond à la sortie de l'action, à la sortie du récit, quand les jeux sur l'action se sont enfin tus. La situation narrative finale a été atteinte et c'est la fin de la situation textuelle. D'une activité, la lecture s'y transforme en mémoire de cette activité. Il n'y a plus de progression, il y a une rétrospection. Les plan-actes sont tous réalisés, les obstacles surmontés et le lecteur peut en recomposer le déroulement. C'est l'histoire en tant qu'elle peut être résumée.

Le lecteur, qui a adhéré tout au long du récit à l'univers narratif grâce, entre autres, aux stratégies et mécanismes narratifs et textuels que nous avons décrits dans ce chapitre, doit maintenant s'en dissocier. Cette séparation peut être ultime. Il n'y a qu'une seule aventure de Michel Strogoff, aucune suite possible au *Tour du monde en 80 jours*. L'univers narratif se fige avec le dernier mot du texte. Elle peut être aussi une simple trêve. *Le dernier des Mohicans* n'est que le second de la suite des cinq récits qui content la vie aventureuse de Nathaniel Bumppo. Buffalo Bill et Harry Dickson sont des héros de fascicules publiés chaque mois. Jason Bourne revient dans un second et même un troisième épisode, qui complètent le portrait de sa vie de terroriste international. Le même univers narratif peut être utilisé par plus d'un récit. La fin du récit n'est alors qu'une interruption temporaire de ce monde du texte.

Les récits peuvent marquer différemment cette fin de la situation textuelle. Le procédé le plus connu consiste à indiquer textuellement qu'il s'agit de la «fin». Et puis, comme pour amener le lecteur à revoir le chemin parcouru, le récit terminé est suivi, dans certaines éditions, d'une table des matières. Cette table des matières engage bel et bien le lecteur à un changement d'activité. De la lecture et de sa progression, il lui faut passer au souvenir, au rappel des situations narratives. À la toute fin de l'édition du Livre de Poche du *Tour du monde en 80 jours*, quand Fogg est de retour à Londres, son pari gagné, le lecteur accède à la table des matières, qui reproduit les titres des 37 chapitres; et ces titres offrent au lecteur un survol rapide du chemin parcouru depuis le début. C'est l'heure du rappel:

> Chapitre I. Dans lequel Phileas Fogg et Passepartout s'acceptent réciproquement, l'un comme maître, l'autre comme domestique.
>
> Chapitre II. Où Passepartout est convaincu qu'il a enfin trouvé son idéal
>
> Chapitre III. Où s'engage une conversation qui pourra coûter cher à Phileas Fogg (p. 334).

Le lecteur qui parcourt la table des matières se souvient ainsi des situations narratives qui ont jalonné sa lecture. Dans cette édition (Le Livre de Poche) du *Tour du monde en 80 jours*, il n'y a pas que la table des matières qui engage le lecteur au souvenir. Entre la fin du texte et le rappel des chapitres, il y a une carte du monde où est tracé à l'aide d'un trait noir continu l'itinéraire suivi par Fogg et compagnie. C'est donc avec l'itinéraire «en vue» que le lecteur peut se souvenir du voyage! Et cela n'est pas une coïncidence car le texte se termine, bien innocemment, par une invite au voyage:

> Ainsi donc Phileas Fogg avait gagné son pari. [...] Mais après? Qu'avait-il gagné à ce déplacement? Qu'avait-il rapporté de ce voyage?
>
> Rien, dira-t-on? Rien, soit, si ce n'est une charmante femme, qui — quelque invraisemblable que cela puisse paraître — le rendit le plus heureux des hommes!
>
> *En vérité, ne ferait-on pas, pour moins que cela, le Tour du Monde?* (p. 331). [C'est nous qui soulignons.]

Et on le refait effectivement pour bien moins que cela car il suffit au lecteur de tourner la page pour tout recommencer d'un simple coup d'œil.

Le récit se termine donc sur la situation narrative finale. C'est à ce moment que le lecteur se dissocie en entier de l'univers narratif. Cette rupture est marquée dans le texte par une sanction. Au plan narratif en effet, la situation narrative finale est le lieu de l'évaluation des actions du héros. Mais cette rupture de la situation textuelle peut être aussi marquée par une évaluation de l'acte narratif lui-même. C'est ce qui se produit dans *Michel Strogoff*. L'évaluation prend la forme d'un refus de procéder plus avant. Dans un élargissement graduel de la perspective, le lecteur apprend quelques faits du destin de Strogoff, son mariage avec Nadia, son poste auprès du tsar, mais sans plus. Car, de toute évidence: «ce n'est pas l'histoire de ses succès, c'est l'histoire de ses épreuves qui méritait d'être racontée» (p. 498).

*

* *

L'endo-narratif rend compte ainsi des processus de saisie et d'identification des actions représentées discursivement, ainsi que de leur intégration à une narration, définie comme un ensemble de plans concurrents ou complémentaires. Si les modalités et la portée du contrat de lecture se prêtent bien à son étude, la situation peut paraître différente pour le protocole. Le protocole, en effet, ne se résume pas aux mécanismes de l'adhésion du lecteur au monde du texte ni aux jeux de la représentation des modes d'accomplissement d'actions. Mais c'est là la limite de l'endo-narratif. En cherchant à limiter notre propos à son étude, nous avons traité uniquement des aspects qui relèvent de son seuil, c'est-à-dire ce qui touche plus directement à la compréhension de l'action. Les aspects traditionnels littéraires du protocole, tels que le genre, le style, l'instance narrative avec ses voix, ses focalisations et sa distance, le descriptif et le structural appartiennent tous au narratif et doivent être abordés ultérieurement.

Le corps à corps est un bon exemple des contraintes imposées par l'endo-narratif à la définition du protocole. Au niveau narratif, le combat est une épreuve qualifiante ou glorifiante, une séquence qui occupe une position dotée d'une certaine valeur ou importance. Mais dans la perspective de l'endo-narratif, le combat se définit plutôt comme un ensemble d'opérations contraires qui s'opposent dans un court laps de temps. Le combat n'y est plus perçu dans son rapport aux autres composantes de la narration mais en fonction des éléments constitutifs de sa représentation. Un savoir nouveau est ainsi mis à jour.

Conclusion

> L'aventure introduit dans la lecture, donc dans la vie, la part du rêve, parce que le possible s'y distingue mal de l'impossible; elle exalte l'instant aux dépens de l'ennuyeuse continuité de la durée; elle joue la vie ou la mort tout de suite, pour échapper à la mort qui nous attend au loin.
>
> Jean-Yves Tadié, *Le roman d'aventures.*

Nous avons développé, tout au long de ces pages, un modèle de compréhension de l'action. Ce modèle a été proposé dans le contexte plus large d'une théorie de la lecture et a pris la forme plus précise d'une théorie de la compréhension du niveau endo-narratif de la représentation discursive de l'action. La théorie de la lecture que nous avons avancée posait la situation textuelle comme objet privilégié d'analyse et le contrat de lecture comme l'instrument le plus apte à en décrire le déroulement. Trois aspects du contrat de lecture ont été spécifiés, les modalités, la portée et le protocole, qui ont donné au texte son cadre général et défini ses principales problématiques.

L'étude des modalités nous a fait porter attention à la pré-compréhension du domaine de l'action. Nous avons posé la nécessité d'une connaissance pratique de l'action comme condition préalable à la lecture d'un récit et, pour la décrire, nous en avons proposé un modèle fonctionnel, le schème interactif. L'étude de la portée a déplacé l'attention des conditions de la lecture à son déroulement même. Pour décrire la progression à travers le récit, nous avons puisé dans les travaux en intelligence artificielle un modèle des structures de connaissance. Ce modèle définissait deux grands types de déroulements d'actions, les scripts et les plans, dont nous avons fait des plan-actes. Ces deux déroulements nous ont permis de décrire les mécanismes à la fois de développement et d'enchaînement des situations narratives. Comme on a pu le voir, l'apport de concepts et de modèles issus des sciences cognitives à une théorie de la lecture développée dans le cadre d'une sémiotique littéraire a permis de rendre compte de phénomènes jusque là laissés inexpliqués mais cela ne s'est fait qu'au prix d'un ajustement et d'une recontextualisation importante.

L'étude du protocole a réorienté la problématique cette fois des mécanismes du déroulement de la lecture à sa configuration. Le lecteur est guidé à travers le récit par des procédés textuels qui influencent sa saisie de l'univers narratif présenté. Nous avons limité notre description de ces procédés à ce qui était afférent à l'endo-narratif. Cette analyse a été enchâssée par une description des conditions matérielles de la lecture, qui est le contexte de toute cette activité cognitive.

Du niveau le plus conceptuel au plus textuel, le trajet emprunté a cherché à circonscrire les différents aspects de la lecture d'un récit. Ce n'est pas tout à fait un voyage autour du monde qui a été offert, quoiqu'il ait été question de tels voyages, mais une excursion à travers divers paysages théoriques. De la sémiotique aux sciences cognitives, des théories de la lecture à la philosophie de l'action, une aventure théorique a été conduite. Une aventure, à vrai dire, où nous avons voulu atteindre un juste équilibre entre Phileas Fogg et Passepartout, entre le Club que l'un ne quitte finalement jamais et la pagode dont l'autre se fait promptement expulser.

*
* *

En cours de route, la compréhension de l'action est apparue comme une des données fondamentales de la lecture des récits. L'endo-narratif est bel et bien cet en deçà narratif, par lequel le lecteur prend connaissance du texte. La lecture est avant tout, au niveau cognitif, un processus de type ascendant et le seuil de cette remontée — de cette reconstruction, pour employer le terme de Todorov — se situe dans l'endo-narratif. Bien entendu, la lecture d'un récit ne se limite pas à la compréhension des actions représentées. Le narratif et l'endonarratif ne sont que deux des aspects du texte romanesque et de sa lecture. D'autres, tout aussi importants, doivent encore être explorés; la lecture est un acte complexe, et les perspectives d'analyse ne manquent pas.

Dans son essai «Pour une sémiotique de la lecture» ([1]), Gilles Thérien décrit l'acte de lecture comme un ensemble de processus inter-reliés et formant réseaux. Ces processus sont au nombre de cinq, ce sont les processus neurophysiologique, cognitif, affectif, argumentatif et symbolique. Cette segmentation est importante car elle vient complexifier l'acte de lecture. Le processus neurophysiologique est lié au geste même de lire, à sa matérialité. «Pour qu'il y ait lecture, il faut minimalement que des signes soient reconnus, perçus, enregistrés par diverses fonctions cérébrales en passant d'abord par l'appareil visuel» ([2]). Le processus cognitif, on le sait maintenant, rend compte des mécanismes de compréhension du texte. La définition du processus affectif, quant à lui, part du principe que les informations transmises à la lecture ne sont jamais neutres, que la lecture engage nécessairement l'affectivité du lecteur. Lire, c'est réagir émotionnellement. Le processus argumentatif est lié, pour sa part, à l'ordre du discours, au défilement même de l'information et au fait que tout texte, qu'il soit un roman ou un essai, est le lieu d'une argumentation. De par sa linéarité, un discours est toujours un enchaînement organisé d'éléments, dont l'ordre amène le lecteur à une série d'inférences, d'abductions, à des opérations de type argumentatif. Le processus symbolique, de nature intégrative, est lié au fait que la portée du sens produit en cours de lecture

---

([1]) G. Thérien, «Pour une sémiotique de la lecture», in *Protée*, vol. 18, nos 2-3 (1990), pp. 1-14.

([2]) *Ibid.*.

ne se limite pas à la seule interaction qui l'a vu apparaître mais s'étend au contexte plus général des savoirs en jeu, pour un lecteur, dans une culture donnée.

> Le mot «symbolique» a ici son importance parce qu'il met en lumière que ces systèmes de signes ont une valeur référentielle en tant que hiérarchies, systèmes scientifiques, savoirs, pratiques, rituels, idéologies ou imaginaires. [...] En fait, toutes les lectures sont reportées dans ces grands systèmes qu'elles viennent conforter ou mettre en doute. Le sens en contexte de chaque lecture est ainsi valorisé en regard des autres objets du monde avec lesquels le lecteur a une relation. Le sens se fixe au niveau de l'imaginaire de chacun mais il rejoint, étant donné le caractère forcément collectif de sa formation, d'autres imaginaires existants, celui qu'il partage avec les autres membres de son groupe ou de sa société [3].

C'est l'interaction de ces cinq processus qui constitue l'acte de lecture. La dimension cognitive qui a été privilégiée ici n'épuise donc pas l'acte de lecture, elle ne fait que mettre en lumière une seule de ses caractéristiques. Cela remet les choses en perspective. Il est intéressant de remarquer que dans la segmentation opérée par Thérien n'apparaît pas le narratif. C'est qu'il faut comprendre le narratif moins comme un processus en tant que tel, que comme la résultante d'une interrelation particulière du cognitif et de l'argumentatif [4], établie en fonction de la représentation discursive de l'action.

L'hypothèse que nous avons soutenue tout au long de cet essai était que lire un récit est comprendre les actions qui y sont représentées. La compréhension que nous avons cherché à décrire était avant tout fonctionnelle, c'était celle assurant la progression à travers le texte. Les scripts servent ainsi, de par leur nature même, de base à l'activité de lecture, de repères permettant au lecteur de s'y retrouver dans le texte et

---

[3] G. THÉRIEN, «Pour une sémiotique...», p, 10.

[4] C'est un peu la conclusion à laquelle nous sommes arrivés dans «Scène, sommaire et cie: pour une redéfinition endo-narrative» (in *Protée*, vol. 18, n°s 2-3 (1990)).

d'être à l'affût de données plus importantes liées à l'intrigue, à ses émotions, à son imaginaire, etc. C'est le «je sais que» qui libère pour le «que-va-t-il-se-passer?» ([5]).

Cette compréhension était minimale, fonctionnelle parce que l'économie de base qui prévalait était celle de la progression. Le contrat de lecture décrit était celui en jeu lors de la lecture initiale d'un texte, lecture qui a comme objectif de prendre connaissance de son récit, de parvenir à sa fin (à sa résolution). Qu'on se souvienne d'Amédée Oliva, le héros de Calvino. Il est évident que ce n'est pas le seul type de compréhension possible. Un lecteur peut très bien, en lisant, s'arrêter sur un mot, une phrase, un passage et en chercher la signification ou encore en apprécier longuement la beauté. Il peut vouloir «comprendre mieux» plutôt que de «progresser plus». Sans compter toutes ces autres lectures — de nature interprétative ou descriptive, opérées par des critiques ou des étudiants —, qui ont pour objectif non pas de progresser à travers le texte (ce qui est déjà fait), mais d'en saisir un aspect, d'en décrire les qualités.

L'économie de la progression a été privilégiée et avec elle un type de compréhension bien limité; mais la compréhension aurait pu être notre économie de base et amener à l'analyse d'un comportement de lecture tout à fait différent. Ces deux économies ne s'opposent pas, elles se complètent; la lecture d'un récit est *une activité modulée par la tension, le jeu de ces deux économies.* Les différences de lecture (ou des lectures de différents lecteurs) sont fonction de l'importance mise sur l'une ou l'autre de ces économies. Notre hypothèse était que la lecture initiale d'un récit, le contrat de lecture d'un roman d'aventures par exemple, était dominé par l'économie de la progression. Et, dans le régime de la progression, les inférences sont minimales, le lecteur se contentant tout simplement des scripts et des plan-actes identifiés,

---

([5]) L'équivocité de l'aventure était justement, pour V. JANKÉLÉVITCH, cette ambivalence entre le «je-sais-que» et le «je-ne-sais-pas-quoi» (*L'aventure, l'ennui, le sérieux,* Paris, Aubier Montaigne, 1963). Je sais que l'aventure est là, qui vient, mais je ne sais pas comment elle va se présenter.

des données présentes dans le texte pour poursuivre sa lecture. Ce qui est bien différent d'une lecture axée sur la compréhension, où les inférences se doivent d'être les plus complètes possibles et où, au plan des actions par exemple, lire ne consiste plus tant à identifier les scripts et les plan-actes présents qu'à les déployer et à saisir toutes leurs implications.

La qualité de cette progression, il est vrai, varie selon le type de texte lu. Des textes de qualités différentes — des plus simples aux plus complexes, des romans populaires en série aux «nouveaux romans» —, appellent des lectures différentes et par conséquent des progressions variées (on ne lit pas *La route des Flandres* de Claude Simon de la même façon qu'un «Buffalo Bill»). Les variations de ce régime dépendent donc, non seulement de l'effort et de l'énergie que le lecteur met à approfondir sa compréhension du texte, mais encore du mode de représentation. Celle-ci peut être pauvre comme dans la littérature populaire, riche comme dans le roman réaliste, problématique comme dans le nouveau roman, etc. Les textes que nous avons étudiés allaient, il est vrai, du plus pauvre au plus ou moins riche. Mais cela n'affaiblit en rien la valeur de nos propositions. Les scripts ne se limitent pas qu'à la littérature de gare, où il est pratique de prendre le train, ils sont présents dans tous les textes où des actions sont représentées. Leur traitement peut varier, allant de leur simple réitération (*Buffalo Bill*) et de leur invention ou programmation textuelle (*Michel Strogoff*) jusqu'à leur problématisation et déconstruction (*Dans le labyrinthe* de Robbe-Grillet, par exemple). Mais, quel que soit ce traitement, leur présence est assurée ([6]).

Trois variables interagissent donc dans l'acte de lecture: progression, compréhension et représentation. Nous nous sommes limités ici, intentionnellement, à un régime précis et à un type de représentation, de même qu'à un seul des processus participant au réseau complexe constitutif de l'acte de lecture. L'espace couvert, pour réduit qu'il soit, a quand même

---

([6]) Nos recherches en cours tendent à élargir le cadre d'application de ce modèle, le faisant porter justement sur des textes «reconnus» comme littéraires.

été riche en découvertes: l'établissement de l'endo-narratif, la définition d'un modèle de lecture adapté à la lecture de textes longs, le déploiement d'une théorie de l'action, en script et plan-acte, qui recouvrent ses deux dimensions fondamentales (pratique et cognitive), l'utilité en sémiotique de modèles issus des sciences cognitives, etc. Il reste à explorer ces autres relations issues du jeu des trois variables: à confirmer nos hypothèses sur des discours plus complexes, à examiner de façon exhaustive les rapports possibles entre progression et compréhension, à vérifier au niveau même de la phrase comment peut s'articuler notre modèle de la lecture et de la compréhension de l'action. Que dire? Sinon que cela ne saurait tarder.

Liste des figures

Liste des tableaux

Table bibliographique

ANONYME, *Harry Dickson. Le professeur Flax, monstre humain*, Troesnes, Éditions Corps 9, 1983-1984.

ANONYME, *Buffalo Bill: Sur la piste de la terreur du Texas*, fascicule n⁰ 40, Bruxelles, Sobeli, 1907 (environ).

ABELSON, Robert P., «Artificial intelligence and literary appreciation: how big is the gap?», in HALÁSZ, L. (éd.), *Literary Discourse. Aspects of Cognitive and Social Psychological Approaches*, Berlin, Walter de Gruyter, 1987, pp. 38-48.

ABELSON, Robert P., «Psychological status of the script concept», in *American Spychology*, n⁰ 36 (1981), pp. 715-729.

ABELSON, Robert P., «Concepts for representing mundane reality in plans», in BOBROW, D. et COLLINS, A. (éds.), *Representation and Understanding; Studies in Cognitive Science*, New York, Academic Press inc., 1975, pp. 273-309.

ADAM, Jean-Michel, «Ordre du texte, ordre du discours», in *Pratiques*, n⁰ 13, janvier, 1977, pp. 103-111.

— *Le texte narratif, précis d'analyse textuelle*, Paris, Nathan, 1985.

AISENBERG, Nadya, *A Common Spring, Crime Novel and Classic*, Bowling Green, Bowling Green University Popular Press, 1980.

ANGENOT, Marc, *Le roman populaire; recherches en paralittérature*, Montréal, Les Presses de l'Université du Québec, 1975.

ANSCOMBE, G. E. M., *Intention*, Oxford, Basil Blackwell, 1958.

ARISTOTE, *La poétique* (texte, traduction, notes par Roselyne Dupont-Roc et Jean Lallot), Paris, Seuil, 1980.

AUERBACH, Erich, *Mimésis, la représentation de la réalité dans la littérature occidentale*, Paris, Gallimard (coll. Tel), 1968.

AUSTIN, J. L., *Quand dire, c'est faire*, Paris, Seuil, 1970.

BAIER, Annette, «Ways and means», in *Canadian Journal of Philosophy*, vol. 1 (1972), pp. 275-293.

BARSALOU, L. W. et SEWELL, D. R., «Contrasting the representation of scripts and categories», in *Journal of Memory and Language*, nº 24 (1985), pp. 646-665.

BARTHES, Roland, «Éléments de sémiologie», in *Communications*, nº 4, Paris, Seuil, 1964, pp. 91-135.

— «Introduction à l'analyse structurale des récits», in *Communications*, nº 8 (1966), pp. 1-27.

— *S/Z*, Paris, Seuil (coll. Points), 1970.

— *Essais critiques IV. Le bruissement de la langue*, Paris, Seuil, 1984.

BEAUGRANDE, Robert, *Text, Discourse and Process: Toward a Multidisciplinary Science of Texts*, Norwood (N.J.), Ablex, 1980.

— «Quantum aspects of artistic perception», in *Poetics*, vol 17, nos 4-5 (1988), pp. 305-332.

BELLET, Roger (éd.), *L'aventure dans la littérature populaire au XIXe siècle*, Lyon, Presses Universitaires de Lyon, 1985.

BENNETT, Jonathan, «Shooting, killing and dying», in *Canadian Journal of Philosophy*, vol. 2, nº 3 (1973), pp. 315-323.

BETTINOTTI, Julia, BÉDARD-CAZABON, H., GAGNON, J., NOIZET, P., PROVOST, C., *La corrida de l'amour, le roman Harlequin*, Montréal, UQAM, *Les Cahiers du département d'études littéraires*, nº 6 (1986).

BLACK, John B. et BOWER, Gordon H., «La compréhension des récits considérée comme une activité de résolution de problèmes», in DENHIÈRE, G. (éd.), *Il était une fois...;*

compréhension et souvenir de récits, Lille, Presses Universitaires de Lille, 1984, pp. 275-311.

BOATRIGHT, M.C., «The Beginning of cowboy fiction», in *Southwest Review*, vol. 51 (1966), pp. 11-28.

BOBROW, Daniel G. et COLLINS, Allan, *Representation and Understanding; Studies in Cognitive Science*, New York, Academic Press, 1975.

BOLLÈME, Geneviève, *Le peuple par écrit*, Paris, Seuil, 1986.

BONN, Thomas L., *Under Cover, an Illustrated History of American Mass Market Paperbacks*, Londres Penguin Books, 1982.

BONNEFIS, Phillipe et REBOUL, Pierre (éds.), *La description*, Lille, Presses universitaires de Lille, 1981.

BOOTH, Wayne C., *The Rhetoric of Fiction*, Chigago, The University of Chicago Press, 1961.

BOYER, Alain-Michel, «Monsieur Poirot, qu'attendez-vous pour abattre vos cartes?», in *Littérature*, nº 68 (1987), pp. 3-25.

BRAND, Miles et WALTON, Douglas (éds.), *Action Theory*, Dordrecht, D. Reidel Publishing Compagny, 1976.

BREMOND, Claude, «La logique des possibles narratifs», in *Communications*, nº 8 (1966), pp. 60-76.

— *Logique du récit*, Paris, Seuil, 1973.

BROOKS, Peter, *Reading for the Plot; Design and Intention in Narrative*, New York, Knopf, 1984.

BUISINE, Alain, «Un cas limite de la description: l'énumération», in BONNEFIS, P. et REBOUL, P. (éds.), *La description*, Lille, Presses universitaires de Lille, 1981, pp. 81-102.

BUTOR, Michel, *La modification*, Paris, U.G.E. (coll. 10/18), 1957.

CAMPBELL, Jeremy, *Grammatical Man: Information, Entropy, Language, and Life*, New York, Simon & Schuster, 1982.

CAWELTI, John G., *Adventure, Mystery, and Romance*, Chicago, The University of Chicago Press, 1976.

— *The Six-Gun Mystique*, Bowling Green, Bowling Green University Popular Press, 1984.

CHAMBERS, ROSS, *Story and Situation: Narrative Seduction and the Power of Fiction*, Minneapolis, University of Minnesota Press, 1984.

CHESNEAU, Jean, *Une lecture politique de Jules Verne*, Paris, Maspero, 1971.

CHKLOVSKY, Viktor, «L'art comme procédé» et «La construction de la nouvelle et du roman», in TODOROV, T. (éd.), *Théorie de la littérature*, Paris, Seuil, 1965, pp. 76-97 et pp. 170-196.

COMMUNICATIONS nº 8: *L'analyse structurale des récits*, Paris, Seuil, 1966.

COOPER, James Fenimore, *La légende de Bas-de-Cuir*, Paris, Robert Laffont, 1960.

— *Le dernier des Mohicans*, Paris, Gallimard (coll. Folio junior), 1974.

CROSMAN WIMMERS, Inge, *Poetics of Reading, Approaches to the Novel*, Princeton, Princeton University Press, 1988.

DANTO, A. C., «Basic actions», in *American Philosophical Quarterly*, Pittsburg, nº 2 (1965), pp. 141-148.

— *Analytical Philosophy of Action*, Cambridge, Cambridge University Press, 1973.

DAVIDSON, Donald, «Agency», in BLINKLEY, R., BRONAUGH, R. et MARRAS, A. (éds.), *Agent, Action and Reason*, Toronto, University of Toronto Press, 1971, pp. 3-25.

— «Action, reasons and causes», in DAVIS, S. (éd.), *Causal Theories of Mind*, New York, Walter de Gruyter, 1983, pp. 58-72.

DAVIS, Steven (éd.), *Causal Theories of Mind*, New York, Walter de Gruyter, 1983.

DENHIÈRE, Guy (éd.), *Il était une fois...; compréhension et souvenir de récits*, Lille, Presses Universitaires de Lille, 1984.

DESCHÊNES, André-Jacques, *La compréhension et la production de textes*, Montréal, Presses de l'Université du Québec (coll. Monographies de psychologie, nº 7), 1988.

DOLE, Gérard, «Préface de *Le professeur Flax, monstre*

humain», Troesnes, Éd. Corps 9, 1983, tome I, pp. 7-16.

DORFMAN, Ariel, *The Empire's Old Clothes; What the Lone Ranger, Babar, and other Innocent Heroes do to our Minds*, New York, Pantheon Books, 1983.

DOCTOROW, E. L., *Welcome to Hard Times*, Toronto, Bantam Books, 1981.

DUBOIS, Jacques, «Surcodage et protocole de lecture dans le roman naturaliste», in *Poétique*, n° 16 (1973), pp. 491-498.

ECO, Umberto, *L'œuvre ouverte*, Paris, Seuil (coll. Points), 1965.

— *The Role of the Reader; Explorations in the Semiotics of Texts*, Bloomington, Indiana University Press, 1976.

— *A Theory of Semiotics*, Bloomington, Indiana University Press, 1979.

— *Semiotics ans the Philosophy of Language*, Bloomington, Indiana University Press, 1984.

— *Lector in fabula*, Paris, Grasset, 1985.

ECO, Umberto, SANTAMBROGIO, Marco et VIOLI, Patrizia (éds.), *Meaning and Mental Representation*, Bloomington, Indiana University Press, 1988.

ERLICH, Victor, *Russian Formalism, History-Doctrine*, La Haye, Mouton, 1969.

EZQUERRO, Milagros, «Les connexions du système PERSE», in *Le personnage en question; actes du IVe colloque du S.E.L.*, Université de Toulouse-Le-Mirail, Service des Publications, 1984, pp. 103-110.

FAYOL, Michel, *Le récit et sa construction, une approche de la psychologie cognitive*, Paris, Delachaux & Niestlé, 1985.

FEINBERG, Joel, «Action and responsibility», in BLACK, M. (éd.), *Philosophy of America*, Ithaca, Cornell University Press, 1965, pp. 134-160.

FISH, Stanley, *Is there a Text in this Class?*, Cambridge (Mass.), Harvard University Press, 1980.

FODOR, Jerry, «Troubles about actions», in *Synthese*, vol. 21 (1977), pp. 298-319.

GARDIN, Jean-Claude, *Les analyses de discours*, Paris, Delachaux et Niestlé, 1974.

GARDIÈS, Jean-Louis, *La logique du temps*, Paris, Presses Universitaires de France, 1975.

GENETTE, Gérard, *Figures III*, Paris, Seuil, 1972.

— *Palimpsestes; la littérature au second degré*, Paris, Seuil, 1981.

— *Nouveau discours du récit*, Paris, Seuil, 1983.

— *Seuils*, Paris, Seuil, 1987.

GERVAIS, Bertrand, «Du geste à l'action, du texte à l'image», SAMSON, J. (éd.), *Mieux vaut Tardi*, Montréal, Analogon, 1989, pp. 7-23.

— «L'aventure... la lecture», in *Protée*, vol. 17, no 2 (1989), pp. 42-54.

— «Scène, sommaire et cie: pour une réévaluation endo-narrative», in *Protée*, vol 18, no 2-3 (1990).

GOLDMAN, Alvin I., «The individuation of action», in *The Journal of Philosophy*, vol. 68, no 19 (1971), pp. 761-775.

— «Intentional action», in DAVIS, S. (éd.), *Causal Theories of Mind*, New York, Walter de Gruyter, 1983, pp. 73-113.

GOODMAN, Gail S., «Picture memory: how the action schema affects retention», in *Cognitive Psychology*, no 12 (1980), pp. 473-495.

GOODMAN, Nelson, *Ways of Worldmaking*, Indianapolis, Hackett Publishing Compagny, 1978.

GRAESSER, Arthur C., ROBERTSON, Scott P. et ANDERSON, Patricia A., «Incorporating inferences in narrative representations: a study of how and why», in *Cognitive Psychology*, no 13 (1981), pp. 1-26.

GREEN, Martin, *Dreams of Adventure, Deeds of Empire*, New York, Basic Books, 1979.

GREIMAS, Algirdas Julien, *Du sens*, Paris, Seuil, 1970.

— *Du sens II*, Paris, Seuil, 1983.

GREIMAS, Algirdas Julien et COURTÈS, Joseph, *Sémiotique:*

dictionnaire raisonné de la théorie du langage, Paris, Hachette, 1979.

GRICE, H. Paul, «Logique et conversation», in *Communications*, n° 30 (1979), pp. 57-72.

GROUPE D'ENTREVERNES (le), *Analyse sémiotique des textes: introduction, théorie, pratique*, Lyon, Presses Universitaires de Lyon, 1984.

GERRIG, Richard J., «Text comprehension», in STERNBERG, R. J. et SMITH, E. E. (éds.), *The Psychology of Human Thought*, Cambridge, Cambridge University Press, 1988, pp. 242-266.

HALASZ, László (éd.), *Literary Discourse. Aspects of Cognitive and Social Psychological Approaches*, Berlin, Walter de Gruyter, 1987.

HALASZ, László, LASZLO, János et PLEH, Csaba, «The short story. Cross-cultural studies in reading short stories», in *Poetics*, vol. 17, n° 4-5 (1988), pp. 287-304.

HAMON, Phillipe, «Un discours contraint», in *Poétique*, n° 16 (1973), pp. 411-445.

— «Pour un statut sémiologique du personnage», in BARTHES, R., KAYSER, W., BOOTH, W. C. et HAMON, P., *Poétique du récit*, Paris, Seuil, 1977, pp. 115-180.

— *Analyse du descriptif*, Paris, Hachette, 1981.

— «Texte et architecture», in *Australian Journal of French Studies*, vol 23, n° 3 (1986), pp. 290-308.

HOLLAND, Norman N., *5 Readers Reading*, New Haven, Yale University Press, 1975.

HOLUB, Robert C., *Reception Theory, a Critical Introduction*, Londres, Methuen, 1984.

HUTCHEON, Linda, *Narcissistic Narrative, the Metafictional Paradox*, Londres, Methuen, 1980.

ICOM simulations, Inc., *Déjà vu. A Nightmare Comes True*, Northbrook (Ill.), Mindscape, 1985.

INGARDEN, Roman, *The Literary Work of Art*, Evanston, Northwestern University Press, 1973.

ISER, Wolfgang, *The Implied Reader*, Baltimore, The Johns Hopkins University Press, 1974.

— *The Act of Reading, a Theory of Aesthetic Response*, Baltimore, The Johns Hopkins University Press, 1978.

JAMES, Henry, *Sur Maupassant, précédé de l'art de la fiction*, Paris, Éditions Complexe, 1987.

JAMESON, Fredric, *The Prison-House of Language*, Princeton, Princeton University Press, 1974.

JANKÉLÉVITCH, Vladimir, *L'Aventure, l'ennui, le sérieux*, Paris, Aubier Montaigne, 1963.

JOHNSON-LAIRD, Philip, *Mental Models, Towards a Cognitive Science of Language, Inference and Consciousness*, Cambridge (Mass.), Harvard University Press, 1983.

JONES, Daryl, *The Dime Novel Western*, Bowling Green, Bowling Green University Popular Press, 1978.

KINTSCH, Walter et VAN DIJK, Teun A., «Comment on se rappelle et on résume des histoires», in *Langages*, nº 40 (1975), pp. 98-116.

KRIPKE, Saul A., *Naming and Necessity*, Cambridge (Mass.), Harvard University Press, 1972.

LABOV, William, *Le parler ordinaire*, Paris, Minuit, 1978.

LAMY, Michel, *Jules Verne, initié et initiateur*, Paris, Payot, 1984.

LARIVAILLE, Paul, «L'analyse (morpho)logique du récit», in *Poétique*, nº 14 (1974), pp. 369-388.

LEFEBVRE, Hélène, *Le voyage*, Paris, Bordas (coll. thématique), 1985.

LEFEBVRE, Martin, «La représentation de l'Indien dans le cinéma américain», in *Recherches amérindiennes au Québec*, vol. XVII, nº 3 (1987), pp. 65-78.

LEWIS, David K., *Convention: a Philosophical Study*, Cambridge (Mass.), Harvard University Press, 1969.

LIVINGSTONE, Ian, *Le labyrinthe de la mort*, Paris, Gallimard (coll. Folio junior), 1984.

LUDLUM, Robert, *The Bourne Identity*, Toronto, Bantam Books, 1980.

— *The Parsifal Mosaic*, Toronto, Bantam Books, 1982.

— *The Aquitaine Progression*, Toronto, Bantam Books, 1983.

— *The Bourne Supremacy*, Toronto, Bantam Books, 1986.

MAILLOUX, Steven, *Interpretive Conventions: the Reader in the Study of American Fiction*, Ithaca, Cornell University Press, 1982.

MAINGUENEAU, Dominique, *Initiation aux méthodes de l'analyse du discours*, Paris, Hachette, 1976.

— *Genèse du discours*, Bruxelle, Pierre Mardaga, 1984.

— *Éléments de linguistique pour le texte littéraire*, Paris, Bordas, 1986.

— *Nouvelles tendances en analyse du discours*, Paris, Hachette, 1987.

MARANDA, Pierre, «Imaginaire artificiel: esquisse d'une approche», in *RS/SI*, vol. 5, n° 4 (1985), pp. 376-382.

MARTIN, R. M., «On events and event-descriptions», in MARGOLIS, J. (éd.), *Fact and Existence; Proceedings of the University of Western Ontario Philosophy Colloquium, 1966*, Oxford, Basil Blackwell, 1969.

MATHÉ, Roger, *L'aventure*, Paris, Bordas (coll. Thématique), 1972.

MELDEN, A. I., «Motive and explanation», in DAVIS, S. (éd.), *Causal Theories of Mind*, New York, Walter de Gruyter, 1983, pp. 45-57.

MEUNIER, Jean-Guy, *Structure générique d'un système sémiotique*, Montréal, Université du Québec à Montréal, 1987.

MILLER, George A. et JOHNSON-LAIRD, Philip N., *Language and perception*, Cambridge, Cambridge University Press, 1976.

MINSKY, Marvin, «Frame-system theory», in JOHNSON-LAIRD, P. N. et WATSON, P. C. (éds.), *Thinking: Readings in Cognitive Science*, Cambridge, Cambridge University Press, 1977, pp. 355-376.

— *The Society of Mind*, New York, Simon & Schuster, 1985.

MOLES, Abraham et ROHMER, Élisabeth, *Théorie des actes. Vers une écologie des actions*, Paris, Casterman, 1977.

NABOKOV, Vladimir, *La défense Loujine*, Paris, Gallimard (coll. Folio), 1964.

NEVEU, Erik, *L'idéologie dans le roman d'espionnage*, Paris, Presses de la Fondation Nationale des Sciences Politiques, 1985.

OLIVIER-MARTIN, Yves, *Histoire du roman populaire en France*, Paris, Albin Michel, 1980.

OLSEN, Christopher, «Knowledge of one's own intentional actions», in *The Philosophical Quarterly*, vol. 19, n° 77 (1969), pp. 324-336.

PAVEL, Thomas G., *The Poetics of Plot, the Case of English Renaissance Drama*, Minneapolis, University of Minnesota Press, 1985.

— *Fictional Worlds*, Cambridge (Mass.), Harvard University Press, 1986.

POLTI, Georges, *Les trente-six situations dramatiques*, Paris, Mercure de France, 1924.

— *L'art d'inventer les personnages*, Paris, Éditions d'aujourd'hui, 1980 (réédition).

PRATT, Marie Louise, *Toward a Speech Act Theory of Literary Discourse*, Bloomington, Indiana University Press, 1977.

PRINCE, Gérald, «Introduction à l'étude du narrataire», in *Poétique*, n° 14 (1972), pp. 178-196.

— *A Grammar of Stories*, La Haye, Mouton, 1973.

PROPP, Vladimir, *Morphologie du conte*, Paris, Seuil (coll. Points, n° 12), 1965.

PYLYSHYN, Zenon V., *Computation and Cognition; Toward a Foundation for Cognitive Science*, Cambridge (Mass.), MIT Press (Bradford Book), 1986.

QUENEAU, Raymond, *Cent mille milliards de poèmes*, Paris, Gallimard, 1961.

— *Contes et propos*, Paris, Gallimard, 1981.

RECANATI, François, *La transparence et l'énonciation*, Paris, Seuil, 1979.

RICŒUR, Paul, «Le discours de l'action», in *La sémantique de l'action*, Paris, Éditions du CNRS, 1977, pp. 3-137.

— *Temps et récit I*, Paris, Seuil, 1983.
— *Temps et récit II. La configuration dans le récit de fiction*, Paris, Seuil, 1984.
— *Temps et récit III. Le temps raconté*, Paris, Seuil, 1985.
— *Du texte à l'action. Essais d'herméneutique II*, Paris, Seuil (coll. Esprit), 1986.

RIFFATERRE, Michael, *Essais de stylistique structurale*, Paris, Flammarion, 1971.

ROUSSEL, Raymond, *Locus Solus*, Paris, Gallimard (coll. Folio), 1963/1965.

RUMELHART, David E., «Notes on a schema for stories», in BOBROW, D. et COLLINS, A. (éds.), *Representation and Understanding; Studies in Cognitive Science*, New York, Academic Press, 1975, pp. 211-236.

SARTRE, Jean-Paul, *L'être et le néant, essai d'ontologie phénoménologique*, Paris, Gallimard, 1943.

SAMPSON, Robert, *Yesterday's Faces; A Study of Series Characters in the Early Pulp Magazines*. Tome I: *Glory Figures*, Bowling Green, Bowling Green University Popular Press, 1983.

SCHANK, Roger C., «The structure of episodes in memory», in BOBROW, D. et COLLINS, A. (éds.), *Representation and Understanding; Studies in Cognitive Science*, New York, Academic Press inc., 1975, pp. 237-271.

— *Dynamic Memory; A Theory of Reminding and Learning in Computers and People*, Cambridge, Cambridge University Press, 1982.

— *The Cognitive Computer. On Language, Learning, and Artificial Intelligence*, Don Mills (Ontario), Addison-Wesley Publishing Compagny, 1984.

SCHANK, Roger C. et ABELSON, Robert P., *Scripts, Plans, Goals and Understanding. An Inquiry into Human Knowledge Structures*, Hillsdale, Lawrence Erlbaum Associates, 1977.

SCHUTZ, Alfred, *The Phenomenology of the Social World*, Chicago, Northwestern University Press, 1967.

— *Collected Papers*. Tome I: *The Problem of Social Reality*, La Haye, Nijhoff, 1967.

SEARLE, John R., *Les actes de langage, essai de philosophie du langage*, Paris, Hermann, 1972.

— *Intentionality; an Essay in the Philosophy of Mind*, Cambridge, Cambridge University press, 1983.

SLATKA, Denis, «L'ordre du texte», in *Études de linguistique appliquée*, n° 19 (1975), pp. 30-42.

SOURIAU, Étienne, *Les deux cent mille situations dramatiques*, Paris, Flammarion, 1950.

STANZEL, F.K., *A Theory of Narrative*, Cambridge, Cambridge University Press, 1984.

STEIG, Michael, *Stories of Reading, Subjectivity and Literary Understanding*, Baltimore, The Johns Hopkins University Press, 1989.

STEIN, Nancy L. et GLENN, Christine G., «An analysis of story comprehension in elementary school children», in FREEDLE, R. O. (éd.), *New Directions in Discourse Processing*, Norwood, Ablex Publishing C., 1979, pp. 53-120.

STERNBERG, Robert J. et SMITH, Edward E. (éds.), *The Psychology of Human Thought*, Cambridge, Cambridge University Press, 1988.

STIERLE, Karlheinz, «Réception et fiction», in *Poétique*, n° 39 (1979), pp. 299-320.

STOCKINGER, Peter, *Prolégomènes à une théorie de l'action*, Paris, Actes Sémiotiques - Documents du Groupe de recherches Sémio-linguistiques E.H.E.S.S. - C.N.R.S., VII, n° 62 (1985).

SUE, Eugène, *Les mystères de Paris*, Paris, 1977.

SULEIMAN, Susan R., «Introduction: varieties of audience-oriented criticism», in SULEIMAN, S. R. et CROSSMAN, I. (éds.), *The Reader in the Text. Essays on Audience and Interpretation*, Princeton, Princeton University Press, 1980.

TADIÉ, Jean-Yves, *Le roman d'aventures*, Paris, Presses Universitaires de France, 1982.

TANNEN, Deborah, «What's in a frame? Surface evidence for underlying expectations», in FREEDLE, R. O. (éd.), *New*

LAST NAME: _____
(please print)

TODAY'S DATE: _____

ON LOAN : BF121.T3

QB 325.M88

Taire.   Location RDL

On intelligence.

— Eva Koci

DB T455.T534 (Bios.Quick

Z 688.85.69

Directions in Discourse Processing, Norwood, Ablex P. C., 1979, pp. 137-181.

THALBERG, Irving, «Individuing actions», in *The Journal of Philosophy*, vol. LXVIII, n° 19 (1971), pp. 775-787.

— *Perception, Emotion and Action*, Oxford, Basil Blackwell, 1977.

THÉRIEN, Gilles, *Sémiologies*, Montréal, UQAM (Les Cahiers du département d'études littéraires, n° 4), 1985.

— «Pour une sémiotique de la lecture», in *Protée*, vol. 18, n° 2-3 (1990).

THIESSE, Anne-Marie, «Le roman populaire d'aventures: une affaire d'homme», in BELLET, R. (éd.), *L'aventure dans la littérature populaire au XIX*, Lyon, Presses Universitaires de Lyon, 1985, pp. 199-208.

THOMSON, Judith Jarvis, *Acts and Other Events*, Ithaca, Cornell University Press, 1977.

TODOROV, Tzvetan, «Les catégories du récit littéraire», in *Communications*, n° 8 (1966), pp. 125-151.

— *Grammaire du Décaméron*, La Haye, Mouton, 1969.

— *Introduction à la littérature fantastique*, Paris, Seuil (coll. Points), 1970.

— *Poétique de la prose (choix); suivi de nouvelles recherches sur le récit*, Paris, Seuil (coll. Points), 1978.

TODOROV, Tzvetan (éd.), *Théorie de la littérature*, Paris, Seuil, 1965.

TOMACHEVSKI, Boris, «Thématique», in TODOROV, T. (éd.), *Théorie de la littérature*, Paris, Seuil, 1965, pp. 263-307.

TULVIN, Endel, «Episodic and semantic memory», in TULVING, E. et DONALDSON, W. (éds.), *Organization of Memory*, New York, Academic Press, 1972, pp. 381-403.

— *Elements of Episodic Memory*, Oxford, Oxford University Press, 1983.

VANDELOISE, Claude, *L'espace en français*, Paris, Seuil, 1986.

VAN DIJK, Teun A., «Le texte: structures et fonctions. Introduction élémentaire à la science du texte», in KIBEDI-VARGA, A. (éd.), *Théories de la littérature*, Paris, Picard, 1981, pp. 65-93.

403

— *Text and Context. Exploration in the Semantics and Pragmatics of Discourse*, Londres, Longman, 1988.

VAYER, Pierre et TOULOUSE, Pierre, *Psychosociologie de l'action: le motif et l'action*, Paris, Doin, 1982.

VÉRALDI, G., *Le roman d'espionnage*, Paris, Presses Universitaires de France, 1983.

VERNE, Jules, *Vingt mille lieues sous les mers*, Paris, Le Livre de Poche, 1966.

— *Michel Strogoff*, Paris, Le Livre de Poche, 1978.

— *Le tour du monde en 80 jours*, Le Livre de Poche, 1986.

VIERNE, Simone, *Jules Verne et le roman initiatique: contribution à l'étude de l'imaginaire*, Paris, Éditions du Sirac, 1973.

— *Jules Verne*, Poitiers, Éditions Balland, 1986.

WATZLAWICK, Paul, HELMICK BEAVIN, Janet et JACKSON, Don D., *Une logique de la communication*, Paris, Seuil (coll. Points), 1972.

WEINRICH, Harald, *Le temps*, Paris, Seuil, 1973.

WILENSKY, Robert, «Story grammar versus story points», in *The Behavioral and Brain Sciences*, no 6 (1983), pp. 579-623.

WINKIN, Yves (éd.), *La nouvelle communication*, Paris, Seuil (coll. Points), 1981.

WINOGRAD, Terry et FLORES, Fernando, *Understanding Computers and Cognition*, Don Mills, Addison-Wesley Publishing Co., 1986.

WRIGHT, Georg Henrik von, *Norm and Action: a Logical Enquiry*, Londres, Routledge & Kegan Paul, 1963.

— *An Essay in Deontic Logic and the General Theory of Action*, Amsterdam, North-Holland Publishing Co., 1968.

ZWEIG, Paul, *The Adventurer*, New York, Basic Books, 1974.

Table onomastique

Table des matières

La collection «L'Univers des discours» est dirigée
par Antonio Gómez-Moriana et Danièle Trottier

Déjà parus dans cette collection:

La subversion du discours rituel,
par Antonio Gómez-Moriana

L'Enjeu du manifeste, le manifeste en jeu,
par Jeanne Demers et Lyne McMurray

Jeu textuel et profanation,
par Danièle Trottier

*Relations de l'expédition Malaspina aux confins
de l'Empire espagnol. L'échec du voyage,*
par Catherine Poupeney Hart

*Le discours maghrébin: dynamique textuelle
chez Albert Memmi,*
par Robert Elbaz

*Écrire en France au XIXe siècle.
Actes du Colloque de Rome 1987,*
par Graziella Pagliano et Antonio Gómez-Moriana (éds.)

Le paradigme inquiet: Pirandello et le champ de la modernité,
par Wladimir Krysinski

*Le roman québécois de 1960 à 1975.
Idéologie et représentation littéraire,*
par Józef Kwaterko

Le discours de presse,
par Maryse Souchard

*Le voleur de parcours. Identité et cosmopolitisme
dans la littérature québécoise contemporaine,*
par Simon Harel

*Romantisme et crises de la modernité. Poésie et encyclopédie
dans le Brouillon de Novalis,*
par Walter Moser

À paraître prochainement:

Le présent ouvrage
publié par les
Éditions du Préambule
a été achevé d'imprimer
le 10e jour de mai
de l'an mil neuf cent quatre-vingt-dix
sur les presses de
l'Imprimerie Gagné
Louiseville, Québec

Dépôt légal: 2e trimestre 1990
Bibliothèque nationale du Québec
ISBN: 2-89133-112-5

Composition typographique et montage:
LHR, Candiac

Achevé   Imprimerie
d'imprimer Gagné Ltée
au Canada Louiseville